AN AP* SPANISH LANGUAGE HANDBOOK

Abriendo puertas:

Lenguaje

Judy Armen

McDougal Littell
A DIVISION OF HOUGHTON MIFFLIN COMPANY
Evanston, Illinois • Boston • Dallas

Printed in the United States of America

ISBN 978-0-618-63342-5

ISBN 0-618-63342-1

1 2 3 4 5 6 7 8 9— D C I — 11 10 09 08 07 06

Internet Web Site:
http://www.mcdougallittell.com

Letter

Dear Students,

The book you hold in your hands is a labor of love written from the heart for my own students in Worcester, Massachusetts. The story of how it came to be is somewhat unique, and I'd like to share it with you.

For some reason, I clearly remember the date: March 12th, 1993. That morning, my students and I finally realized that we had all become frustrated with the materials we were required to use. We were working with several books, but none offered us what we were looking for: one was too difficult, another was too elementary, one was cluttered with visuals, and another was "scattered" in its approach to grammar.

One student in the back row lamented, "Why can't they write a book that teaches us what we want and need to know in a way that we can understand?" My response was, and I'll never forget these words, "**You** know what you want, and **I** know what we need, so why don't we work together to come up with the best book we can?" I then offered to write the text, and invited the students to be my consultants, editors, proof readers and critics. They were intrigued and enthusiastic about the idea, as was I, and thus began what is now *Abriendo puertas: Lenguaje.*

The students felt that they needed a textbook that explained Spanish grammar in English, one topic at a time, with many examples in both languages, and sufficient exercises to reinforce what they were learning. In fact, the original title of this text was *Spanish Grammar in Plain English*, later nicknamed *Español in a Nutshell* in a book-naming contest at school. They also requested vocabulary words that would be helpful in daily life, such as those dealing with the classroom, bank, gas station, hospital, etc. Surprisingly, they weren't interested in frills, but wanted a book that "cut to the chase."

With these suggestions in mind, I began to write. It was a long and slow process, as I had teaching obligations to consider first. It was, however, very satisfying to see the chapters take shape, knowing that the end result would be truly "student friendly." Every single page has been used in class and critiqued by hundreds of students over the ensuing years, and I have incorporated their suggestions in order to make it a useful tool for all of them and all of you.

Your book began as several "editions" of photo copies in a binder, and then progressed to a soft-bound copy when the Worcester Public Schools adopted it as part of the intermediate and advanced Spanish curriculum in their five public high schools. Thus, the little home-made Spanish text began to make its way into the world, thanks to the ideas, help, and support of my own students.

Whether you are a high school student preparing for college, an AP* candidate anticipating the exam, a college student looking for a review text, someone planning to travel, or an adult wishing to brush up on high school Spanish, it is my sincere hope that you will find what you need here at your fingertips in *Abriendo puertas: Lenguaje*. Hopefully, the arrangement of the book's components will allow you to select the lessons that will be most beneficial to you.

There are hundreds of proud Doherty High School students from Worcester, now out in the "real" world who have had a hand in bringing this book to fruition. I am forever in their debt and thank them from the bottom of my heart. We never expected "Nutshell" to leave our classroom, but I'm sure that they are as delighted as I am to see our work in the hands of other learners.

As you pursue your studies, please remember that this text was written with the best interests of all students first and foremost in mind. It is my fondest dream that these chapters will help you navigate your way through the beautiful waters of the Spanish language.

Sincerely,

Judy Armen

Judy Armen

*AP and the Advanced Placement Program are registered trademarks of the College Entrance Examination Board, which was not involved in the production of and does not endorse this product.

Table of Contents

PART FOUR: WRITING

PART FIVE: VERBS

PART SIX: GRAMMAR

PART SEVEN:
GLOSSARY OF GRAMMATICAL TERMS

Overview of Tenses

Infinitive: hablar, comer, vivir

                       hablar: *to speak*

Present participle: hablando, comiendo, viviendo

                       hablando: *speaking, by speaking*

Past participle: hablado, comido, vivido

                       hablado: *spoken*

Present: hablo hablas habla hablamos habláis hablan
                       como comes come comemos coméis comen
                       vivo vives vive vivimos vivís viven

                       hablo: *I speak, I do speak, I am speaking*

Present progressive: estoy estás está estamos estáis están
                       + hablando/comiendo/viviendo

                       estoy hablando: *I am speaking (in progress)*

Preterite: hablé hablaste habló hablamos hablasteis hablaron
             comí comiste comió comimos comisteis comieron
             viví viviste vivió vivimos vivisteis vivieron

             hablé: *I spoke, I did speak*

Imperfect: hablaba hablabas hablaba
             hablábamos hablabais hablaban
             comía comías comía comíamos comíais comían
             vivía vivías vivía vivíamos vivíais vivían

             hablaba: *I was speaking, I used to speak, I would
             (always) speak, I spoke (continuously,
             habitually or over a long period of time)*

Future: hablaré hablarás hablará
             hablaremos hablaréis hablarán
             comeré comerás comerá
             comeremos comeréis comerán
             viviré vivirás vivirá viviremos viviréis vivirán

hablaré: *I will/shall speak*
I probably speak*, I must speak*, I should speak*, Can I speak?*, I ought to speak*, I wonder where/how, etc. I speak*

*to express probability or conjecture

Conditional:

hablar**ía** hablar**ías** hablar**ía**
hablar**íamos** hablar**íais** hablar**ían**
comer**ía** comer**ías** comer**ía**
comer**íamos** comer**íais** comer**ían**
vivir**ía** vivir**ías** vivir**ía**
vivir**íamos** vivir**íais** vivir**ían**

hablaría: *I would speak, I should speak (When should is synonymous to would.), I probably spoke*, Could I speak?* I wonder how/where, etc.*
I spoke*

*to express probability or conjecture

Imperatives (commands)

Affirmative:

tú: habla/come/vive (2.s. present indicative)   *speak (familiar)*

Ud.: hable/coma/viva (3.s. present subjunctive) *speak (formal)*

nosotros:
   habl**emos**/com**amos**/viv**amos** (1.p. subjunctive)   *let's speak*
   vamos a hablar/comer/vivir: (**vamos a** + infinitive) *let's speak*

vosotros:
   habla**d**/come**d**/vivi**d** (Replace infinitive's **r** with **d**.)   *speak (familiar in Spain)*

Uds: habl**en**/com**an**/viv**an** (3.p. subjunctive)   *speak (plural)*

Negative: (all subjunctive forms)

tú:	no habl**es**/com**as**/viv**as**	*don't speak (familiar)*
Ud:	no habl**e**/com**a**/viv**a**	*don't speak (formal)*
nosotros:	no habl**emos**/com**amos**/viv**amos**	*let's not speak*
vosotros:	no habl**éis**/ com**áis**/ viv**áis**	*don't speak (familiar in Spain)*
Uds:	no habl**en**/com**an**/viv**an**	*don't speak (plural)*

Present perfect: **he has ha hemos habéis han**
+ hablado/comido/vivido

he hablado: *I have spoken*

Pluperfect: había habías había habíamos habíais habían
+ hablado/comido/vivido

había hablado: *I had spoken*

Preterite perfect: **hube hubiste hubo**
hubimos hubisteis hubieron
+ hablado/comido/vivido

hube hablado: *I had spoken/ (Barely/hardly/no*
sooner) had I spoken

Future perfect: habré habrás habrá
habremos habréis habrá
+ hablado/comido/vivido

habré hablado: *I will/shall have spoken*
I probably have spoken*,
I must have spoken*,
I should have spoken*,
Can I have spoken?*, I ought
to have spoken*, I wonder (who,
where, etc.) I have spoken*

Conditional perfect: habría habrías habría
habríamos habríais habrían
+ hablado/comido/vivido

habría hablado: *I would have spoken*
I should have spoken (when *should* is
synonymous to *would*)
I probably had spoken*, I could have spoken*,
I wonder (who/how/where/etc.), I had spoken*

*To express probability or conjecture

Present subjunctive: hable hables hable
hablemos habléis hablen

coma comas coma comamos comáis coman

viva vivas viva vivamos viváis vivan

hable: *I speak, I do speak, I am speaking, I may
speak, I might speak, I will speak, to speak*

Imperfect subjunctive: hablara hablaras hablara
habláramos hablarais hablaran

comiera comieras comiera
comiéramos comierais comieran

viviera vivieras viviera
viviéramos vivierais vivieran

hablara: *I spoke, I did speak, would
speak, to speak*

Future subjunctive*: hablare hablares hablare
habláremos hablareis hablaren

comiere comieres comiere
comiéremos comiereis comieren

viviere vivieres viviere
viviéremos viviereis vivieren

hablare: *I speak, I will/shall speak*
***Obsolete** but used in the Bible,
literature and some proverbs.

Present perfect subjunctive: **haya hayas haya
hayamos hayáis hayan**
+ hablado/comido/vivido

haya hablado: *I have spoken/I will have spoken*

Pluperfect subjunctive: hubiera hubieras hubiera
hubiéramos hubierais hubieran
+ hablado/comido/vivido

hubiera hablado: *I had spoken*

Future perfect subjunctive*: hubiere hubieres hubiere
hubiéremos hubiereis hubieren
+ hablado/comido/vivido

hubiere hablado: *I will/have spoken/I have spoken*

***Obselete** but used in the Bible, in
literature and some proverbs.

Overview of Pronouns

Subject		Prepositional		Reflexive Prepositional	
Singular					
1. yo	I	mí	me	mí	myself
2. tú	you (fam.)	ti	you (fam.)	ti	yourself (fam.)
Ud.	you (form.)	Ud.	you (form.)	sí	yourself (form.)
3. él	he	él	him, it (m.)	sí	himself, itself (m.)
ella	she	ella	her, it (f.)	sí	herself, itself (f.)
Plural					
1. nosotros	we	nosotros	us	nosotros	ourselves
2. vosotros	you (fam.)	vosotros	you (fam.)	vosotros	yourselves (fam.)
Uds.	you	Uds.	you	sí	yourselves
3. ellos	they (m.)	ellos	them (m.)	sí	themselves (m.)
ellas	they (f.)	ellas	them (f.)	sí	themselves (f.)

Note:

- Even though **usted (Ud.)** and **ustudes (Uds.)** are considered second person subject pronouns, they take third person verb conjugations and object pronouns.

- After **con** (with), **mí, ti** and **sí,** become **migo, tigo,** and **sigo.**

Lo tengo **conmigo.**	Lo tienes **contigo.**	Lo tiene **consigo.**
*I have it **with me.***	*You have it **with you.***	*He has it **with him.***

Direct		Indirect		Reflexive	
Singular		*to, for, from:*		*(to, for, from):*	
1. me	*me*	me	*me*	me	*myself*
2. te	*you (fam.)*	te	*you (fam.)*	te	*yourself (fam.)*
3. lo, la	*you (form.)*	le	*you (form.)*	se	*yourself (form.)*
lo	*him, it (m.)*	le	*him, it (m.)*	se	*himself, itself (m.)*
la	*her, it (f.)*	le	*her, it (f.)*	se	*herself, itself (f.)*

Plural					
1. nos	*us*	nos	*us*	nos	*ourselves*
2. os	*you (fam.)*	os	*you (fam.).*	os	*yourselves (fam.)*
3. los, las	*you*	les	*you*	se	*yourselves*
los	*them (m.)*	les	*them (m.)*	se	*themselves (m.)*
las	*them (f.)*	les	*them (f.)*	se	*themselves*

Vocabulary & Speaking

Speaking

In order to communicate effectively, it is essential to have an extensive vocabulary at your disposal. The wider the range of your vocabulary, the better equipped you will be to sharpen your skills at reading, writing, listening, and speaking. We offer here several sections of thematically-grouped vocabulary words that all relate to "real life". Each section includes activities or tasks that will enable you to use the words you have learned, and thereby reinforce your newly-acquired knowledge.

Listening and speaking are closely related skills that are an integral part of a Spanish learner's experience. Whether you are preparing for the AP language examination, planning to continue your language studies in college, or simply want to communicate effectively, it is to your advantage to hone these skills to the best of your ability. In this part you will be able to practice listening and speaking in both informal and formal situations.

Informal Speaking (Simulated Conversation)

For the informal exercises in the AP examination or perhaps in subsequent Spanish courses, you may be asked to participate in interpersonal simulations of "day-to-day" activities, such as leaving or responding to a message on an answering machine or taking part in a casual conversation. In the first section of Part One you will find activities to practice this type of informal conversation. In the activities, you will be given a prompt, such as:

Imagine that you receive a message from your brother saying that his car has broken down and that he needs your help.

You will then hear the recorded message. After you hear the message, you will be offered suggestions as to how to respond, such as:

- Tell him not to worry.
- Explain that you will arrange to have the car towed.
- Inform him that you will pick him up and take him home.

You will be allotted specified amounts of time to prepare your response and to record your message.

Formal Oral Presentations (Integrated Skills)

For the formal exercises in the AP examination, you may be asked to listen to an audio selection such as a radio report, and read a related article or passage. After listening and reading, you will be expected to incorporate what you have assimilated into a formal oral presentation. In the second section of Part One, you will find activities to practice the skills needed to complete this type of integrated activity successfully. As in the informal scenarios, prompts will be provided with the following information:

- The title and source information for the printed article or reading.
- The title and radio program source for the audio selection.
- A question, topic, or analytical task to guide your formal presentation.

You will have a specified amount of time to read and listen to the sources of information, and to plan and record your answer.

The practice provided in Part One should help you to feel more confident about your listening and speaking skills in Spanish. I hope that the guidelines of the following pages, many of which were suggested by my own students, will also be of help to you.

Helpful Hints

Vocabulary Study

- Use the words in complete sentences.
- Write paragraphs, passages, or dialogues using the new vocabulary.
- Converse with a friend about the target category.
- Create a skit about the theme at hand: school, hospital, etc.
- Find a written drill that "works for you", such as using flash cards, creating matching exercises, or writing words out a certain number of times.

Reading

- Go through the selection quickly to get a grasp of the main idea.
- Focus on the "big picture", and don't get bogged down by minute details.
- Be alert for cognates.
- Zero in on *who, what, when, where,* and *why.*
- Re-read, if time allows, for more detailed information.

Listening

- Try to block out everything around you and ignore distractions.
- Look for the main theme. Focus on the "big picture" and don't worry about details.
- Be alert for key words and cognates.
- Don't get "hung up" on words you don't know.
- Be efficient in taking notes. Don't try to write everything down, just key words and ideas, and perhaps names and dates that you're not apt to remember. Abbreviate.
- "Ears open and go with the flow."

Note:

From Day One in your Spanish studies, you should work at improving your listening skills. Listen as often as you can to recordings, radio and television programs and even Spanish music. As you listen, try to find your own personal "listening style", be it closing your eyes, taking notes, or perhaps staring at a fixed object on your desk. Practice taking notes and try to perfect the method that works best for you. As with everything else in life, *"la práctica hace maestro"* ("practice makes perfect").

Speaking

- Project your voice and speak with expression and enthusiasm.
- Speak in a confident manner.
- Show the listener that you are interested in the topic and eager to comment.
- Don't be afraid to inject humor when appropriate.
- Let your personality show through.

Now you are familiar with what Part One has in store for you, and you have an arsenal of hints, guidelines, and suggestions. Relax and enjoy your foray into vocabulary study, listening, reading, and speaking Spanish.

Sample Rubrics for the 2005 Speaking Section of the AP Language Examination

9 DEMONSTRATES EXCELLENT ORAL EXPRESSION

- Use and control of complex structures; very few errors with no patterns.
- Rich vocabulary used with precision.
- High level of fluency.
- Thorough, detailed, and rich narration.
- Excellent pronunciation.

7–8 DEMONSTRATES VERY GOOD ORAL EXPRESSION

- Use of complex structures but may contain more than a few errors.
- Very good vocabulary.
- Very good fluency.
- Narrations tells the story very well.
- Very good pronunciation.

5–6 DEMONSTRATES GOOD ORAL EXPRESSION

- Control of simple structures, with few errors; may use complex structures with little or no control.
- Good range of vocabulary; Anglicisms possible.
- Good fluency with occasional hesitance; some successful self-correction.
- Narration tells the story well.
- Good pronunciation.

3-4 DEMONSTRATES FAIR TO POOR ORAL EXPRESSION

- Limited control of simple structures; with errors
- Narrow range of vocabulary with some Anglicisms.
- Labored expression; minimal fluency.
- Narration tells the story but may force interpretation.
- Fair pronunciation; may affect comprehension.
- Some redeeming features.

1-2 DEMONSTRATES LACK OF COMPETENCE IN ORAL EXPRESSION

- Frequent errors in use of structures.
- Few vocabulary resources with frequent Anglicisms.
- Little to no fluency.
- Fragmented speech sample relevant to story, which forces interpretation of meaning.
- Poor pronunciation impedes comprehension.
- Few redeeming features.

0 IRRELEVANT SPEECH SAMPLE

- Off task.
- Irrelevant narrative.
- No answer.

Idiomatic Expressions with *dar*, *echar*, *estar*, *hacer*, *tener*, and *tener*

dar

a	*to look out over*
con	*to come upon*
contra	*to hit against*
cuerda a	*to wind (a watch)*
-darse cuenta de	*to realize*
darse la mano	*to shake hands*
darse por	*to consider*
darse prisa	*to hurry*
de comer	*to feed*
en	*to strike against*
en el blanco	*to hit the mark*
gritos	*to shout*
la bienvenida	*to welcome*
la hora	*to strike the hour*
las gracias	*to thank*
palmadas	*to clap hands*
recuerdos	*to give regards*
un paseo	*to take a walk*
un abrazo	*to embrace*
una vuelta	*to take a stroll*

echar

al correo	*to mail*
de menos	*to miss*
la culpa	*to blame*
echarse a reír	*to burst out laughing*

estar

a la moda	*to be dressed fashionably*
a punto de	*to be about to*
con ganas de	*to be in the mood for / to feel like*
de acuerdo	*to be in agreement*
de buen humor	*to be in a good mood*
de compras	*to be shopping*
de guardia	*to be on call / on duty*
de mal humor	*to be in a bad mood*
de pie	*to be standing*
de servicio	*to be on duty*

de vacaciones	to be on vacation
de vuelta	to be back
en lo cierto	to be on the right track
listo para	to be ready for / to
sano y salvo	to be safe and sound
¿A cuánto estamos?	What's the date?
Estamos a 23 de agosto.	It's August 23rd.
¿Está Juan?	Is Juan in / at home / here?

hacer

el papel	to play the role
falta	to need
hincapié	to insist upon, emphasize
la maleta	to pack the suitcase
un viaje	to take a trip
hacerle caso a	to pay attention to
hacerse daño	to hurt oneself
hacerse tarde	to get late

tener

___ años	to be ___ years old
calor	to be hot
celos	to be jealous
cuidado	to be careful
culpa	to be guilty
dolor de ___	to have a ___ ache
en cuenta	to keep in mind
frío	to be cold
ganas de	to feel like
hambre	to be hungry
la bondad	to be kind enough
la mente en blanco	to have a mental block
lugar	to take place
miedo	to be afraid
no tener razón	to be wrong
prisa	to be in a hurry
que + infin.	to have to ___
¿Qué tienes?	What's the matter?
que ver con	to have to do with
razón	to be right
sed	to be thirsty
sueño	to be sleepy
suerte	to be lucky
vergüenza	to be ashamed

I. Informal Speaking

La ropa y los artículos personales

La ropa

abrigo	overcoat
bata	robe
blusa	blouse
botas	boots
bufanda	scarf
calcetines (m.)	socks
camisa	shirt
camiseta	tee shirt
camisón (m.)	nightgown
chaleco	vest
chaqueta	jacket
corbata	tie
esmoquin (m.)	tuxedo
falda	skirt
gorra	cap
gorro	hat
impermeable (m.)	raincoat
medias	socks
pantalones (m.)	pants
pantalones cortos (m.)	shorts
pantuflas	slippers
pijama (m.)	pajamas
prenda	article of clothing
ropa	clothing
ropa interior	underwear
saco	suit jacket
sandalias	sandals
suéter (m.)	sweater
traje (m.)	suit
traje de baño (m.)	bathing suit
vestidos	clothes
zapatos	shoes
zapatillas	slippers

Los artículos personales

anillo	*ring*
anteojos	*eye glasses*
aretes (m.), aros	*earrings*
billetera	*billfold*
bolsa	*bag*
cartera	*wallet / pocketbook*
cinturón (m.)	*belt*
collar (m.)	*necklace*
gafas	*eyeglasses*
hebilla	*buckle / clasp*
lentes (f.)	*glasses / lenses*
llavero	*key ring*
maleta	*suitcase*
paraguas (m.)	*umbrella*
pendientes (m.)	*earrings / pendants*
prendedor (m.)	*pin*
pulsera	*bracelet*
reloj (m.)	*watch*

Expresiones populares

Abrir el paraguas antes de que llueva.
Forewarned is forearmed.

Aunque la mona se vista de seda mona se queda.
Clothes make the man.

Como anillo al dedo.
Just what I needed.

PREGUNTAS DE RESPUESTA CORTA

1. Describe la ropa de un(a) compañero(a) de clase.

2. ¿Qué cosas esenciales pones en la maleta cuando vas de viaje?

3. ¿Qué accesorios sueles usar?

4. ¿Qué ropa usas en un día típico de verano y en uno de invierno?

5. Nombra tres prendas de vestir formales y tres informales.

Dejar un mensaje telefónico

Directions: For the following question, you will listen to a telephone message and also record a message in response. First, you will hear the message. Afterward, you will have 30 seconds to prepare your response. Then, you will have one minute to record your message.

Instrucciones: Para la pregunta siguiente, escucharás un mensaje telefónico y también grabarás un mensaje para responder. Primero, escucharás el mensaje. Después, tendrás 30 segundos para preparar tu respuesta. Luego, tendrás un minuto para grabar tu mensaje.

Imagina que recibes un mensaje telefónico de tu amiga, Cristina. Ella va a pasar el fin de semana contigo en tu apartmento en Nueva York. Cristina te pide que la llames por teléfono. Escucha su mensaje y devuélvele la llamada, dejándole un mensaje.

(a) Escucha el mensaje de Cristina.

(b) Prepara y graba tu mensaje.
En el mensaje, debes hacer lo siguiente:
- Dile que no se preocupe.
- Dale la información que te pide.
- Expresa que anticipas con placer el fin de semana.

2. El aula

Objetos

borrador (m.)	*eraser*
cajón (m.)	*drawer*
calendario	*calendar*
diccionario	*dictionary*
escritorio	*desk*
libro	*book*
mapa (m.)	*map*
marcador (m.)	*marker*
pizarra	*board*
pupitre (m.)	*pupil's desk*
sacapuntas (m.)	*pencil-sharpener*
tiza	*chalk*

Estudio

capítulo	*chapter*
ejercicio	*exercise*
examen (m.)	*exam*
frase (m.)	*phrase / sentence*
horario	*schedule*
informe (m.)	*report*
lección (f.)	*lesson*
lectura	*reading*
letra	*letter*
materia	*subject*
oración (f.)	*sentence*
página	*page*
párrafo	*paragraph*
proyecto	*project*
prueba	*quiz*
renglón (m.) / línea	*line*
subrayado	*underlined*
tarea	*homework / asssignment*
unidad (f.)	*unit*

Verbos

aprender	*to learn*
aprobar	*to pass*
comprender	*to understand*
enseñar	*to teach*
entender	*to understand*
reprobar	*to fail*

Preguntas

¿Puedo ...?	*May I ...?*
ir a la enfermería	*go to the nurse*
pedir prestado un bolígrafo	*borrow a pen*
usar un lápiz	*use a pencil*
¿Quieres ...?	*Will you ...?*
borrar la pizarra	*erase the board*
cerrar la puerta	*close the door*
entregar el proyecto	*hand in / turn in the project*
recoger las tareas	*collect the homework*

Expresiones populares

al pie de la letra	*literally / strictly*
dar una vuelta de página	*to change the subject*
El ejercicio hace al maestro.	*Practice makes perfect.*

PREGUNTAS DE RESPUESTA CORTA

1. Menciona cinco elementos esenciales en un aula.

2. Pídele prestadas dos cosas a tu maestro/a y explícale por qué las necesitas.

3. Menciona las ventajas de tener pruebas todas las semanas.

4. Nombra dos de tus materias favoritas y explica por qué te gustan.

5. ¿En dónde haces la tarea y a qué hora? ¿La haces solo/a o con alguien?

Dejar un mensaje telefónico

Instrucciones: Para la pregunta siguiente, escucharás un mensaje telefónico y también grabarás un mensaje para responder. Primero, escucharás el mensaje. Después, tendrás 30 segundos para preparar tu respuesta. Luego, tendrás un minuto para grabar tu mensaje.

Imagina que recibes un mensaje telefónico de tu amiga, Teresita, la presidente del Consejo Estudiantil. Ella te pide que la llames por teléfono. Escucha su mensaje y devuélvele la llamada, dejándole un mensaje.

(a) Escucha el mensaje de Teresita.

(b) Prepara y graba tu mensaje.

En el mensaje, debes hacer lo siguiente:

• Expresa tu opinión.

• Hazle preguntas para obtener más aclaraciones.

3. La escuela

Sectores

auditorio	*auditorium*
aula (m.)	*classroom*
bandera	*flag*
biblioteca	*library*
cafetería	*cafeteria*
clase (f.)	*class*
corredor	*corridor*
escaleras	*stairs*
escuela primaria	*elementary school*
escuela secundaria	*high school*
gimnasio	*gymnasium*
oficina central	*main office*
oficina de consejeros	*guidance office*
pasillo	*hallway*
planta baja	*ground floor*
primer piso	*first floor*
recreo	*recess*

Personal

consejero/a	*counselor*
director/a	*principal*
enfermero/a	*nurse*
estudiante (m., f.)	*student*
maestro/a	*teacher*
rector/a	*principal*
secretario/a	*secretary*

Objetos

bolígrafo	*pen*
calculador/a	*calculator*
carpeta	*folder*
cinta	*tape*
corrector (m.)	*correction fluid / liquid paper*
cuaderno	*notebook*
grabadora	*tape recorder*

grapadora	*stapler*
hoja	*sheet of paper*
lápiz (m.)	*pencil*
libreta	*notebook*
mochila	*backpack*
papel (m.)	*paper*
papel rayado / a rayas	*lined paper*
regla	*ruler*
tinta	*ink*

Expresiones populares

a medias tintas
half measures, half-baked ideas, inadequate answers
hacer un buen papel
to put up a good show
llave maestra
master key

PREGUNTAS DE RESPUESTA CORTA

1. Describe lo que hay en la planta baja de tu escuela.

2. ¿Qué llevas hoy en tu mochila?

3. Entre el gimnasio, el auditorio y la biblioteca, di cuál prefieres y por qué.

4. ¿Qué cambios harías para modernizar tu escuela?

5. ¿Qué consejos suele darles el rector a los alumnos?

Conversar por teléfono

Imagina que recibes este mensaje de Antonio, un estudiante de intercambio, quien te pide que lo llames por teléfono. Escucha su mensaje y luego conversa con él por teléfono.

(a) Escucha el mensaje de Antonio.

(b) El bosquejo de la conversación:

Antonio:	• *[El teléfono suena.] Contesta el teléfono.*
Tú:	• *Saluda a Antonio y preséntate.* • *Dile que has recibido su mensaje.*
Antonio:	• *Explica que quiere aprender sobre el colegio.*
Tú:	• *Expresa tu reacción.*

Antonio:	•	*Te hace varias preguntas.*

Tú:	•	*Contesta las preguntas.*

Antonio:	•	*Te da gracias por la información.*
	•	*Te pide ayuda.*

Tú:	•	*Dale una respuesta apropiada.*
	•	*Despídete.*

Antonio:	•	*Se despide.*

4. La cocina

La cocina

cacerola	*saucepan*
cajón (m.)	*drawer*
cazuela	*stewing pan*
cocina	*kitchen*
congelador (m.)	*freezer*
electrodoméstico/a	*(electric) appliance*
estufa	*stove*
fregadero	*kitchen sink*
gabinete (m.)	*cabinet*
hornilla	*stove*
horno	*oven*
lavaplatos (m.)	*dishwasher*
libro de cocina	*cook book*
marmita	*pot / sauce pan*
microondas (m.)	*microwave*
nevera	*refrigerator*
olla	*pot*
parrilla	*grill*
procesador (m.)	*food processor*
receta	*recipe*
sartén (m.)	*frying pan*
utensilios de cocina	*kitchenware*

Instrucciones

agregar	*to add*
apagar	*to turn off*
asar	*to roast / bake*
cocinar a fuego lento	*to cook at low heat*
cortar	*to cut*
ebullición (f.)	*boiling point*
encender	*to turn on*
freír	*to fry*
hervir	*to boil*

limpiar	to clean
pelar	to peel
picar	to puncture
poner al fuego	to put on
quitar del fuego	to take off
rallar	to grate
rebanar	to slice
revolver	to stir
tapar	to cover

Expresiones populares

echar leña al fuego	to add fuel to the fire
Estoy frito.	I'm done for.
Me hierve la sangre.	It makes my blood boil.

PREGUNTAS DE RESPUESTA CORTA

1. ¿Cuáles son los utensilios necesarios que debe haber en una cocina?

2. ¿Qué diferencia hay entre la cocina de una casa y la de un restaurante?

3. Piensa en una comida fácil y explica cómo la preparas.

4. ¿Qué prefieres, un horno de microondas o un horno tradicional? Explica.

5. ¿Qué electrodomésticos comprarías para tu casa y por qué?

Dejar un mensaje telefónico

Instrucciones: Para la pregunta siguiente, escucharás un mensaje telefónico y también grabarás un mensaje para responder. Primero, escucharás el mensaje. Después, tendrás treinta segundos para preparar tu respuesta. Luego, tendrás un minuto para grabar tu mensaje.

Imagina que recibes un mensaje telefónico de un amigo tuyo. Ustedes van a preparar una comida especial en tu casa para la reunión del club de español. Miguel te llama para averiguar qué utensilios tienes en tu cocina y qué más van a necesitar para preparar la comida. Miguel te pide que lo llames por teléfono. Escucha su mensaje y devuélvele la llamada, dejándole un mensaje.

(a) Escucha el mensaje de Miguel.

(b) Prepara y graba tu mensaje.
   En el mensaje debes hacer lo siguiente:
   • Dale la información que te pide.
   • Hazle preguntas para pedir una aclaración más específica.

5. El restaurante

Personal

anfitrión (m.) / anfitriona	*host / hostess*
camarero/a	*waiter / waitress*
cliente (m., f.)	*customer*
cocinero/a	*cook*
gerente (m., f.)	*manager*
mesero/a	*waiter / waitress*
mozo/a	*waiter / waitress*

Objetos

botella	*bottle*
cubiertos	*silverware*
cuchara	*spoon*
cuchillo	*knife*
mantel (m.)	*tablecloth*
mesa	*table*
palillo	*toothpick*
plato	*plate*
servilleta	*napkin*
silla	*chair*
tenedor (m.)	*fork*
vaso	*glass*
vela	*candle*

Servicio

ambigú (m.)	*buffet*
barato	*cheap*
bebidas	*beverages / drinks*
bufé (m.)	*buffet*
caro	*expensive*
carta	*menu*
cuenta	*check*
ensalada	*salad*
entremés (m.)	*appetizer*
especialidad (f.)	*specialty*

menú (m.)	menu
plato	dish
plato fuerte	main dish
poner la mesa	to set the table
postre (m.)	dessert
propina	tip
quitar la mesa	to clear the table
reclamación (f.)	complaint
servicio	service

El / La camarero(a):

¿Desean algo para tomar?	Do you want something to drink?
¿Puedo traerles unos entremeses?	May I bring you some appetizers?
Pasen / Adelante.	Right this way.

El / La cliente:

La cuenta, por favor.	Check, please?
Quisiera té con limón.	I would like tea with lemon.
Una mesa para cinco, por favor.	A table for five, please.

Expresiones populares

cobrar más de la cuenta	to overcharge
comida de segundo plato	second fiddle / cast-off
meter la cuchara	to put one's oar in

PREGUNTAS DE RESPUESTA CORTA

1. ¿Vas frecuentemente a comer afuera? ¿A dónde vas?

2. ¿Qué tipo de comida te gusta pedir?

3. ¿Trabajarías de camarero/a? ¿Por qué?

4. ¿Crees que los restaurantes caros sirven las mejores comidas? Explica.

5. ¿Qué tipo de servicio esperas en un restaurante?

Mantener una conversación

Instrucciones: Ahora participarás en una conversación cotidiana simulada. Primero, tendrás 30 segundos para leer el bosquejo de la conversación. Entonces, escucharás una explicación de la situación y tendrás un minuto para leer de nuevo el bosquejo. Depués, empezará la conversación, siguiendo el bosquejo. Siempre que te toque, tendrás 20 segundos para responder; una señal te indicará cuando debes empezar y terminar de hablar. Debes participar en la conversación de la manera más completa y apropiada posible.

Imagina que eres el dueño de un nuevo restaurante que va a abrir por primera vez esta tarde. El gerente te dice las preparaciones que ya hizo. Conversa con él, tratándolo de «usted».

El bosquejo de la conversación:

Ud.:	• *Pregunte si todo está preparado.*
Gerente:	• *Te describe las preparaciones que se han hecho.*
Ud.:	• *Continúe la conversación.* • *Pregunte por la anfitriona.*
Gerente:	• *Dice que todo está en orden.*
Ud.:	• *Exprese su reacción.*
Gerente:	• *Dice que es la hora de empezar a servir a los primeros clientes.*
Ud.:	• *Responda y agradézcale al gerente.*

6. El hotel

aire acondicionado (m.)	*air conditioning*
almohada	*pillow*
armario	*closet*
ascensor (m.)	*elevator*
balcón (m.)	*balcony*
bañera	*bathtub*
baño	*bathroom*
botones (m.)	*bellhop*
caja	*cashier's desk*
cajero/a	*cashier*
cama doble	*double bed*
cama sencilla	*single bed*
cliente (m., f.)	*client / customer*
conserje (m., f.)	*concierge*
cuarto	*room*
cuenta	*bill*
ducha	*shower*
equipaje (m.)	*luggage*
ficha	*registration card*
habitación (f.)	*room*
huésped (m.), huéspeda (f.)	*guest*
inodoro	*toilet*
jabón (m.)	*soap*
lavamanos (m.)	*sink*
llegada	*arrival*
maleta	*suitcase*
manta	*blanket*
mucama	*maid*
percha	*hanger*
recepción (f.)	*reception desk*
recepcionista (m., f.)	*receptionist*
reservar	*to reserve*
sábana	*sheet*
salida	*exit*
tarjeta de crédito	*credit card*
televisor (m.)	*television set*
toalla	*towel*

Expresiones populares

hacer las maletas	*to have one foot out the door*
ir en ascensor	*thing are going great*
tirar la toalla	*to throw in the towel*

PREGUNTAS DE RESPUESTA CORTA

1. Imagina una conversación breve con el conserje al llegar un huésped al hotel.
2. ¿Qué esperas encontrar cuando entras a la habitación de un hotel?
3. ¿Qué servicios adicionales de los hoteles te parecen más interesantes? ¿Gimnasio, piscina, lavandería, sala de conferencias? Explica.
4. Describe el último hotel al que hayas ido. ¿Dónde estaba y cómo era?
5. Si tuvieras que trabajar en un hotel, ¿en qué parte trabajarías y por qué?

Dejar un mensaje telefónico

Instrucciones: Para la pregunta siguiente, escucharás un mensaje telefónico y también grabarás un mensaje para responder. Primero, escucharás el mensaje. Después, tendrás 30 segundos para preparar tu respuesta. Luego, tendrás un minuto para grabar tu mensaje.

Imagina que recibes un mensaje de tu primo, David, quien te pide tu opinión sobre hoteles para un viaje que ustedes harán juntos. Escucha su mensaje y devuélvele la llamada, dejándole un mensaje.

(a) Escucha el mensaje.

(b) Prepara y graba tu mensaje.
En tu mensaje, debes hacer lo siguiente:
* Explica tu preferencia.
* Hazle preguntas para obtener más información.

7. El banco

Términos generales

a plazos	*on credit*
bancario	*banking*
banco	*bank*
banquero(a)	*banker*
billete (m.)	*bill*
caja de ahorros	*savings bank*
caja de caudales	*safe*
caja fuerte	*safe*
cajero(a)	*teller / cashier*
carro blindado	*armored car*
certificado de depósito	*CD (certificate of deposit)*
cheque (m.)	*check*
cheque de viajero	*traveler's check*
chequera	*check book*
cuenta conjunta	*joint account*
cuenta de ahorros	*savings account*
cuenta de cheques	*checking account*
dinero	*money*
en efectivo	*in cash*
estado de cuenta	*account statement*
fondos	*funds*
formulario	*form*
guardia (m., f.)	*guard*
hipoteca	*mortgage*
interés compuesto	*compound interest*
interés (m.)	*interest*
libreta	*bank book / savings book*
moneda	*coin / currency*
plata	*money*
plazo fijo	*fixed term*
préstamo	*loan*
saldo	*balance*
sucursal (m.)	*subsidiary / branch*
talonario	*checkbook*
trámites (m.)	*paperwork*
ventanilla	*teller's window*

Verbos

ahorrar	*to save*
cambiar	*to exchange*
cobrar	*to charge / to collect*
depositar	*to deposit*
devolver con creces	*to repay with interest*
endosar	*to endorse*
extraer	*to withdraw*
firmar	*to sign*
hacer un depósito	*to make a deposit*
invertir	*to invest*
retirar	*to withdraw*
verificar	*to verify*

Expresiones populares

ahorrarse palabras	*to save one's breath*
estar de guardia	*to be on duty*
ser moneda corriente	*to be common usage*

PREGUNTAS DE RESPUESTA CORTA

1. ¿Es útil que un joven o una joven tenga una cuenta de ahorros? ¿Por qué?

2. Menciona cinco palabras o expresiones que sería posible escuchar frecuentemente en un banco.

3. ¿Qué responsabilidad tienen los cajeros de un banco?

4. ¿Cuál es la función de un carro blindado?

5. ¿Qué comprarías si consiguieras un préstamo en el banco? ¿Podrías comprarlo si no te dieran el préstamo?

Mantener una conversación

Instrucciones: Ahora participarás en una conversación cotidiana simulada. Primero, tendrás 30 segundos para leer el bosquejo de la conversación. Entonces, escucharás una explicación de la situación y tendrás un minuto para leer de nuevo el bosquejo. Depués, empezará la conversación, siguiendo el bosquejo. Siempre que te toque, tendrás 20 segundos para responder; una señal te indicará cuando debes empezar y terminar de hablar. Debes participar en la conversación de la manera más completa y apropiada posible.

Imagina que te has mudado recientemente de Bogotá a una nueva ciudad. Visitas un banco donde conversas con la gerente y le explicas que quieres saber algo sobre los servicios del banco. Conversa con ella, tratándola de «usted».

El bosquejo de la conversación:

Gerente:	• *Le da saludos y ofrece su ayuda.*
Ud.:	• *Explique por qué está visitando el banco.*
Gerente:	• *Menciona algunos servicios que se ofrecen en el banco.*
Ud.:	• *Indique qué servicios le interesan a usted.*
Gerente:	• *Continúa la conversación mencionando otras ventajas del banco.*
Ud.:	• *Exprese su reacción.*
Gerente:	• *Le asegura que no tiene que preocuparse por nada.*
Ud.:	• *Agradézcale y despídase.*

8. Los deportes

alpinismo	*mountain climbing*
baloncesto	*basketball*
básquetbol (m.)	*basketball*
béisbol (m.)	*baseball*
bolos	*bowling*
boxeo	*boxing*
campo traviesa	*cross-country*
equitación (f.)	*horseback riding*
esquí (m.)	*skiing*
esquí acuático	*water skiing*
fútbol (m.)	*soccer*
fútbol americano	*football*
gimnasia	*gymnastics*
hockey (m.) sobre césped	*field hockey*
hockey (m.) sobre hielo	*ice hockey*
natación (f.)	*swimming*
remo	*rowing / to row*
tenis (m.)	*tennis*
vóleibol (m.)	*volleyball*
water polo (m.)	*water polo*

Personal

árbitro/a	*referee / umpire*
entrenador/a	*coach / trainer*
juez de línea (m., f.)	*line judge*
jugador/a	*player*

Elementos

arco	*goal*
aro	*hoop*
bate (m.)	*bat*
campo	*field*
cancha	*field / court*
competencia	*competition*

palos	bowling pins
pelota	ball
piscina	pool
raqueta	racquet
red (f.)	net
terreno	field

Expresiones populares

echar a palos	to throw somebody out
pasarse la pelota	to pass the buck
tirarse a la piscina	jump in with both feet

PREGUNTAS DE RESPUESTA CORTA

1. ¿Prefieres los deportes en equipo o individuales? ¿Por qué?

2. ¿Cuál es tu deporte favorito? ¿Dónde sueles practicarlo y con quién?

3. ¿Crees que es fácil ser árbitro de un encuentro deportivo? Explica.

4. Menciona un deporte que consideres violento y explica por qué.

5. Describe los deportes que se juegan en tu escuela.

Conversar por teléfono

Instrucciones: Ahora participarás en una conversación telefónica simulada. Primero, tendrás 30 segundos para leer el bosquejo de la conversación. Entonces, escucharás un mensaje y tendrás un minuto para leer de nuevo el bosquejo. Después, empezará la llamada telefónica. Siempre que te toque, tendrás 20 segundos para responder; una señal te indicará cuando debes empezar y terminar de hablar. Debes participar en la conversación de la manera más completa y apropiada posible.

Imagina que recibes un mensaje de tu amiga, Carmen, quien te pide que la llames por teléfono. Esucha su mensaje y luego conversa con ella por teléfono.

(a) Escucha el mensaje de Carmen.

(b) El bosquejo de la conversación:

Carmen:	•	*[El teléfono suena.] Contesta el teléfono.*
Tú:	•	*Saluda a Carmen.*
	•	*Explícale por qué no estuviste en casa para contestar el teléfono.*
Carmen:	•	*Te dice que estaba tratando de decidir qué deportes debe practicar este año.*
Tú:	•	*Dale algunas sugerencias, mencionando varios deportes.*
Carmen:	•	*Comenta las ventajas y desventajas de ciertos deportes.*
Tú:	•	*Dile tu opinión.*
	•	*Termina la conversación y despídete.*
Carmen:	•	*Te agradece la ayuda y se despide.*

9. Los animales y los pájaros

ardilla	*squirrel*
ballena	*whale*
buey (m.)	*ox*
burro	*mule*
caballo	*horse*
camello	*camel*
canario	*canary*
canguro	*kangaroo*
carnero	*ram*
cebra	*zebra*
cerdo	*hog / pig*
conejo	*rabbit*
cordero	*lamb*
culebra	*snake*
delfín (m.)	*dolphin*
elefante (m.)	*elephant*
gallina	*hen*
gallo	*rooster*
ganso	*goose*
gato	*cat*
gaviota	*seagull*
gerbo	*gerbil*
gorila	*gorilla*
gusano	*worm*
hámster (m.)	*hamster*
hurón (m.)	*ferret*
jirafa	*giraffe*
león (m.)	*lion*
liebre (f.)	*hare*
lobo	*wolf*
loro	*parrot*
manatí (m.)	*manatee*
mapache (m.)	*raccoon*
mono	*monkey*
mula	*mule*
murciélago	*bat*
oso	*bear*
oveja	*sheep*
pájaro	*bird*

pantera	*panther*
pato	*duck*
pavo	*turkey*
perico	*parakeet*
perro	*dog*
pez (m.)	*fish*
pingüino	*penguin*
pollo	*chicken*
rana	*frog*
rata	*rat*
ratón (m.)	*mouse*
sapo	*toad*
serpiente (f.)	*serpent*
tiburón (m.)	*shark*
tigre (m.)	*tiger*
toro	*bull*
tortuga	*turtle*
vaca	*cow*
venado	*stag*
zorro	*fox*

Expresiones populares

dar gato por liebre	*to cheat / swindle*
peces gordos	*big shots*
Perro que ladra no muerde.	*His bark is worse than his bite.*

PREGUNTAS DE RESPUESTA CORTA

1. Menciona qué animales tienes en tu casa y cuáles te gustaría tener.

2. Los perros y los gatos son los animales domésticos más populares. ¿Por qué piensas que son tan populares?

3. Menciona algunos animales que estén relacionados con la alimentación de los seres humanos. ¿Qué productos se obtienen de estos animales?

4. Menciona algunos animales que estén en peligro de extinción.

5. Imagínate que trabajas en una tienda que vende animales. ¿Qué animal recomendarías como animal doméstico y por qué?

Conversar por teléfono

Instrucciones: Ahora participarás en una conversación telefónica simulada. Primero, tendrás 30 segundos para leer el bosquejo de la conversación. Entonces, escucharás un mensaje y tendrás un minuto para leer de nuevo el bosquejo de la conversación. Después, empezará la llamada telefónica. Siempre que te toque, tendrás 20 segundos para responder; una señal te indicará cuando debes empezar y terminar de hablar. Debes participar en la conversación de la manera más completa y apropiada posible.

Imagina que recibes un mensaje telefónico de tu amiga, Lorena, quien te pide que la llames por teléfono. Escucha su mensaje y luego conversa con ella por teléfono.

(a) Escucha el mensaje de Lorena.

(b) El bosquejo de la conversación:

Lorena:	• *[El teléfono suena.] Contesta el teléfono.*
Tú:	• *Dile que estás respondiendo a su mensaje.*
Lorena:	• *Describe su visita al zoológico.*
Tú:	• *Expresa tu reacción.*
	• *Pregúntale si vio las jirafas.*
	• *Explica cuáles son tus animales favoritos.*
Lorena:	• *Responde a tu pregunta y continúa la conversación.*
Tú:	• *Dile que su visita suena magnífica.*
	• *Expresa tu interés en ver las fotografías.*
Lorena:	• *Expresa su reacción y se despide.*
Tú:	• *Despídete.*

10. El automóvil

Vehículos

auto	car (Latin America)
auto deportivo	sports car
camión (m.)	truck
carro	car (colloquial)
coche (m.)	car (Spain)
descapotable (m.)	convertible
grúa	tow truck
cacharro	"old wreck" / "piece of junk"
camioneta	station wagon / pick-up

Partes

acelerador (m.)	accelerator
apoyabrazos (m.)	armrest
asiento de adelante	front seat
asiento de atrás	back seat
bocina	horn
cinturón (m.) de seguridad	seat belt
conductor/a	driver
embrague (m.)	clutch
freno (m.)	brake
freno de emergencia	emergency brake
guantera / portaguantes (m.)	glove compartment
limpiaparabrisas (m.)	windshield wipers
luces (f.)	lights
luces direccionales (f.)	directional lights
odómetro	odometer
palanca de cambios	gearshift lever
parabrisas (m.)	windshield
pasajero(a)	passenger
pedal (m.)	pedal
retrovisor (m.)	rear-view mirror
transmisión (f.)	transmission
velocímetro	speedometer
visera	visor
volante (m.)	steering wheel

Verbos

apagar	*to turn off (lights, radio, etc.)*
aparcar	*to park*
arrancar	*to start / start off / pull out*
conducir	*to drive*
encender	*to turn on (lights, radio, etc.)*
estacionar	*to park*
guiar	*to drive*
manejar	*to drive*

Expresiones populares

poner freno	*to put the brakes on*
No te guíes por él.	*Don't go by him.*
estar al volante	*to drive*

PREGUNTAS DE RESPUESTA CORTA

1. Describe tres partes de un automóvil.

2. ¿Qué buscarías en un vehículo ideal?

3. ¿Te parece que la mayoría de las personas compran un coche pensando en las apariencias? Explica.

4. Contrasta los coches de hoy con los del pasado.

5. ¿Cómo te sentías cuando sacaste tu licencia de conducir? Si todavía no la tienes, ¿cómo piensas que te sentirás?

Dejar un mensaje telefónico

Instrucciones: Para la pregunta siguiente, escucharás un mensaje telefónico y también grabarás un mensaje para responder. Primero, escucharás el mensaje. Después, tendrás 30 segundos para preparar tu respuesta. Luego, tendrás un minuto para grabar tu mensaje.

Imagina que recibes un mensaje telefónico de tu amiga, Debra, quien quiere tus consejos sobre cómo comprar un carro. Debra te pide que la llames por teléfono. Escucha su mensaje, luego devuélvele la llamada y deja un mensaje.

(a) Escucha el mensaje de Debra.

(b) Prepara y graba tu mensaje.

En el mensaje, debes hacer lo siguiente:
- Expresa tu interés en ayudar a Debra.
- Dale sugerencias.

11. El aeropuerto y los viajes

General

a tiempo	*on time*
abordar	*to board (a plane)*
adelantado	*ahead of schedule*
aduana	*customs*
billete (m.)	*ticket*
boleto	*ticket*
cinco minutos de adelanto	*five minutes early*
cinco minutos de retraso	*five minutes late*
comprobante de equipaje (m.)	*baggage claim check*
con retraso	*late*
consigna de equipaje	*baggage room*
equipaje (m.)	*luggage*
equipaje de mano	*carry-on bag*
hora de llegada	*arrival time*
hora de salida	*departure time*
horario	*schedule*
maleta	*suitcase*
mostrador (m.)	*counter*
oficina de inmigración	*immigration office*
pasaje (m.)	*ticket*
pasaje de clase turista	*tourist class ticket*
pasaje de ida	*one-way ticket*
pasaje de ida y vuelta	*round trip ticket*
pasaje de primera clase	*first class ticket*
pasaporte (m.)	*passport*
puerta	*gate*
puesto de revistas	*magazine stand*
sala de espera	*waiting room*
sala de reclamación de equipaje	*baggage room*
tarjeta de embarque	*boarding pass*
ventanilla	*ticket window*
vuelo	*flight*

Verbos

abordar	*to board*
cancelar	*to cancel*
depositar	*to check (baggage)*
embarcar	*to go aboard*
facturar	*to check (baggage)*
hacer la maleta	*to pack the suitcase*
hacer un viaje	*to take a trip*
hacer una reservación	*to make a reservation*
pasar por la aduana	*to go through customs*
presentarse a la puerta	*to present oneself at the gate*
recoger	*to pick up*
reservar	*to reserve*

Expresiones populares

abordar un tema	*to tackle a subject*
embarcarse en un proyecto	*to embark in a project*
pasar por todas las aduanas	*to undergo close scrutiny*

PREGUNTAS DE RESPUESTA CORTA

1. Explica lo que uno debe hacer en el aeropuerto antes de abordar.

2. Menciona algunas actitudes que hayas obervado en las personas que están en un aeropuerto.

3. Tu vuelo a España no va a salir por cinco horas. ¿Cómo vas a pasar el tiempo mientras esperas en el aeropuerto?

4. ¿Te gustaría trabajar en un aeropuerto? ¿En qué parte?

5. ¿Estás de acuerdo con el sistema de seguridad de los aeropuertos? Explica.

Conversar por teléfono

Instrucciones: Ahora participarás en una conversación telefónica simulada. Primero, tendrás 30 segundos para leer el bosquejo de la conversación. Entonces, escucharás un mensaje y tendrás un minuto para leer de nuevo el bosquejo. Después, empezará la llamada telefónica. Siempre que te toque, tendrás 20 segundos para responder; una señal te indicará cuando debes empezar y terminar de hablar. Debes participar en la conversación de la manera más completa y apropiada posible.

Imagina que recibes un mensaje telefónico de tu amigo, David, quien te llama desde el aeropuerto pidiéndote que lo llames. Escucha su mensaje y luego conversa con él.

(a) Escucha el mensaje de David.

(b) El bosquejo de la conversación:

David:	• *[El teléfono suena.] Contesta el teléfono.*
Tú:	• *Salúdalo.* • *Explica que recibiste su mensaje.* • *Pregúntale qué pasa.*
David:	• *Te cuenta su problema.*
Tú:	• *Expresa tu reacción.*
David:	• *Pide ayuda.*
Tú:	• *Expresa tu reacción.* • *Explica cómo puedes ayudarle.*
David:	• *Te agradece y finaliza los planes.*
Tú:	• *Despídete.*
David:	• *Se despide.*

12. El hospital

General

ambulancia	ambulance
anestesia	anesthesia
bastón (m.)	cane
camilla	stretcher
cicatriz (f.)	scar
cirujano/a	surgeon
enfermero/a	nurse
fractura	fracture, break
médico/a	doctor
mesa de operaciones	operating table
muletas	crutches
operación (f.)	surgery
quirófano	operating room
recepción (f.)	reception office / desk
sala de emergencia	emergency room
sala de espera	waiting room
sala de operaciones	operating room
sala de urgencias	emergency room
servicio de primeros auxilios	first aid
silla de ruedas	wheel chair
socorrista (m/f)	first-aid worker
unidad (f.) de cuidado intensivo	intensive care unit
venda	bandage
vendaje (m.)	bandage

Verbos

caerse	to fall down
cortarse	to get cut
curarse	to recover
doler	to hurt
enyesar	to put in a cast
fracturar	to fracture, break
hacerse daño	to get hurt
lastimarse	to get hurt
llenar un formulario	to fill out a form

poner puntos / suturas	*to put in stitches*
poner un yeso	*to put on a cast*
resbalarse	*to slip*
romper	*to break*
sacar / tomar rayos equis	*to take X-rays*
sacar / tomar una radiografía	*to take an X-ray*
sentirse mal	*to feel bad*
tener un accidente	*to have an accident*
tomar el pulso	*to take the pulse*
tomar la presión	*to take the blood pressure*
torcerse	*to twist*

Expresiones populares

A Rosalía se le rompió el brazo.	*Rosalía broke her arm.*
decirlo sin anestesia	*to tell it like it is*
ganar algo a pulso	*to get something the hard way*
No tiene cura.	*He's / She's hopeless.*
Se me rompió la pierna.	*I broke my leg.*
Se te torció el tobillo.	*You twisted your ankle.*

PREGUNTAS DE RESPUESTA CORTA

1. ¿Qué te hace el médico durante una visita de rutina?

2. Si tuvieras que elegir una profesión relacionada con la medicina, ¿cuál elegirías y por qué?

3. ¿Quién piensas que tiene mayor responsabilidad, el médico, el enfermero o el socorrista? Explica.

4. Imagínate que tuviste un accidente. Explícale al doctor / a la doctora lo que ocurrió.

5. ¿Cómo es el hospital de tu pueblo o ciudad? Descríbelo.

Conversar por teléfono

Instrucciones: Ahora participarás en una conversación telefónica simulada. Primero, tendrás 30 segundos para leer el bosquejo de la conversación. Entonces, escucharás un mensaje y tendrás un minuto para leer de nuevo el bosquejo de la conversación. Después, empezará la llamada telefónica. Siempre que te toque, tendrás 20 segundos para responder; una señal te indicará cuando debes empezar y terminar de hablar. Debes participar en la conversación de la manera más completa y apropiada posible.

Imagina que recibiste un mensaje telefónico de tu doctor, quien te llama desde el hospital. Él te pide que devuelvas su llamada. Escucha su mensaje y luego conversa con él por teléfono. Trátalo de «usted» cuando lo llamas.

(a) Escucha el mensaje del médico.

(b) El bosquejo de la conversación:

El médico:	• *[El teléfono suena.] Contesta el teléfono.*
Ud:	• *Salude al doctor Alcalá.* • *Explíquele que quiere hablar sobre la condición de su hermanito.*
El médico:	• *Le da información sobre su hermano.*
Ud:	• *Exprese su reacción.* • *Pídale su opinión y pregúntele cuándo puede llevar a su hermanito a casa.*
El médico:	• *Continúa la conversación.*
Ud:	• *Dé gracias al médico.*
El médico:	• *Dice que está contento de haber ayudado a su hermanito.*
Ud:	• *Agradézcale otra vez y despídase.*

Formal Oral Presentations

Directions: The following section will contain questions based on printed articles and authentic radio reports. First you will have 5 minutes to read the printed article. Afterward, you will hear a radio report; you should take notes while you listen. Then, you will have two minutes to plan your answer and two minutes to either record your answer or make your presentation to the class.

Instrucciones: La sección siguiente se basa en varios artículos impresos e informes de radio. Primero, tendrás cinco minutos para leer el artículo impreso. Después, escucharás un informe de la radio; debes tomar apuntes mientras escuchas. Entonces, tendrás dos minutos para peparar tu respuesta y dos minutos para grabar tu respuesta o presentarla a la clase.

I. La rutina

Verbos

acostarse	to go to bed
afeitarse	to shave (oneself)
almorzar	to eat lunch
asistir (a)	to attend
caminar	to walk
cenar	to dine
cepillarse	to brush (one's hair)
charlar	to chat
cocinar	to cook
comer	to eat
conducir	to drive
desayunar	to eat breakfast
descansar	to rest
despertarse	to wake up
dormir	to sleep
ducharse	to take a shower

escribir	to write
escuchar	to listen
estudiar	to study
hacer	to do / make
hacer la cama	to make the bed
jugar	to play
lavarse	to wash (oneself)
leer	to read
levantarse	to get up
merendar	to snack / picnic
mirar	to watch
peinarse	to comb (one's hair)
relajarse	to relax
roncar	to snore
salir	to leave
soñar (con)	to dream
tender la cama	to make the bed
trabajar	to work
vestirse	to get dressed

Objetos

afeitadora	razor
almohada	pillow
cama	bed
champú (m.)	shampoo
colcha	quilt
colchón (m.)	mattress
colonia	cologne
cortauñas (m.)	nail-clippers
pasta dentífrica	tooth paste
deportes (m.)	sports
desodorante (m.)	deodorant
despertador (m.)	alarm clock
escuela	school
hoja de afeitar	razor blade
jabón (m.)	soap
manta	blanket

maquillaje (m.)	*make-up*
paño (de cara)	*face-cloth*
pasatiempos (m.)	*hobbies*
radio (m., f.)	*radio*
reloj (m.)	*clock / watch*
sábana	*sheet*
televisión (f.)	*television*
toalla	*towel*
trabajo	*work*

Expresiones populares

caer en cama	*to fall ill*
consultar con la almohada	*to sleep on it*
soñar despierto	*to daydream*

PREGUNTAS DE RESPUESTA CORTA

1. Describe tu rutina diaria, dividida en mañana, tarde y noche.

2. Menciona tres cosas que tengas en tu baño.

3. ¿Cuándo se levantan los miembros de tu familia? ¿Por qué?

4. ¿Eres puntual? ¿Alguna vez llegaste tarde a algún lado? ¿Qué pasó?

5. ¿Te relajaste anoche antes de acostarte? ¿Qué hiciste?

Presentación oral

Tienes que dar una presentación formal ante la clase de español.

En tu presentación oral, compara las actividades diarias de las familias en la aldea Chicapir de Guatemala con las actividades diarias de la familia de los Potosí en la Compañía alta de Ecuador.

Texto impreso

Fuente: Este fragmento es adaptado de un documento del Ministerio de Agricultura, Ganadería y Alimentación de Guatemala. El documento se titula "Diagnóstico rural participativo de las comunidades por ADECOGUA: Pachichiac, Chicapir, la Cumbre, Pacacay y Parajbey". Apareció en el sito web del *Food and Agriculture Organization* de las Naciones Unidas.

VI. Resultados diagnóstico rural participativo en la aldea Chicapir

6.2 DESCRIPCIÓN DE LA ALDEA

* La aldea Chicapir se localiza al norte de la comunidad de Paraxiquin, en el municipio de Tecpán, Guatemala y al occidente del departamento de Chimaltenango, región más conocida como el altiplano central de Guatemala.

* En el área donde se localiza la aldea de Chicapir el clima es favorable para el cultivo y producción de árboles frutales, en algunas partes el bosque natural es importante, los suelos tiene calidad para la agricultura, existen aún varias fuentes de agua y todavía existen animales silvestres.

6.3.1 TRABAJO DEL GRUPO DE HOMBRES

* **Calendario de actividades:** Los hombres indicaron principalmente las actividades de campo, las cuales

son la preparación de la tierra productiva, la siembra de hortalizas y granos básicos, y también actividades en el campo social, las celebraciones de la comunidad (fiestas) y otros aspectos de la vida cultural.

- **Reloj de 24 horas:** Los hombres indicaron que inician las actividades a las seis de la mañana, proceden a desayunar y luego parten a sus labores correspondientes al campo agrícola, el acarreo de leña, hacer tejas de barro y otras actividades productivas; tienen previsto descansar normalmente a las nueve de la noche.

6.3.2 TRABAJO DEL GRUPO DE MUJERES

- **Calendario de actividades:** Las mujeres indicaron que de enero a abril normalmente van al campo para colaborar con el esposo en la siembra de granos básicos y la limpieza de los cultivos, y también durante el fin de año, de octubre a diciembre, cuando se realiza la cosecha. Su participación en actividades productivas es temporal mientras sus actividades domésticas se realizan todos los días y durante todo el año.

- **Reloj de 24 horas:** Las mujeres indicaron que cuando ellas se encuentran en casa se levantan a las cuatro de la mañana, inician las actividades domésticas y descansan a las ocho o nueve de la noche. Cuando migran a la costa sur del país, se levantan a las tres de la mañana y realizan las actividades domésticas; luego van con su esposo a cortar el café, lo que representa ingresos de dinero para la familia. Esta actividad normalmente la realizan hasta tarde y descansan a partir de las siete de la noche.

Informe de la radio

Fuente: Este informe, que se titula "Viaje al Ecuador indígena, Captítulo 2, Los Potosí", se emitió por la emisora del BBC Mundo en septiembre del 2005.

2. La casa

alcoba	*bedroom*
balcón (m.)	*balcony*
baño	*bathroom*
biblioteca	*library*
chimenea	*fireplace*
cocina	*kitchen*
comedor (m.)	*dining room*
cuarto	*room*
cuarto de baño	*bathroom*
cuarto de dormir	*bedroom*
cuarto de estar	*living room*
cuarto de jugar	*playroom*
despacho	*office*
desván (m.)	*attic*
dormitorio	*bedroom*
escalera	*staircase*
estudio	*study / studio*
garaje (m.)	*garage*
habitación (f.)	*room*
lavadero	*laundry room*
oficina	*office*
pared (f.)	*wall*
pasillo	*hall*
patio	*yard*
piso	*floor*
planta baja	*ground floor*
primer piso	*second floor (first floor above ground floor)*
sala de estar	*living room*
sótano	*cellar*
suelo	*floor*
techo	*roof / ceiling*
terraza	*terrace*
vestíbulo	*entry hall / vestibule*

Objetos

alfombra	*rug*
armario	*closet*
cómoda	*bureau*
cortina	*curtain*
cuadro	*picture / painting*
diván (m.)	*divan / day bed*
escritorio	*desk*
espejo	*mirror*
estante (m.)	*shelf*
gabinete (m.)	*cabinet*
lámpara	*lamp*
mesa	*table*
ropero	*closet / wardrobe*
silla	*chair*
sillón (m.)	*chair*
sofá (m.)	*sofa*
tocador (m.)	*dresser*

Expresiones populares

estar entre la espada y la pared	*to be between a rock and a hard place*
estar por el piso	*to be down in the dumps*
Las paredes oyen.	*The walls have ears.*

PREGUNTAS DE RESPUESTA CORTA

1. Describe brevemente tu casa o apartamento (número de habitaciones, baño, garaje, etc.)

2. ¿En qué parte de tu casa pasas más tiempo y qué haces allí?

3. ¿Qué tipo de muebles hay en un dormitorio?

4. ¿Prefieres una casa o un apartamento? ¿Por qué?

5. Menciona cinco cosas que sueles guardar en un armario.

Presentación oral

Tienes que dar una presentación formal ante la clase de español.

En tu presentación oral ofrece un plan para ahorrar energía en tu casa.

Texto impreso

Fuente: Este fragmento es de "Consejos para el consumo eficiente y responsable de la energía", en el sitio web del Instituto para la Diversificación y Ahorro de la Energía de España.

En casa:
Cómo ahorrar energía

La mayor parte de la energía que se usa en las viviendas españolas se dedica al uso de la calefacción y la producción de agua caliente sanitaria. De hecho, ambas partidas suman el 66% del gasto energético familiar, mientras que el 34% restante se invierte en el uso de los electrodomésticos (16%), de la cocina (10%), la iluminación (7%) y el aire acondicionado (1%). En cualquier caso, la cantidad de energía que se gasta en el calentamiento de las viviendas varía mucho de unas zonas geográficas a otras. Todos sabemos, que en algunos lugares de España no se requiere apenas calefacción a lo largo del año. Así ocurre también con el resto del consumo energético: La zona climática donde se ubica nuestra vivienda, el régimen de uso que hagamos de ella, su calidad constructiva y su nivel de aislamiento, entre otros factores, condicionan nuestro gasto energético familiar. Asimismo, el coste de los diferentes sistemas y equipamientos de que dispone nuestra casa y el uso que les damos, contribuye de manera decisiva en este mismo sentido. Lo más importante por tanto, es que tomemos conciencia de que en todos estos factores podemos tomar decisiones a favor o en contra del uso eficiente de la energía.

Informe de la radio

Fuente: Este informe, que se titula "Sugerencias para ahorrar energía y dinero en el hogar", se emitió por la emisora de la Universidad de Illinois en su programa Nuevos Horizontes en enero del 2006.

3. Las comidas

alimento	*food*
almíbar (m.)	*syrup*
almuerzo	*lunch*
arepa	*cornmeal griddlecake*
arroz (m.)	*rice*
azúcar (m.)	*sugar*
batata	*sweet potato*
bocadillo	*snack, sandwich*
cena	*dinner*
comida	*meal*
desayuno	*breakfast*
emparedado	*sandwich*
ensalada	*salad*
entremeses (m.)	*hors' d'oeuvres*
especias	*spices*
fiambres (m.)	*cold cuts*
harina	*flour*
mantequilla	*butter*
mantequilla de maní	*peanut butter*
merienda	*snack / picnic*
mostaza	*mustard*
pan (m.)	*bread*
panqueque (m.)	*pancake*
pastel (m.)	*pie, tart*
papa / patata	*potato / potato*
pimienta	*pepper*
postre (m.)	*dessert*
queso	*cheese*
sal (f.)	*salt*
salsa	*sauce*
salsa de tomate	*ketchup*
sopa	*soup*
tallarines (m.)	*thin spaghetti*
tarta	*pie*
torta	*cake*

Carnes

albóndigas	*meatballs*
bistec (m.)	*steak*
carne (f.) asada	*roasted meat*
carne de res	*beef*
cerdo / lechón (m.)	*pork*
chuletas	*chops*
cordero	*lamb*
hamburguesa	*hamburger*
jamón (m.)	*ham*
pollo	*chicken*

Pescados y mariscos

atún (m.)	*tuna*
bacalao	*cod*
camarones (m.)	*shrimp*
cangrejo	*crab*
langosta	*lobster*
mariscos	*shellfish*
pescado	*fish*

Verduras y hortalizas

brécol	*broccoli*
bróculi (m.)	*broccoli*
calabaza	*squash*
cebolla	*onion*
col (f.)	*cabbage*
coliflor (f.)	*cauliflower*
ejote (m.)	*string bean*
espinaca	*spinach*
frijol (m.)	*kidney bean*
habichuela	*kidney bean*
hongo	*mushroom*
judía verde	*green bean*
lechuga	*lettuce*
nuez (f.)	*nut*
pepino	*cucumber*
tomate (m.)	*tomato*

Frutas

cereza	*cherry*
durazno / melocotón (m.)	*peach*
frambuesa	*raspberry*
fresa	*strawberry*
mandarina	*tangerine*
manzana	*apple*
melón (m.)	*cantaloupe*
naranja	*orange*
pera	*pear*
pomelo / toronja	*grapefruit*
sandía	*watermelon*
uva	*grape*

Expresiones populares

Buen provecho.	*Enjoy your meal.*
Está hasta en la sopa.	*I can't stand the sight of him/her.*
Mucho ruido y pocas nueces.	*Much ado about nothing.*

PREGUNTAS DE RESPUESTA CORTA

1. Describe lo que comiste ayer en la cena.

2. Escoge una sección del supermercado y menciona algunos productos que se encuentren allí.

3. ¿Cuáles son algunas de tus comidas favoritas? ¿Dónde sueles comerlas?

4. ¿Cuál es la comida típica o tradicional en tu familia? ¿Se la prepara para alguna ocasión especial?

5. ¿Qué postre prepararías para una cena importante?

Presentación oral

Imagina que tienes que dar una presentación formal ante el club de español.

En tu presentación oral describe las influencias en la gastronomía de Colombia y de Venezuela y explica porqué la comida de estos países se puede considerar como un reflejo de la cultura.

Texto impreso

Fuente: Este fragmento es del sitio web Venezuelatuya.com

Cocina de Venezuela

Adentrarse en la gastronomía venezolana es sumergirse en un mundo de aromas y sabores que delinean el espacio de una cocina de marcados gustos y llamativos colores, de raíces indígenas y de hereditaria influencia europea, la cocina de estas tierras es la fusión de varias culturas, sin por eso dejar de ser dueña de una marcada personalidad. Se caracteriza por el uso del maíz, yuca, plátano, ají, granos, tubérculos, caña de azucar, carnes y aves variadas, de donde derivan platos con sabores únicos y extraordinarios.

Cada región de este hermoso país se identifica por sus costumbres y expresiones propias, entre las cuales se destaca la expresión culinaria, como parte de la cultura, del diario vivir, platos diversos y originales, varían según la situación geográfica de cada región, y según las forma de vida de sus habitantes.

Recorrer los caminos de la culinaria venezolana, es adentrarse en un despliegue de sabores, colores y aromas inolvidables. Cada plato en nuestra cocina lleva consigo una historia, un sentimiento escondido. Se puede asegurar que nuestra historia se desenvolvió paralela al calor de los fogones venezolanos, a medida que ha pasado el tiempo han variado las costumbres y los sueños, la historia sigue su curso, pero en cada nueva creación en nuestra cocina sigue existiendo la raíz de nuestros antepasados, ese toque mágico de nuestros indios, ese abanico de especias y sabores de la colonia.

Informe de la radio

Fuente: Este informe, que se titula "UNESCO distingue la gastronomía de Popayán", se emitió por la emisora Radio Naciones Unidas en septiembre del 2005.

4. El tiempo y los desastres naturales

Fenómenos meteorológicos

aguacero	*downpour*
arco iris	*rainbow*
asoleado	*sunny*
brisa	*breeze*
bruma	*haze / fog / mist*
chaparrón (m.)	*shower*
chubasco	*shower*
ciclón (m.)	*cyclone*
cielo	*sky*
clima (m.)	*climate*
copo de nieve	*snowflake*
estrella	*star*
gota	*drop*
hielo	*ice*
huracán (m.)	*hurricane*
inundación (f.)	*flood*
luna	*moon*
llovizna	*drizzle*
lluvia	*rain*
neblina	*mist*
niebla	*fog, mist*
nieve (f.)	*snow*
nube (f.)	*cloud*
relámpago	*lightning*
rayo	*thunderbolt*
sol (m.)	*sun*
tormenta	*storm*
trueno	*thunder*

Estado del tiempo

brillar	*to shine*
despejado	*clear*
hace calor	*it's hot*

hace fresco	*it's cool*
hace frío	*it's cold*
hace sol	*it's sunny*
hace viento	*it's windy*
llueve	*it rains*
lluvioso	*rainy*
nieva	*it snows*
nublado	*cloudy*
soleado	*sunny*

Desastres naturales

tornado	*tornado*
maremoto	*tidal wave*
temblor (m.)	*earthquake*
tsunami	*tsunami*
volcán (m.)	*volcano*

Expresiones populares

bajar de las nubes	*to come back down to earth*
estar de buena luna	*to be in a good mood*
¿Qué tiempo hace?	*What's the weather?*
Hace buen tiempo.	*It's nice weather.*
Hace mal tiempo.	*It's bad weather.*
sudar la gota gorda	*to work extremely hard*

PREGUNTAS DE RESPUESTA CORTA

1. Describe el clima ideal para ti.

2. Imagínate que das el pronóstico del tiempo en la televisión. Explica qué tiempo va a hacer mañana a diferentes horas del día.

3. Menciona una región o un país que, en tu opinión, tenga un clima interesante. Explica.

4. ¿Te molestan los días de tormenta? ¿Qué sueles hacer esos días?

5. ¿Crees que vale la pena escuchar el pronóstico del tiempo? ¿Por qué?

Presentación oral

Imagina que tienes que dar una presentación formal ante una clase de español.

En tu presentación oral, explica qué vio la turista chilena, Jennifer Condolo, y cómo se relaciona con el terremoto del 26 de diciembre del 2005.

Texto impreso

Fuente: Esta descripción del maremoto viene del sitio web del BBC Mundo. Fue publicada en 2005.

Descripción del Maremoto

Los terremotos se producen cuando las placas que constituyen la superficie terrestre chocan unas contra otras.

El 26 de diciembre, el mayor terremoto en los últimos 40 años tuvo lugar entre las placas Australiana y Eurasiática en el océano Índico. El sismo provocó un tsunami o maremoto —serie de grandes ondas— que se trasladaron miles de kilómetros durante varias horas.

Durante varias horas la ola gigante provocó caos y destrucción en los 4,500 kilómetros que ocupa el océano Índico.

El maremoto se formó cuando la energía del terremoto removió el fondo marino en forma vertical y por varios metros, lo que desplazó cientos de metros cúbicos de agua.

Enormes olas comenzaron a trasladarse desde el epicentro. Comenzó el traslado del maremoto. En aguas profundas el tsunami se trasladó a unos 800 kilómetros por hora. Al llegar a aguas más llanas cerca de la costa aminoró su marcha pero creció en altura.

Zonas costeras como el centro turístico de Kalutara en Sri Lanka no recibieron advertencias del maremoto. La única señal se produjo poco antes de su llegada cuando el mar retrocedió y cientos de metros del fondo marino quedaron expuestos. Las olas del maremoto llegaron a intervalos de entre cinco y 40 minutos. En Kalutara el agua avanzó hasta un kilómetro tierra adentro, con el consiguiente caos.

Informe de la radio

Fuente: Este informe que se titula "Desastre en Asia, Testimonios de latinoamericanos, Jennifer Condolo", se emitió por la emisora BBC Mundo en enero del 2006.

5. Las profesiones y los oficios

Profesiones

abogado/a	*lawyer*
arquitecto/a	*architect*
contador/a	*accountant*
dentista (m., f.)	*dentist*
editor/a	*editor*
enfermero/a	*nurse*
farmacéutico/a	*pharmacist / druggist*
ingeniero/a	*engineer*
juez/a	*judge*
locutor/a	*announcer*
maestro/a	*teacher*
médico/a	*doctor*
periodista (m., f.)	*journalist*
reportero/a	*reporter*
traductor/a	*translator*

Oficios (*Trades*)

carpintero/a	*carpenter*
electricista (m., f.)	*electrician*
mecánico/a	*mechanic*
modista (m. / f.)	*seamstress*
peluquero/a	*hairdresser*
plomero/a	*plumber*
sastre (m., f.)	*tailor*

Ramas de aprendizaje

alemán (m.)	*German*
álgebra	*algebra*
arte (f.)	*art*
biología	*biology*
cálculo	*calculus*
chino	*Chinese*
ciencias	*science*
economía	*economics*

español (m.) / castellano	*Spanish*
física	*physics*
geografía	*geography*
geometría	*geometry*
historia	*history*
inglés (m.)	*English*
leyes (m.), derecho	*law*
francés (m.)	*French*
japonés (m.)	*Japanese*
latín (m.)	*Latin*
matemáticas	*mathematics*
medicina	*medicine*
música	*music*
periodismo	*journalism*
química	*chemistry*

Expresiones populares

médico de cabecera	*family doctor*
ser juez y verdugo	*to be judge and executioner*
Zapatero a tus zapatos.	*Mind your own business.*

PREGUNTAS DE RESPUESTA CORTA

1. Menciona los oficios o profesiones de cinco personas que conoces.

2. ¿Qué profesión u oficio te gustaría elegir?

3. ¿Cuáles son las ramas de aprendizaje que te parecen más interesantes?

4. ¿Qué trabajo o profesión no escogerías? Explica.

5. ¿Es necesario que un periodista sepa más de un idioma? ¿Por qué?

Presentación oral

Imagina que tienes que dar una presentación formal ante la clase de español.

En tu presentación oral explica qué son los microcréditos y cómo ayudan a los pequeños negocios o microempresas.

Texto impreso

Fuente: Este fragmento es de un documento publicado por el Departamento de Información Pública de las Naciones Unidas en agosto del 2004.

¿Cómo pueden 100 dólares modificar una economía?

Su destino podría ser la compra de una nueva herramienta, una máquina o un local en un mercado [...] millones de pobres y de personas de bajos ingresos en el mundo han aprovechado la concesión de pequeños préstamos para mejorar sus vidas. En los últimos tres decenios, infinidad de individuos han utilizado esos créditos, conocidos como microcréditos, para iniciar nuevas empresas, crear puestos de trabajo y hacer más prósperas las economías. Los pobres han demostrado constantemente que pueden reembolsar esos préstamos a tiempo. Pero el crédito no es la única respuesta. Podrían necesitar otros servicios financieros básicos como seguros, una cuenta de ahorro o la capacidad de transferir dinero a un familiar que viva en otra parte. Con acceso al crédito y esta gama de herramientas financieras, conocidas colectivamente como microfinanciación, las familias pueden invertir con arreglo a sus propias prioridades —derechos de matrícula, atención de salud, nutrición o vivienda. En lugar de centrar la atención en la supervivencia diaria, las personas pueden hacer planes para el futuro. Con objeto de fomentar los programas de microcrédito y microfinanciación en todo el mundo como forma de mejorar la vida de los pobres, la Asamblea General de las Naciones Unidas ha designado 2005 Año Internacional del Microcrédito. Aunque el microcrédito se dirige a una familia a la vez, la esperanza y las oportunidades que brinda tienen repercusiones para toda la sociedad.[...]

Bolivia: Tres niños que terminan la escuela

Fortunata María de Aliaga ha vendido flores en una esquina de La Paz, Bolivia, desde hace muchísimos años. Cuando sus hijos eran pequeños, trabajaba largas horas para darles la oportunidad que ella nunca tuvo: poder ir a la escuela. Había días en que apenas tenía dinero para montar su negocio. Un día, hace 15 años, Fortunata tuvo noticia de la existencia del Banco Sol, una filial de ACCION International. Junto con otras tres mujeres, Fortunata reunía los requisitos para recibir un préstamo que le permitiera comprar flores al por mayor a un precio mucho más bajo. Debido a su excelente historial de reembolso de pagos, Fortunata recibió la aprobación para solicitar préstamos mayores y comenzó a tomar préstamos por su cuenta. Hoy Fortuna relata con orgullo que supo dar un buen uso a sus ahorros. "Mis tres hijos terminaron la escuela," dice sonriente. "¡Y hasta me sobró algún dinero para hacer algunos arreglos en la casa!"

Informe de la radio

Fuente: Este informe, que se titula "Iniciativa de joven peruano premiado en el Año del Microcrédito", se emitió en la Radio Naciones Unidas en noviembre del 2005.

6. Los medios de comunicación

auricular (m.)	*earpiece / receiver*
bocina	*mouthpiece*
cable (m.)	*cord / cable*
código de área	*area code*
contestador (m.) automático	*answering machine*
correo electrónico	*e-mail*
dígito	*digit*
disco	*disc*
identificador (m.) de llamadas	*caller ID*
internet (m.)	*Internet*
línea	*line*
llamada de cobro revertido	*collect call*
llamada de larga distancia	*long-distance call*
llamada de persona a persona	*person-to-person call*
llamada internacional	*international call*
llamada local	*local call*
llamada por cobrar	*collect call*
mensaje (m.) de texto	*text message*
mensaje instantáneo	*instant message*
micrófono	*microphone*
móvil (m.)	*cellular phone (Spain)*
número de teléfono	*telephone number*
parlantes (m.)	*speakers*
prefijo	*area code*
prefijo del país	*country code*
señal (f.)	*signal*
tecla	*key*
teclado	*keypad / keyboard*
teléfono celular	*cellular telephone*
teléfono de botones	*digital telephone*
teléfono inalámbrico	*cordless telephone*
teléfono público	*public telephone*
tono	*tone*
tono de ocupado	*busy signal*
videocámara	*videocamera*
videoconferencia	*videoconference*
mensaje de voz (m.)	*voice mail*

Verbos

chatear	*to chat*
colgar	*to hang up*
conectarse	*to connect / to log on*
cortarse la comunicación	*to cut off the communication*
descolgar	*to pick up (the phone)*
hacer una llamada telefónica	*to make a phone call*
llamar por teléfono	*to call on the phone*
marcar	*to dial*
telefonear	*to telephone*

Expresiones comunes

¿De parte de quién?	*Who is calling?*
De parte de Lorenzo.	*Lorenzo is calling.*
La línea está ocupada.	*The line is busy.*
Número equivocado.	*Wrong number.*
¿Aló?	*Hello.* (mayoría de los países hispanos)
Bueno.	*Hello.* (México)
¿Diga?	*Hello.* (España)
¿Hola?	*Hello.* (Argentina)
¿Qué hay? / Oigo.	*Hello.* (Caribe)

Expresiones populares

dejar colgado	*to leave high and dry / to leave at loose ends*
la clave de todo	*the key to the whole thing*
ni señal de...	*not a sign of . . .*

PREGUNTAS DE RESPUESTA CORTA

1. ¿Cuáles son las ventajas y las desvantajas de tener un teléfono celular?

2. ¿Con qué frecuencia usas el Internet y para qué lo usas?

3. ¿En qué casos te parece útil hacer una videoconferencia?

4. Explica los distintos tipos de cobros que vienen en una factura de teléfono.

5. ¿Crees que se deben permitir los celulares en la escuela?

Presentación oral

Da una presentación ante la clase de español. En tu presentación, explica cuáles son las ventajas que ofrece la nueva tecnología de teléfonos celulares para la gente de países de habla hispana.

Texto impreso

Fuente: Este artículo apareció en el sitio web de Noticiasdot. com en septiembre de 2004

EFE lanza servicio de noticias a teléfonos móviles para inmigrantes

La Agencia EFE ha puesto en marcha un nuevo servicio de noticias a teléfonos móviles dirigido a inmigrantes latinoamericanos residentes en España, un proyecto que comienza con los colectivos más numerosos, ecuatorianos y colombianos.

El presidente de EFE, Alex Grijelmo, presentó hoy en la sede de la Agencia en Madrid este proyecto, cuyo costo, dijo, es "cero", ya que este medio de comunicación dispone de la información que se difundirá.

Se ofrecerán a ecuatorianos y colombianos residentes en España, con carácter inmediato, noticias relativas a sus países de origen, así como información de España que resulte de su interés.

Este servicio, que pasó en agosto pasado una fase de pruebas y ya está disponible para ambos colectivos, se pone en marcha con la operadora AMENA, que tiene amplia implantación entre las comunidades de latinoamericanos en España y que pretende potenciar su oferta de móvil para emigrantes.

Las noticias se ofrecerán en doble formato: mensajes cortos titulares (SMS), con las más importantes o urgentes, y mensajes con varias fotos y textos. El costo para el primer sistema es de 60 céntimos de euro (unos 0,73 dólares) semanales y, para el segundo, de 1 euro (1, 23 dólares).

La intención es, si el proyecto progresa, ampliarlo a otras comunidades de inmigrantes latinoamericanos y, a más largo plazo, incluir a marroquíes y rumanos, explicó Grijelmo.

Los contenidos del servicio incluyen los hechos de mayor trascendencia nacional en la política, la economía o el deporte de los países de referencia, pero pretenden también ser un vehículo de contacto con el día a día social y cultural de cada comunidad.

Alex Grijelmo indicó que este proyecto también desempeña un "papel social" respecto a los inmigrantes en España, ya que se aporta "una conexión entre estas comunidades y sus países de origen".

Según datos oficiales, en España hay un colectivo de 390.297 ecuatorianos y 244.684 colombianos.

Informe de la radio

Fuente: Este informe, que se titula "Las nuevas oportunidades de la telefonía celular", se emitió en la Radio Naciones Unidas en octubre del 2005.

7. La estación de servicio

General

aceite (m.)	*oil*
bomba	*pump*
combustible (m.)	*fuel*
con plomo	*leaded*
empleado/a	*attendant / employee*
engrase (m.)	*grease job*
estación de gasolina (f.)	*gasoline station*
gasolina	*fuel*
gasolinera	*gasoline station*
lavado	*car wash*
manguera	*hose*
pistola de engrase	*grease gun*
plataforma	*platform / rack*
puesta a punto	*tune up*
sin plomo	*unleaded*
surtidor (m.)	*pump*

Partes de vehículos

batería (m.)	*battery*
baúl (m.)	*trunk*
bujías	*spark plugs*
cajuela	*trunk*
capo, capót (m.)	*hood*
cárter (m.)	*crankcase*
direccionales (f.)	*turn signals*
faro	*headlight*
frenos	*brakes*
goma	*tire / inner tube*
guardabarro	*fender*
inyección	*injection*
limpiaparabrisas (m.)	*windshield wipers*
llanta	*tire*
llanta de repuesto / de recambio	*spare tire*
luz (f.) trasera	*tail-light*

maletero	trunk
motor (m.)	motor / engine
neumático	tire / inner tube
parabrisas (m.)	windshield
paragolpes (m.)	bumper
radiador (m.)	radiator
rueda	wheel
tanque (m.) / depósito de gasolina	gasoline tank

Problemas

llanta desinflada	flat tire
llanta pinchada	flat tire
pérdida	leak
pinchadura	flat tire

Verbos

añadir	to add
arreglar	to fix
cambiar	to change
dañar	to damage
engrasar	to grease
funcionar	to function / work
inflar	to inflate
llenar	to fill
revisar	to check

Expresiones populares

andar con pies de plomo	to go gingerly
estar en llanta	to have a flat tire
rueda de andar	treadmill

PREGUNTAS DE RESPUESTA CORTA

1. Describe las tareas de un(a) empleado(a) de una estación de servicio.

2. ¿Qué tiene que hacer un(a) propietario(a) de un carro para mantenerlo en buenas condiciones?

3. Cuando vas a una estación de servicio, ¿prefieres las plataformas de autoservicio o las de servicio completo? Explica.

4. ¿Qué partes de un auto te parecen más importantes cuando decides comprar tu propio carro? Explica.

5. Imagina que has llevado tu coche a una estación de servicio. Explícale al (a la) empleado(a) lo que quieres que haga.

Presentación oral

Da una presentación ante la clase de español.

En tu presentación oral explica cuáles son los factores que afectan los precios de combustibles en los países de latinoamérica y cómo sería posible ahorrar energía y combustible cuando un chofer maneje su carro.

Texto impreso

Fuente: Este fragmento es de "Consejos para el consumo eficiente y responsable de la energía", en el sitio web del Instituto para la Diversificación y Ahorro de la Energía de España.

En el transporte: Cómo ahorrar energía

El uso eficiente del coche propio

Con la conducción eficiente, además de una mejora del confort, un aumento de la seguridad vial y una disminución del tiempo de viaje, conseguiremos un ahorro medio de carburante y de emisiones de CO2 del 15%, así como una reducción del costo de mantenimiento del coche.

- Comience a circular inmediatamente después de arrancar el motor. Esperar parado con el motor en marcha consume energía y no aporta ninguna ventaja.

- Mantener la velocidad de circulación lo más uniforme posible y evitar frenazos, aceleraciones y cambios de marchas innecessarios ahorra energía.

- Para desacelerar, levante el pie del acelerador y deje rodar el vehículo con la marcha engranada en este instante. Si fuera necesario, frene de forma suave y progresiva con el pedal de freno, reduciendo la marcha lo más tarde posible.

- En paradas prolongadas, es decir, de más de 60 segundos, es recomendable apagar el motor.

- En el momento que detecte un obstáculo o una reducción de la velocidad de circulación en la vía, levante el pie del acelerador para anticipar las siguientes maniobras.

Informe de la radio

Fuente: Este informe, que se titula "Los problemas que genera en Centroamérica el encarecimiento de los combustibles", se emitió en la Radio Naciones Unidas en noviembre del 2005.

8. La hora, los días, los meses y las estaciones

La hora

Es la una de la mañana.	*It is 1:00 A.M.*
Es la una y cuarto	*It is 1:15.*
Es la una y veinte.	*It is 1:20.*
Es la una y media.	*It is 1:30.*
Son las dos menos cuarto.	*It is 1:45.*
Son las dos menos cinco.	*It is 1:55.*
A las dos de la tarde.	*At 2:00 P.M.*
Es mediodía.	*It is noon.*
Es medianoche.	*It is midnight.*

Los días

lunes	*Monday*
martes	*Tuesday*
miércoles	*Wednesday*
jueves	*Thursday*
viernes	*Friday*
sábado	*Saturday*
domingo	*Sunday*

Los meses

enero	*January*
febrero	*February*
marzo	*March*
abril	*April*
mayo	*May*
junio	*June*
julio	*July*
agosto	*August*
septiembre	*September*
octubre	*October*
noviembre	*November*
diciembre	*December*

Las estaciones

verano	*summer*
otoño	*autumn / fall*
primavera	*spring*
invierno	*winter*

Expresiones populares

El tiempo es buen consejero.	*Time will tell.*
hacer su agosto	*to take advantage of*
tarde o temprano	*sooner or later*

PREGUNTAS DE RESPUESTA CORTA

1. Piensa en cuatro cosas que haces a diario y di a qué hora las haces.

2. ¿En qué mes preferirías ir de vacaciones? ¿A dónde irías y por qué?

3. ¿Qué días de la semana te gustan más? ¿Por qué?

4. ¿Cuál es tu estación favorita? Explica tus razones.

5. ¿Prefieres vivir en un lugar donde el clima sea templado todo el año o donde las cuatro estaciones estén bien marcadas? Explica.

Presentación oral

Tienes que dar una presentación formal ante la clase de español. En tu presentación oral explica qué es el equinoccio y cuál fue su importancia en las culturas antiguas de Europa y de las Américas.

Texto impreso

Fuente: Este fragmento, por M. Sc. José Alberto Villalobos, es del sito web "Equinoccios y Solsticios", de la Fundación para el Centro Nacional de la Ciencia y la Tecnología, CIENTEC, San José, Costa Rica.

Equinoccios 20 de marzo y 22 de septiembre del 2005

Recuerdo que mi libro de lectura, cuando estaba en la escuela, decía que: el Sol sale por el Este y se oculta por el Oeste. En realidad eso no es estrictamente cierto, excepto durante dos fechas al año, el día del equinoccio de marzo (de primavera en el hemisferio norte), y el día del equinoccio de septiembre (de otoño en el hemisferio norte).

¿A qué se debe esa interesante particularidad?
Se debe a la inclinación del eje de rotación de la Tierra cuyo valor actual es 23,5° respecto a la recta normal al plano de la órbita terrestre (la eclíptica), lo que causa las estaciones; primavera, verano, otoño e invierno. Debido a esta inclinación, un observador ve salir el Sol en diferentes puntos cada día. El domingo 20 es el equinoccio de marzo... Estará unas 12 horas sobre el horizonte y otras 12 horas bajo el horizonte, acorde con el significado de la palabra equinoccio (el día y la noche tienen igual duración)... El equinoccio de marzo marca además el inicio oficial de la primavera en el hemisferio norte y del otoño en el hemisferio sur...

¿Qué ha hecho la humanidad el día del equinoccio?

El movimiento del Sol exactamente de Este a Oeste ha sido utilizado para diseñar calles de ciudades y para orientar templos y altares, pues los rayos solares pueden hacerse llegar a un punto determinado, pasando por una estrecha abertura en la pared. De una manera semejante están colocadas las grandes rocas monolíticas en el templo (u observatorio astronómico) de Stonehenge, en Inglaterra. Conocer el inicio de la primavera es importante para los agricultores de las zonas templadas, puesto que esta fecha da una cierta seguridad de que el invierno terminó. Posiblemente ya no ocurrirá una nevada y entonces se puede cultivar la tierra sin correr el riesgo de perder las cosechas.

Informe de la radio

Fuente: Este informe, que se titula "Equinoccio de primavera en Yucatán", se emitió por la emisora de la Universidad de Illinois en su programa Nuevos Horizontes en marzo del 2001.

9. Los países y las nacionalidades

Norteamérica

Canadá	canadiense	*Canadian*
Estados Unidos	estadounidense	*from the United States*
México	mexicano(a)	*Mexican*

Centroamérica

Costa Rica	costarricense	*Costa Rican*
El Salvador	salvadoreño(a)	*Salvadoran*
Guatemala	guatemalteco(a)	*Guatemalan*
Honduras	hondureño(a)	*Honduran*
Nicaragua	nicaragüense	*Nicaraguan*
Panamá	panameño(a)	*Panamanian*

El Caribe

Cuba	cubano(a)	*Cuban*
Puerto Rico	puertorriqueño(a)	*Puerto Rican*
(la) República Dominicana	dominicano(a)	*Dominican*

Sudamérica

Argentina	argentino(a)	*Argentine*
Bolivia	boliviano(a)	*Bolivian*
Brasil	brasileño(a)	*Brazilian*
Chile	chileno(a)	*Chilean*
Colombia	colombiano(a)	*Colombian*
Ecuador	ecuatoriano(a)	*Ecuadorian*
Paraguay	paraguayo(a)	*Paraguayan*
Perú	peruano(a)	*Peruvian*
Uruguay	uruguayo(a)	*Uruguayan*
Venezuela	venezolano(a)	*Venezuelan*

Otros países

Alemania	alemán	*German*
Australia	australiano(a)	*Australian*
Camerún	camerunense	*Cameroonian*

China	chino(a)	*Chinese*
España	español(a)	*Spaniard*
Francia	francés(a)	*French*
Grecia	griego(a)	*Greek*
India	indio(a)	*Indian (from India)*
Inglaterra	inglés(a)	*English*
Irlanda	irlandés(a)	*Irish*
Israel	israelí	*Israeli*
Italia	italiano(a)	*Italian*
Portugal	portugués(a)	*Portuguese*
Rusia	ruso(a)	*Russian*
Vietnam	vietnamita / vietnamés	*Vietnamese*

Expresiones populares

a la americana	Dutch treat
a la hora suiza	punctual
ir de Guatemala a Guatepeor	to go from bad to worse

PREGUNTAS DE RESPUESTA CORTA

1. Escoge un país que te gustaría visitar. Explica por qué lo elegiste.

2. ¿Prefieres visitar otros países o viajar dentro de los Estados Unidos? Explica.

3. Compara y contrasta dos países diferentes.

4. Menciona cuatro países donde se habla inglés y cuatro donde se habla español. ¿Cuál de estos te parece el más interesante?

5. Si tu familia tuviera que mudarse a otro país, ¿cómo reaccionarías?

Presentación oral

Tienes que dar una presentación formal ante la clase de español.

En tu presentación explica qué es la globalización cultural y qué desventajas presenta para los países latinoamericanos.

Texto impreso

Fuente: Este fragmento es del informe titulado *International Flows of Selected Cultural Goods and Services, 1994–2003* [Corrientes comerciales internacionales de un conjunto seleccionado de bienes y servicios culturales] que apareció en el sitio web de UNESCO (United Nations Educational Scienific and Cultural Organization) en diciembre del 2005.

Los países en desarrollo salen perdiendo en el comercio de bienes culturales

En el informe [...] se analizan los datos relativos al comercio internacional de unos 120 países en lo que respecta a una serie de productos seleccionados, por ejemplo libros, CD, videojuegos y esculturas. [...]

"Aunque la mundialización ofrece a los países del mundo entero inmensas posibilidades para compartir sus culturas y talentos creadores, es evidente que algunas naciones no están en condiciones de aprovechar esta oportunidad", dijo el Director General de la UNESCO, Koichiro Matsuura, antes de agregar que "si no se les presta apoyo para que puedan participar en el comercio de bienes culturales, sus culturas no tendrán eco alguno en el mundo porque quedarán marginadas y aisladas".

Según el informe, América Latina y el Caribe sólo representaron 3% del comercio total de bienes culturales en 2002. Aunque esto supuso un aumento de un punto porcentual con respecto a 1992, este continente se sitúa muy por detrás de otras regiones del mundo. Oceanía y África no registraron progreso alguno durante ese decenio y, en 2002, el comercio de estos dos continentes juntos representó menos de 1% del comercio mundial de esa categoría de bienes.

El Reino Unido es el país del mundo en el que las exportaciones de bienes culturales alcanzaron un mayor valor en 2002: 8.500 millones de dólares. Vinieron después los Estados Unidos de América, con 7.600 millones de dólares, y China, con 5.200 millones.

Estados Unidos fue el país que importó más bienes culturales, ya que sus importaciones alcanzaron 15.300 millones de dólares. A continuación, vinieron el Reino Unido y Alemania con importaciones por valor de 7.800 y 4.100 millones de dólares respectivamente.

Informe de la radio

Fuente: Este informe, que se titula "Los países buscan protegerse de la globalización cultural", se emitió por la emisora Radio Naciones Unidas en noviembre del 2005.

10. El avión y el turismo

General

ala	*wing*
asiento	*seat*
asistente (m., f.) de vuelo	*flight attendant*
audífonos	*earphones*
azafata	*flight attendant*
cabina de control	*cockpit*
carrito	*food cart*
chaleco salvavidas	*life jacket*
cinturón (m) de seguridad	*seat belt*
compartimiento sobre el asiento	*overhead compartment*
copiloto (m., f.)	*co-pilot*
debajo del asiento	*under the seat*
hélice (f.)	*propeller*
libre	*free*
máscara de oxígeno	*oxygen mask*
mesita	*tray table*
ocupado	*occupied*
pasillo	*aisle*
piloto (m., f.)	*pilot*
pista	*runway*
respaldo	*seat back*
salida de emergencia	*emergency exit*
sobrecargo	*excess luggage*
turbulencia	*turbulence*
ventanilla	*window*

Verbos

abrocharse	*to fasten*
aterrizar	*to land*
despegar	*to take off*
sobrevolar	*to fly over*

Turismo

andinismo	*mountain climbing (Andes)*
balneario	*bathing / beach resort*
crucero	*cruise*
destino	*destination*
ecoturismo	*ecological tourism*
etnoturismo	*cultural / ethnic tourism*
gira	*tour / excursion*
guía (m., f.)	*tourguide / guidebook*
senderismo	*hiking / climbing*
turista (m., f.)	*tourist*

Expresiones populares

¡Aterriza!	*Come down to Earth!*
dar alas	*to be permissive*
tener pista libre	*to have a free hand*

PREGUNTAS DE RESPUESTA CORTA

1. Si viajaras en avión, ¿escogerías un asiento de pasillo o de ventanilla? ¿Por qué

2. ¿Cómo reaccionarías si hubiera turbulencia?

3. ¿Qué tipo de mensaje imaginas que dan los asistentes de vuelo antes de despegar?

4. ¿Cómo te entretendrías durante un vuelo?

5. ¿Qué tipo de turismo te interesa hacer? ¿Por qué?

Presentación oral

Tienes que dar una presentación para una feria de turismo.

En tu presentación explica las ventajas que ofrece el turismo a la economía de los países latinoamericanos.

Texto impreso

Fuente: Este fragmento es del artículo "Turismo latino-americano tiene gran potencial", y apareció en el sitio web de la Universidad Arturo Pra en enero del 2005.

Turismo latinoamericano tiene gran potencial

De visita en la ciudad se encuentra el director de la Escuela Interamericana de Turismo de Colombia y profesor de dicha casa de estudios, Sergio García Londona, quien destacó la importancia que está alcanzando el turismo en el contexto latinoamericano.

[...] Sergio García Londona, al ser consultado por el Turismo en Latinoamérica, manifestó que los países de la zona están perfilando el desarrollo turístico como principal herramienta de crecimiento, debido al avance que ha alcanzado durante los últimos años. Indicó que uno de los factores que ha influido en ello es que cada vez las personas salen más, "puesto que el turismo está muy vinculado a la curiosidad humana y por eso muestra importantes niveles de crecimiento en latinoamérica, posicionándose de paso como la primera industria a nivel mundial".

Destaca que Latinoamérica tiene un gran potencial con respecto al desarrollo turístico, "lo que es muy beneficioso, puesto que sus efectos son muy importantes en términos de generación de empleo, diversificación de la actividad, calidad de vida de la población y en calidad ambiental y en cuanto a la conservación".

Asimismo, dijo que es la base para que los países tengan un desarrollo sostenible, no sólo en el ámbito de las finanzas, sino también en el desarrollo humano. [...]

—¿**Como es Latinoamérica en comparación al resto del mundo en cuanto a desarrollo turístico?**
—Latinoamérica es un destino emergente y ágil, como lo exige la modernidad de nuestros tiempos, porque está creciendo a ritmos muy superiores a los del resto del mundo. Chile es un buen ejemplo de eso. Está capturando mucho mercado poniendo a disposición sus productos turísticos y los ha sabido organizar en el contexto latinoamericano en áreas como el sol, la playa, senderismo, paisajismo, etnoturismo, agroturismo y turismo de invierno.

Informe de la radio

Fuente: Este informe, que se titula "El turismo: una esperanza para el desarrollo de las Américas", se emitió en la Radio Naciones Unidas en agosto del 2005.

11. El cuerpo

barba	*beard*
barbilla	*chin*
bigote (m.)	*moustache*
boca	*mouth*
brazo	*arm*
cabello	*hair (on head)*
cabeza	*head*
cadera	*hip*
cara	*face*
ceja	*eyebrow*
cerebro	*brain*
cintura	*waist*
codo	*elbow*
columna vertebral	*spinal column*
corazón (m.)	*heart*
cuello	*neck*
cutis (m.)	*skin / complexion*
dedo	*finger*
diente (m.)	*tooth*
encía	*gum*
espalda	*back*
estómago	*stomach*
fosa nasal	*nostril*
frente (f.)	*forehead*
garganta	*throat*
hombro	*shoulder*
labio	*lip*
lágrima	*tear*
lengua	*tongue*
lunar (m.)	*beauty mark*
mano	*hand*
mejilla	*cheek*
muela	*molar*
muñeca	*wrist*
nariz (f.)	*nose*
nuca	*nape*

nudillo	knuckle
oído	inner ear
ojo	eye
ombligo	navel
oreja	outer ear
párpado	eyelid
pelo	hair
pestaña	eyelash
pie (m.)	foot
piel (f.)	skin
pierna	leg
pulgar (m.)	thumb
pulmón (m.)	lung
rodilla	knee
rostro	face
sangre (f.)	blood
talón (m.)	heel
tobillo	ankle
uña	nail

Expresiones populares

andar de boca en boca	to be the talk of the town
charlar hasta por los codos	to be a chatterbox
meter las narices	to snoop

PREGUNTAS DE RESPUESTA CORTA

1. ¿Crees que existe el cuerpo ideal? Descríbelo.

2. ¿Piensas que la apariencia es importante para tener amigos?

3. ¿Estás de acuerdo con las personas que hacen todo lo posible por verse más bellas? ¿Por qué?

4. Escoge tres partes del cuerpo que, a tu criterio, deban ser tratadas con mucho cuidado. Explica.

5. Contrasta a dos personas famosas que tienen cuerpos muy distintos.

Presentación oral

Tienes que dar una presentación ante el club de español.

En tu presentación, da unos consejos sobre la protección de la piel contra el sol a los miembros del club que van a viajar a Chile durante el próximo mes. También explica por qué es necesario tomar esas precauciones.

Texto impreso

Fuente: Este fragmento es del artículo "Viviendo a merced del Sol" por David Shukman, del BBC, Punta Arenas, Chile. Apareció en el sitio web de BBC mundo.com en septiembre del 2004.

Viviendo a merced del Sol

Hace 20 años, un equipo de científicos del British Antarctic Survey (BAS) hizo uno de los más significativos descubrimientos medioambientales de los últimos tiempos. Al estudiar la información recogida en condiciones hostiles durante muchas décadas, se tropezaron con el hecho de que un enorme hueco había aparecido en la capa de ozono que protege la Tierra de la dañina radiación ultravioleta (UV) del Sol.[...] La conmoción que causó el descubrimiento —y la eventual confirmación de científicos estadounidenses— llevó al inicio de una campaña internacional para reducir los gases invernadero conocidos como CFC, que se pensaba eran los que afectaban la capa de ozono.[...]

Cáncer del sur

Una vez al año, en la primavera del hemisferio sur, una combinación de condiciones atmosféricas y químicos CFC empieza a erosionar la capa de ozono. De septiembre a noviembre, se forma un agujero en una vasta área sobre Antártica. Con ayuda de los satélites, los científicos pueden darle seguimiento mientras rota con los sistemas climáticos y ocasionalmente se extiende sobre la parte sur de Sudamérica. Varias veces al año, una de las ciudades más sureñas del mundo, Punta Arenas, en Chile, queda bajo el agujero y sus habitantes sufren los peores efectos de la radiación solar, incluyendo un masivo aumento en el riesgo de contraer cáncer de la piel.

El principal especialista de piel de la ciudad, doctor Jaime Abacá, estudió la incidencia de cáncer cutáneo y concluyó que de todos los casos registrados, el peor, el melanoma maligno, aparece tres veces más que en otras partes del mundo. "No hay duda de que estamos viendo los efectos del problema con el ozono", me dijo. Las observaciones también muestran que la radiación llega a la Tierra con una intensidad que es particularmente dañina. Estando afuera por más de unos pocos minutos, yo podía sentir un cosquilleo, una comezón en la cara, y quienes estaban conmigo también. Hasta en los días nublados buscábamos la protección de los árboles.

Informe de la radio

Fuente: Este informe, que se titula "Protegerse del sol. Informe preparado por la organización Panamericana de la salud.", se emitió en la Radio Naciones Unidas Manos Amigas en diciembre del 2005.

12. El medio ambiente

aire puro (m.)	*clean air*
basurero (m.)	*trash can*
biodiversidad (f.)	*biodiversity*
bosque (m.) lluvioso	*rain forest*
capa de ozono	*ozone layers*
clima (m.)	*climate*
contaminación (f.)	*pollution / contamination*
deforestación (f.)	*deforestation*
derrumbe (m.)	*landslide*
ecológico/a	*ecological*
efecto invernadero	*greenhouse effect*
energía	*energy*
erosión (f.)	*erosion*
especies (f.)	*species*
fuentes (f.) de energía	*sources of energy*
Luna	*Moon*
naturaleza	*nature*
medio ambiente (m.)	*environment*
no renovable	*non renewable*
petróleo	*oil*
planeta (m.)	*planet*
recurso natural (m.)	*natural resource*
responsabilidad (f.)	*responsibility*
responsable	*responsible*
selva	*tropical*
sequía	*drought*
smog (m.)	*smog*
suelo	*ground / soil*
Tierra	*Earth*

Verbos

afiliarse a	*to join*
amenazar	*to threaten*
dañar	*to destroy / to cause harm to*
destruir	*to destroy*
extinguirse	*to become extinct*
gastar	*to waste / use up / spend*
mejorar	*to improve*
proteger	*to protect*
reducir	*to reduce*
renovar	*to renew*
resolver	*to resolve*
respirar	*to breath*

Expresiones populares

estar en contra de	*to be against*
estar a favor de	*to be in favor of*
especies (f.) en peligro de extinción	*endangered species*

PREGUNTAS DE RESPUESTA CORTA

1. En la actualidad el medio ambiente se encuentra en más y más peligro. ¿Qué se puede hacer para protegerlo?

2. ¿Cómo te imaginas el bosque lluvioso en Puerto Rico? ¿Te gustaría visitarlo? ¿Por qué?

3. ¿Qué efectos ecológicos pueden causar la contaminación? Explica.

4. Menciona algunos recursos naturales de algún país y explica su importancia al mundo que nos rodea.

5. ¿Estás a favor de o en contra de trabajar para proteger las especies en peligro de extinción? Explica tus razones.

Presentación oral

Tienes que dar una presentación ante los directores del colegio. En tu presentación, da un argumento a favor de un concierto musical en tu colegio para celebrar el Día Mundial del Medio Ambiente. Presenta como ejemplos los eventos de los países de Argentina y Perú donde también se celebra este día.

Texto impreso

Fuente: Este fragmento es de la página web, "Día Mundial del Medio Ambiente", en el sitio web del Ministerio de Salud del gobierno de Perú en febrero del 2006.

Día Mundial del Medio Ambiente

Uno de los problemas más graves que afecta a todos los seres humanos por igual, en la actualidad, es el deterioro del medio ambiente. La destrucción de los bosques, la extinción de diversas especies, así como la contaminación atmosférica, son algunas de las consecuencias de la actitud irresponsable del ser humano; la ambición y el egoísmo del hombre al pensar que puede hacer lo que desee con los recursos que le brinda el planeta, lo están llevando hacia su autodestrucción.

¿Qué es el Día Mundial del Medio Ambiente?

El Día Mundial del Medio Ambiente, que se conmemora el 5 de junio de cada año, tiene que ver contigo, conmigo y con todo nuestro entorno.

El Día Mundial del Medio Ambiente es uno de los principales vehículos por medio de los cuales la Organización de las Naciones Unidas estimula la sensibilización mundial en torno al medio ambiente e intensifica la atención y la acción política.

El tema del Día Mundial del Medio Ambiente 2001, "Conéctate a la Cadena de la Vida" refleja la necesidad de conectarnos, de todas las formas posibles, entre nosotros y con toda forma de vida en nuestro planeta. Esa conexión puede ser realizada mediante los instrumentos que brinda la tecnología moderna, o bien a través de métodos tradicionales, siempre reuniendo esfuerzos con otras personas y organizaciones. El Día Mundial del Medio Ambiente es una excelente oportunidad para traducir esa conexión en acción.

El Día Mundial del Medio Ambiente es un evento de personas y organizaciones con actividades multicolores, como concentraciones en las calles, conciertos ecológicos, ensayos y competencias de carteles en las escuelas, plantaciones de árboles, campañas de reciclado y de limpieza. El Día Mundial del Medio Ambiente es también un suceso multimedial que inspira a miles de periodistas a escribir y hacer reportajes entusiastas y críticas acerca del medio ambiente. Es un acontecimiento visual con documentales televisivos, exhibiciones fotográficas y desplegados, así como un evento intelectual para aquellos que organizan y participan en seminarios, mesas redondas y conferencias. En muchos países esta celebración brinda una oportunidad de firmar o ratificar convenios internacionales y, algunas veces, conduce al establecimiento de estructuras gubernamentales permanentes relacionadas con el manejo ambiental y la planeación económica.

Informe de la radio

Fuente: Este informe, que se titula "Música para detener el cambio climático", se emitió en la Radio Naciones Unidas en enero del 2006.

Reading

Reading

Directions: Read the following passages carefully for comprehension. The passages are followed by a number of questions or incomplete statements. Select the answer or completion that is best according to the passage.

Instrucciònes: Lee con cuidado el siguiente pasaje. El pasaje va seguido de varias preguntas u oraciones incompletas. Elije la mejor respuesta o terminación, de acuerdo con el pasaje.

1. Desde la General Norte

Fuente: Este artículo, "Desde la General Norte," por Freddy Peñafiel, apareció en el sitio web de la Casa de la Cultura Ecuatoriana Benjamín Carrión.

Un domingo. Los amigos haciendo fila fuera del estadio. La camiseta de un solo color puesta sobre el pecho. Los gritos. Las banderas. Las canciones. El ir acercándonos a nuestra propia tribu urbana. Buscando una identificación en una bandera que nos cobijará.[...] El enemigo es el simpatizante —o peor aún— un jugador que se cobija con la bandera de color distinto al nuestro. Ese sólo hecho basta para establecer guerras fuera de los estadios, en la calle, como si los invasores pudieran ganar algo al vencernos.

[...] Leí una vez en una papelería cerca de la casa: "se puede cambiar de novia, pero jamás de equipo." Y a veces es cierto. Ser hincha de un equipo y vibrar dentro de una marea humana, dentro de un ritual que sacraliza los domingos, es algo que casi no se puede explicar. Tomar las energías de la semana para sentirse uno en la masa. Para sentir que el grito de uno, precisamente, fue el que impulsó al balón a ser ese gol que tanto necesitábamos. Y empezar a imaginar letras distintas para ritmos viejos. Reciclar las canciones, componer, ayudar a cargar el bombo o la bandera gigante que nos va a cobijar, o despedazar papeles periódicos, despacito, para llenar nuestra funda de confeti, imprescindible para que nuestro equipo salga a la cancha. A veces hubo hechos épicos, recuerdo una final en la que madrugamos, pero siempre hubo alguien que madrugó más. Tuvimos que lanzar a dos grandes amigos sobre la gente, la puerta y las alambradas para tener un espacio para sentarnos, mirar y ganar. Por lo menos esa vez sí ganamos.

Los hinchas de fútbol son los gladiadores de una guerra inmensa contra la rutina. Imaginar a esos hinchas que se sacan la camiseta, se trepan a las mallas, pierden el aire dándole todo el tiempo a un bombo fuera del estadio es una tarea inútil. El del bombo es inspector de un colegio fiscal, el que carga los extintores es cajero de banco, la chica de los pompones estudia en un colegio de monjas. Pero todos sufren, sufrimos, una mutación extraña en el estadio.

Desaparecen profesiones, estudios, clases sociales, ideologías, todos nos unimos para encontrar una esperanza y un sufrimiento. Porque ser hincha de fútbol no es obligatorio. Es una pasión. [...]

OPCIÓN MÚLTIPLE

1. En cuanto a ser aficionado, ¿cuál de los siguientes no menciona el autor?
   a. la violencia
   b. la vergüenza
   c. la música
   d. la fanfarria

2. Según el pasaje, ¿qué simple acto puede instar luchas entre los hinchas?
   a. una decisión injusta hecha por el árbitro
   b. la mala deportividad
   c. ostentar cierto color
   d. las mofas de los contrarios

3. ¿A qué se refieren las palabras "una marea humana"?
   a. la muchedumbre de fanáticos
   b. la naturaleza humana de los aficionados
   c. la imposibilidad de cambiar de equipo
   d. la sensación de estar mareado durante un partido

4. ¿Qué significa la referencia a los gladiadores?

  a. que los hinchas participan en su propio tipo de lucha

  b. que el deporte tiene sus raíces en Roma

  c. que los jugadores combaten con falta de intensidad

  d. que a los aficionados les gusta la rutina

5. La siguiente oración se puede añadir al pasaje: **Cada individuo se transforma en miembro de algo más grande que sí mismo.** ¿Dónde serviría mejor la oración?

  a. primer párrafo después de la segunda oración (después de "estadio")

  b. segundo párrafo después de la cuarta oración (después de "en la masa")

  c. segundo párrafo después de la última oración

  d. tercer párrafo después de la última oración

2. Ilusiones

No creo que ponerse a pensar en ilusiones sea una pérdida de tiempo. Es algo necesario para sentirse bien interiormente, para alejarse por un rato de la realidad que nos agobia. La rutina del trabajo y de los estudios hace que estemos corriendo de un lado para el otro sin parar. Sin embargo, detenerse unos minutos a pensar, a solas, en cómo sería nuestra vida si ocurriera tal o cual cosa, es una experiencia que nos relaja física y mentalmente.

Los estados de ánimo muchas veces dependen del entorno y pueden cambiar si éste también cambia. Hay quienes se sientan frente al mar y pasan horas viendo el movimiento de las olas, imaginando lo que hay más allá del horizonte y cómo sería su vida allí. Hay otros que, caminando por un valle, miran hacia arriba y observan la cima de las montañas que los rodean, pensando si vivir a esas alturas evitaría el duro ritmo de la ciudad.

Los melancólicos que disfrutan los días de lluvia viendo cómo las gotas chocan contra el suelo pueden fijar la vista sin parpadear, recordando buenos momentos del pasado o imaginando encuentros que todavía no se han producido. Los románticos de la noche contarán las estrellas desde una silla al aire libre, tratando de vislumbrar alguna señal de vida en otra galaxia.

Todos, absolutamente todos, necesitamos pasar tiempo con nosotros mismos, pensando, reflexionando y, por qué no, ilusionándonos. Después de todo, soñar no cuesta nada.

1. ¿Qué característica de las ilusiones *no* se menciona en este pasaje?
   a. el bienestar emocional
   b. el escape del mundo que nos rodea
   c. el choque con la realidad después de ilusionarse
   d. la idea de tener un mundo diferente

2. Según el pasaje, nuestros sentimientos son afectados por...
   a. lo que nos rodea
   b. los cambios climáticos
   c. el punto geográfico del narrador
   d. las alturas de las montañas

3. El tono de esta selección es...
   a. crítico
   b. romántico
   c. filosófico
   d. científico

4. Según el autor, no tenemos mucho tiempo para pensar en ilusiones a causa de...
   a. nuestro estado de ánimo
   b. las obligaciones que nos presenta la vida
   c. el ambiente
   d. las consecuencias de soñar

5. La frase "pueden fijar la vista sin parpadear" en el tercer párrafo significa que alguien...
   a. se viste bien cuando llueve
   b. no tiene párpados
   c. está fascinado de lo que ve
   d. no puede dormir

6. La siguiente oración se puede añadir al texto: **Al contrario, es un pasatiempo valioso que cada individuo debe gozar, sea joven o adulto.** ¿Dónde serviría mejor la oración?
   a. primer párrafo después de la primera oración
   b. segundo párrafo después de la primera oración
   c. segundo párrafo después de la última oración
   d. último párrafo después de la primera oración

3. Inmigrantes

La experiencia de un inmigrante no es tan agradable como algunos se imaginan. No se trata simplemente de llegar a un país nuevo a disfrutar nuevas experiencias sino que, por el contrario, casi todos los inmigrantes deben pasar por situaciones de adaptación que a veces son difíciles de superar.

La primera barrera es el idioma, ya que sin él es imposible llevar a cabo simples faenas, como preguntar dónde queda la parada de autobús o qué hora es, hasta mantener una conversación o solicitar un trabajo. Otro de los factores que hacen que un inmigrante se sienta aislado es el aspecto cultural, al menos hasta poder comprenderlo. Los horarios de comida de un español pueden ser muy diferentes de los de un estadounidense. Las leyes de conducir un vehículo en Latinoamérica tienen algunas diferencias con las de aquí. El pago de impuestos es un sistema que no funciona de la misma manera en todos los países y aquí es muy importante. El poder de consumo y los avisos comerciales son parte de la vida diaria; nos vemos frente a frente con ellos a cada minuto, en cada lugar. Todos éstos son algunos ejemplos de las cosas que un inmigrante debe asimilar.

Además, se debe sumar el hecho de que el inmigrante está lejos de su familia. Generalmente no puede gastar dinero en llamadas internacionales porque al llegar a otro país es difícil tener una situación laboral estable. Por otro lado, es común que no tenga nadie a quien recurrir en caso de necesitar consejos o ayuda.

Es importante tener en cuenta que las vivencias de un inmigrante son muy diferentes de las de un turista. El turista visita y disfruta de un país sin preocupaciones; el inmigrante lucha todos los días, preocupándose por ser parte de ese país.

OPCIÓN MÚLTIPLE

1. Según el pasaje, los inmigrantes experimentan dificultades porque...
   a. los pasajes son muy caros
   b. la experiencia de mudarse no es agradable
   c. necesitan confrontar problemas culturales
   d. se sienten como turistas

2. De acuerdo con la selección, algunos piensan que la experiencia de un inmigrante es divertida porque...
   a. es un desafío charlar con gente de otro país
   b. se conoce una cultura diferente
   c. puede gozar mucho tiempo lejos de la familia
   d. todas las experiencias son fascinantes y fáciles de resolver

3. ¿Qué significa la expresión "llevar a cabo" en el segundo párrafo?
   a. acabar
   b. terminar
   c. realizar
   d. caber

4. ¿Cuál es el problema mencionado en cuanto a los impuestos?
   a. El inmigrante gasta demasiado dinero en llamar a su familia.
   b. Los procedimientos varían de país a país.
   c. Los inmigrantes no pagan impuestos.
   d. El inmigrante no tiene un trabajo provechoso.

5. Según el pasaje, el inmigrante y el turista...
   a. tienen los mismos beneficios
   b. luchan por superarse en el extranjero
   c. experimentan la tristeza de estar lejos de su país
   d. tienen experiencias totalmente diferentes

6. ¿Cómo parece presentar el autor a los inmigrantes?
   a. con celos
   b. con desprecio
   c. con temor
   d. con compasión

4. Reggaetón

Fuente: Este artículo, "Reggaetón: ¿hora de cambiar el cartucho?" por Jorge Meléndez apareció en el sitio web *El Vocero de Puerto Rico*, el 26 de enero del 2006.

¿Qué vino primero? ¿El huevo o la gallina? Eso podría decirse del reggaetón. Es obvio que el género llegó después de haber nacido el "rap" en los Estados Unidos. Ahora, por la forma en que se han combinado o fusionado géneros musicales (como el reggae, el "dancehall," la cumbia, el vallenato, la salsa, lo tropical, la bachata y otros géneros más), se ha convertido en toda una expresión donde hay referentes aislados, pero no comunes.

¿Qué quiero decir con esto? Que mientras muchos pueden alegar que el reggaetón es un "rap" con un toque único borícua, otros pueden afirmar, con razón, que el género es una expresión que se renueva o va tomando su dirección con cada disco. Algo similar a la salsa, que muchos dicen que es de Cuba, y otros alegan que es de Nueva York con raíces en Puerto Rico. Lo cierto es que la música tropical tiene una identidad, pero su lugar de orígen le da cierto gusto o pique. La salsa de Miami no es igual que la de Nueva York, la de Puerto Rico, la de Cuba o la de Colombia, entre otros países. Aunque salsa es salsa.

Pero vamos a lo que venimos. No cabe duda que el reggaetón está en un gran momento. Se puede decir que el género no ha hecho un "peak," ya que los grandes contratos que firmaron Daddy Yankee y Tego Calderón, entre otros, con disqueras multinacionales, han elevado la visibilidad y la presencia del género fuera de nuestras costas. El 2005 fue un gran año para el reggaetón y hay muchos millonarios nuevos en ese club.

Ahora, con todo lo que el género ha explotado y luce de su internacionalización, o por lo menos la exportación multinacional de varios exponentes, va a elevar las ventas y la exposición del reggaetón a nuevos niveles. [...]

Algunos dirán que el reggaetón no ha llegado a su cima, lo que puede ser cierto, pero los que llevan tiempo dentro del género saben que hay que empezar a buscar otra dirección. No porque está mala la cosa, sino para no quedarse en lo mismo.

OPCIÓN MÚLTIPLE

1. El autor del pasaje dice que el reggaetón es...
   a. un género de música con una larga historia
   b. una combinación de rap y salsa
   c. una versión latina de hip hop
   d. una mezcla de muchos tipos de música

2. ¿Qué se puede deducir de la información que presenta el artículo?
   a. que cada tipo de música latina es lo mismo a pesar de tener raíces distintas
   b. que el reggaetón va a seguir cambiando
   c. que la salsa es la base de este nuevo género de música
   d. que el reggaetón es popular sólo en el Caribe

3. Según el artículo, ¿en qué deben concentrarse los artistas del reggaetón?
   a. en aumentar las ventas
   b. en exportar su música a otros países
   c. en cambiar la música buscando nuevas direcciones
   d. en llevar este género a su cima

4. ¿Qué **no** se menciona en el artículo?
   a. La popularidad del reggaetón disminuirá con el tiempo.
   b. El reggaetón se goza en muchos diferentes lugares.
   c. Las raíces del reggaetón son variadas.
   d. Este género de música sigue elevándose.

5. Esta oración se puede añadir al texto: **La popularidad del reggaetón va esparciéndose por muchas partes del mundo.** ¿Dónde serviría mejor la oración?
   a. primer párrafo después de la última oración
   b. segundo párrafo después de la segunda oración (después de "con cada disco.")
   c. tercer párrafo después de la tercera oración (después de "fuera de nuestras costas.")
   d. quinto párrafo después de la primera oración (después de "otra dirección.")

5. Lo desconocido

¿Tenemos miedo a lo desconocido? Algunos diccionarios definen la palabra *desconocido* como algo que necesita ser descubierto, que debe ser identificado o que debe someterse a algún tipo de aclaración. Esta descripción es muy amplia y abarca desde especies de animales y plantas hasta la búsqueda de una cura para el cáncer.

Los filósofos, por su parte, se enfocan en orígenes y causas desconocidas relacionadas con la humanidad, como para qué nacemos, para qué vivimos y para qué morimos. Los científicos, por otro lado, buscan nuestro origen desconocido, y la relación entre los humanos y grupos de moléculas primitivas.

Desconocidas son las reacciones de las personas ante situaciones que pueden poner en peligro su vida. Desconocido es lo que hay en el fondo del océano, en lo más profundo de los oscuros abismos. Desconocido es lo que hay debajo de las ruinas indígenas que guardan restos y testimonios de culturas tan o más desarrolladas que la nuestra. Desconocido es lo que hay más allá de la Tierra, en el universo, donde no sabemos si hay civilizaciones que nos observan.

La palabra *desconocido* abarca un concepto infinito que contiene miles de respuestas y que implica otras tantas teorías. La palabra *desconocido* genera tantas preguntas como dudas y hace que nuestra vida sea más interesante en medio de esa búsqueda.

OPCIÓN MÚLTIPLE

1. Según el autor, las definiciones de la palabra *desconocido* son...
   a. equivocadas
   b. exactas
   c. diversas
   d. espantosas

2. De acuerdo con el pasaje, los filósofos se preocupan principalmente por...
   a. el nacimiento
   b. la existencia
   c. la muerte
   d. todas las anteriores

3. ¿Cuál de los siguientes temas ya no es desconocido?
   a. cómo actuamos en situaciones arriesgadas
   b. si hay vida en otros universos
   c. para qué venimos al mundo
   d. la composición química de la lluvia

4. Algo que el autor no relaciona con la palabra *desconocido* es/son...
   a. teorías
   b. certidumbre
   c. búsqueda
   d. relaciones

5. La siguiente oración se puede añadir al texto: **Recurren a los estudios y las investigaciones en su búsqueda de conocimientos.** ¿Dónde serviría mejor la oración?
   a. primer párrafo después de la segunda oración
   b. segundo párrafo después de la segunda oración
   c. tercer párrafo después de la primera oración
   d. tercer párrafo después de la tercera oración (después de "la nuestra")

6. ¿Qué se puede deducir de la información que presenta el pasaje?
   a. que debemos huir de lo desconocido
   b. que los filósofos y los científicos trabajan juntos
   c. que lo desconocido enriquece la vida
   d. que los científicos pueden explicar fácilmente lo desconocido

6. Piscis

Fuente: Este artículo apareció en el sitio web del periódico electrónico *ABC*, el 15 de febrero del 2006.

Estás representado por dos peces atados por la cola y nadando en sentidos opuestos, lo que viene a indicar no sólo que Piscis es un signo de doble personalidad, sino que puede tener dos personalidades casi diametralmente opuestas.

Eres un signo de agua, por lo que el mundo de los sentimientos es lo más importante para ti. Los primeros son de amplios horizontes mentales, comprensivos, cosmopólitas, hospitalarios, con una chispa humanitaria, espiritual o esotérica. Pueden ser, incluso, individuos visionarios en algún sentido y con una mística especial para las causas comunitarias. Los segundos, en cambio, buscan una especie de paraíso que les permita alcanzar el nirvana; algo que pretenden por el endiosamiento personal. En algunos casos, por la autoindulgencia o compasión consigo mismo. En otros, pueden llegar a ser autodestructivos. De hecho, uno de los mayores riesgos de los nativos de este signo es el caos.

Eres un pacifista convencido. Sin embargo, eso no te impide ser un polemista nato o acabar viéndote envuelto en la polémica y el debate, terrenos donde sueles moverte como pez en el agua. Debido a tu gusto por la imagen y tu tendencia a las relaciones platónicas, suele gustarte la televisión, el cine o la fotografía. [...]También la hostelería y la espiritualidad pueden ser hobbies, o incluso profesiones que te otorguen especiales satisfacciones y éxitos personales.

Si posees una carta astral con un conjunto armónico, éstos son algunos de tus principales valores: *hospitalidad, compasión, comprensión amplia y ágil, amplitud en tus puntos de vista, pacifismo y alegría de vivir.*

Sin embargo, si el conjunto de la carta astral es inarmónico, algunos de tus más notorios defectos pueden ser éstos: *autodestrucción, caos, pereza, indolencia, morbosidad por los secretos, poco de fiar y endiosamiento.*

OPCIÓN MÚLTIPLE

1. La frase "nadando en sentidos opuestos" significa que los piscis...

   a. gozan de deportes acuáticos
   b. pueden tener aspectos contradictorios en su personalidad
   c. tienen confianza en sus sentimientos
   d. son individuos con visiones amplias

2. ¿Cuál de los siguientes **no** constituye parte de la personalidad de los piscis?

   a. la presunción
   b. la hospitalidad
   c. la espiritualidad
   d. la belicosidad

3. Según el pasaje, el piscis se mueve como un pez en el campo de...

   a. la imaginación
   b. la hostelería
   c. la disputa
   d. el pacifismo

4. Conforme al tono del pasaje se puede inferir que su fuente fue...

   a. un libro científico
   b. un periódico
   c. una revista
   d. un libro de química

5. ¿Cuál de los siguientes demuestra las personalidades opuestas de los piscis?

   a. el espíritu comunitario y el humanitarianismo
   b. la autoindulgencia y la hospitalidad
   c. el pacifismo y la pasión por el debate
   d. la compasión y la comprensividad

7. Idioma

A veces ocurre que dos personas que hablan el mismo idioma tienen algunas dificultades para entenderse. Eso sucede con frecuencia entre personas de habla hispana que son de diferentes países.

Si estás de visita en España y quieres comer las tortillas con salsa a las que estás acostumbrado aquí, no pidas tortilla española pues te traerán un pastel de papa. Si crees que diciendo solamente la palabra tortilla podrás corregir el error, sólo conseguirás que te traigan un omelette.

Si estás de vacaciones en Argentina y tienes sed, al pedir soda te traerán agua con gas. En caso de que quieras una de las «sodas» que bebes aquí tendrás que pedir gaseosa. Si alguien te indica cómo llegar a un lugar y te dice que tomes el tren, ten en cuenta que la distancia será larga. Si quieres viajar en metro, mejor pregunta por el subte, que es la abreviación de «subterráneo».

Si estás en México y quieres festejar tu cumpleaños con algo dulce, no pidas torta pues te traerán un sándwich de jamón. Mejor pide un pastel. Y cuando quieras regar las plantas de tu jardín, al preguntar dónde hay una regadera seguro te mandarán a la ducha para que te bañes.

Como se ve, un mismo idioma puede tener diferentes gustos. El secreto es poder saborearlos todos.

OPCIÓN MÚLTIPLE

I. De vez en cuando, personas que hablan la misma lengua...

a. comprenden mal ciertas palabras
b. entienden mal ciertas costumbres
c. se enojan unos con otros
d. se burlan unos de otros

2. En España, una *tortilla* es...

a. algo con salsa
b. un dulce preparado con patatas
c. un omelette
d. una torta

3. Se puede inferir del pasaje que si estás en Argentina y tienes que viajar a otra ciudad, es mejor usar...

a. el subterráneo
b. el tren
c. el metro
d. el subte

4. En México, pide *torta* si quieres...

a. algo preparado con pan y fiambre
b. algo dulce
c. tortilla de maíz con salsa picante
d. algún tipo de pastel

5. *Regar* definitivamente no significa...

a. bañarse
b. usar agua para las cosechas
c. darles agua a las plantas de un jardín
d. impulsar una canoa en el agua

6. En el último párrafo, el autor usa la oración, "El secreto es poder saborearlos" para expresar que...

a. hay mucha variedad que se debe gozar en un solo idioma
b. es importante probar una variedad de sabores
c. el comer es importante cuando uno viaja
d. cada persona tiene gustos diferentes

8. Anillos

La tradición de regalar anillos cuando una persona quiere a otra es muy común en todo el mundo. Algunas culturas usan anillos con diamantes mientras que para otras la tradición es que las sortijas de compromiso sean de plata y las de matrimonio sean de oro. En algunos países, a este tipo de anillos les dicen *sortijas* y en otros *alianzas*. Este último término es muy apropiado ya que explica cuál es su función: formar una alianza entre dos personas y mantenerlas unidas.

Este rito tuvo origen en las ceremonias romanas, en las cuales los anillos eran lisos y simbolizaban unión y fidelidad. Generalmente los anillos eran de hierro; los de oro sólo podían ser usados por senadores y magistrados.

Las alianzas de boda se colocan en el dedo anular de la mano izquierda, debido a la antigua creencia de que la vena de este dedo iba directamente al corazón. Se cree que su forma circular representa el amor eterno.

A pesar del paso del tiempo, esta antigua tradición ha perdurado y se sigue practicando con muchas variantes. Puede haber sortijas lisas o trabajadas, puede haber anillos de plata o de platino, puede haber alianzas de rubíes y zafiros, pero todas tienen el mismo significado: la unión de dos personas que se quieren.

OPCIÓN MÚLTIPLE

1. Según este pasaje, la costumbre de usar anillos como símbolo de amor o amistad es común...
   a. en algunas culturas
   b. en ciertos países de Latinoamérica
   c. en todo el mundo
   d. en civilizaciones avanzadas

2. Los anillos de matrimonio también se conocen como...
   a. confianzas
   b. aleaciones
   c. aretes
   d. alianzas

3. Se puede deducir del pasaje que los anillos *no* significan...
   a. alianzas
   b. celos
   c. cariño
   d. lealtad

4. Al empezar esta tradición de regalar anillos, todos los anillos eran...
   a. de hierro
   b. de oro
   c. lisos
   d. exclusivamente para los magistrados

5. La frase "esta antigua tradición ha perdurado" significa que...
   a. no se ha perdido interés en los anillos
   b. la tradición de regalar anillos ha disminuido
   c. la tradición está ahora pasada de moda
   d. regalar sortijas es una pérdida de tiempo

6. Según el tono de la selección se puede inferir que el autor...
   a. teme que la tradición de llevar anillos vaya a perder su popularidad
   b. piensa que llevar anillos es pomposo
   c. respeta la tradición de regalar anillos
   d. cree que la tradición ha pasado de moda

9. Culturas unidas

En el poema *Balada de los dos abuelos,* el poeta cubano Nicolás Guillén hace referencia a su origen a partir de dos razas distintas: un abuelo blanco y un abuelo negro. Es notable cómo el autor toma los elementos valiosos de cada cultura y cómo se identifica con ambas.

Una de las cosas que las generaciones actuales de los Estados Unidos deben hacer es justamente eso: mantener las raíces y combinarlas a medida que nos vamos uniendo unos con otros.

Esta unión nos enriquece a todos, en todos los ámbitos. En la música, por ejemplo, cada vez es más frecuente escuchar elementos latinos, como instrumentos y ritmos, en canciones populares cantadas en inglés. En la literatura, aquellos escritores que crecieron en familias hispanas nos dejan conocer parte de su cultura y cómo ésta se combina con las costumbres anglosajonas.

Por otra parte, el idioma está continuamente activo, tomando y prestando palabras. Así, el español adopta palabras del inglés sin traducirlas, como *software* o *delivery*. El inglés, a su vez, incorporó a su diccionario palabras como *salsa* o *café*.

La importancia de conservar nuestro pasado es innegable e indiscutible, y la necesidad de unirlo al de otras personas quizás cree una cultura universal en el futuro.

OPCIÓN MÚLTIPLE

1. ¿Qué se puede deducir de la información presentada en el pasaje?
   a. Un idioma debe conservar su autonomía.
   b. Es importante combinar los elementos de varias culturas.
   c. Es imprescindible abandonar el pasado para abrazar lo nuevo.
   d. Es esencial preservar nuestro pasado y negar lo actual.

2. Según el autor, es necesario que...

   a. se combine la literatura inglesa con la española
   b. los músicos estadounidenses toquen con los
   latinoamericanos
   c. todos los libros sean bilingües
   d. las personas se unan sin perder sus raíces culturales

3. Un indicio de que la lengua sigue evolucionando es que...

   a. los idiomas usan palabras prestadas de otros idiomas
   b. todos comprenden las palabras *salsa* y *café*
   c. los inmigrantes tienen hijos en Estados Unidos
   d. casi todo el mundo habla inglés

4. El el cuarto párrafo, ¿qué significa la frase "tomando y
   prestando palabras"?

   a. Un idioma resiste pedir prestadas palabras de otro.
   b. Los idiomas son rígidos en su uso de palabras.
   c. Las lenguas continúan evolucionando, compartiendo
   palabras y expresiones.
   d. Se debe traducir cada palabra de un idioma a otro.

5. La unión de las culturas...

   a. crea un mundo diverso
   b. implica riqueza intelectual
   c. ayuda a conservar y divulgar las tradiciones
   d. todas las anteriores

6. La siguiente oración se puede añadir al texto: **Es
   importante saber combinar los elementos
   esenciales de cada cultura, lo que enriquecerá
   nuestra experiencia humana.** ¿Dónde serviría mejor
   la oración?

   a. primer párrafo después de la última oración
   b. segundo párrafo después de la oración
   c. tercer párrafo después de la segunda oración
   d. cuarto párrafo después de la última oración

10. Los niños y la televisión

Fuente: Este fragmento es del artículo, "Los niños y la televisión" que apareció en el sitio web de Educar.org.

El mirar televisión es uno de los pasatiempos más importantes y de mayor influencia en la vida de niños y adolescentes. Los niños en los Estados Unidos miran televisión durante un promedio de tres a cuatro horas al día. Desde el momento en que se gradúan de la escuela secundaria habrán pasado más tiempo mirando televisión que en el salón de clase. [...]

El tiempo que se pasa frente al televisor es tiempo que se le resta a otras actividades importantes, tales como la lectura, el trabajo escolar, el juego, la interacción con la familia y el desarrollo social. Los niños también pueden aprender cosas en la televisión que son inapropiadas o incorrectas. Muchas veces no saben diferenciar entre la fantasía presentada en la televisión y la realidad, y también están bajo la influencia de miles de anuncios comerciales que ven al año.

Los padres pueden ayudar a sus hijos a tener experiencias positivas con la televisión. [...] Pueden hacer lo siguiente: no permitir a los niños mirar televisión por horas de corrido; al contrario, deben seleccionar programas específicos para los niños. [...] Los padres también deben establecer ciertos períodos cuando el televisor esté apagado. Las horas de estudio deben dedicarse al aprendizaje, no son para sentarse frente a la televisión mientras tratan de hacer la tarea. Las horas de las comidas son tiempo para conversar con otros miembros de la familia y no para mirar televisión.

Los padres deben estimular discusiones con sus hijos sobre lo que están viendo cuando están mirando un programa juntos. [...] Hábleles de sus valores personales y familiares y cómo se relaciona lo que están viendo con eventos reales. Dígales las verdaderas consecuencias de la violencia. Discuta con ellos el papel de la publicidad y su influencia en lo que compran. Estimule a su niño para que participe en pasatiempos, deportes y esté con amigos de su misma edad. Con la orientación apropiada, su hijo puede aprendar a usar la televisión de una manera saludable y positiva.

OPCIÓN MÚLTIPLE

1. El promedio mencionado en el artículo se refiere al número de...
   a. televisores en cada casa
   b. horas que los jóvenes pasan cada día mirando televisión
   c. horas pasadas en hacer las tareas
   d. horas pasadas en conversar con los familiares

2. ¿Qué significan las palabras "horas de corrido"?
   a. horas seguidas unas de otras
   b. horas pasadas corriendo
   c. horas en que los jóvenes seleccionan programas para mirar
   d. horas pasadas mirando las corridas

3. ¿Cuál de las siguientes sugerencias a los padres *no* se menciona en el artículo?
   a. No permitan a los hijos seleccionar sus propios programas.
   b. Limiten el tiempo durante el cual los hijos miran la televisión.
   c. Conversen durante las horas de las comidas.
   d. Supervisen a sus hijos para que miren programas educacionales.

4. Según el artículo, ¿qué tiene que ver la televisión con los eventos reales?
   a. Los hijos deben mirar sólo los programas que tratan de esto.
   b. Los padres deben tratar de relacionar estos eventos con los que pasan en los programas.
   c. Se deben discutir los eventos reales durante las horas de las comidas.
   d. Los hijos deben hablar más con sus padres sobre estos eventos.

5. La siguiente oración se puede añadir al pasaje: **Tal vez aún más importante es el tiempo libre en que el joven puede estar solo con sus pensamientos y sus sueños.**
   ¿Dónde serviría mejor la oración?
   a. primer párrafo después de la tercera oración
   b. segundo párrafo después de la primera oración
   c. tercer párrafo después de la última oración
   d. último párrafo después de la tercera oración

Listening

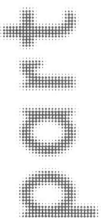

Listening

Directions: You will now listen to a series of audio selections which will include dialogues, narrations, and informational radio programs. You may take notes as you listen. After each recording you will be asked some questions about what you have just heard. Based on the information in the selection, select the best answer to each question from the choices listed in your book.

Instrucciones: Ahora vas a escuchar una serie de selecciones auditivas que incluyen diálogos, narraciones e informes de radio. Se te permite tomar apuntes mientras escuchas. Después de cada grabación, se te harán varias preguntas sobre lo que escuchaste. Basándote en la información de la selección, elige la mejor respuesta a cada pregunta de las opciones que aparecen en el libro.

I. DIÁLOGO

Unos estudiantes están a punto de tener un examen y conversan con la profesora.

1.
   a. un examen semanal
   b. una prueba de vocabulario
   c. un dictado
   d. un examen semestral

2.
   a. Los últimos capítulos son muy difíciles.
   b. La semana pasada faltó al repaso.
   c. Ha olvidado la mayoría de la materia.
   d. Dice que la maestra no enseña bien.

3.
   a. Lo repasaron todo la semana pasada.
   b. Ella es la única persona que tiene razón.
   c. Si fueran buenos estudiantes les daría una semana más.
   d. Si los estudiantes se olvidaron del material es porque no lo estudiaron bien.

4.
   a. juntarse a estudiar en grupo
   b. empezar a estudiar una semana antes
   c. estudiar un poco todos los días durante el año
   d. repasar una hora antes del examen

5.
   a. dar el examen la semana siguiente
   b. sólo los estudiantes que quieran pueden tomar el examen
   c. dar el examen en ese mismo momento
   d. pedir la opinión de otros alumnos

2. DIÁLOGO

Una joven se presenta a una entrevista de trabajo.

1.

    a. Perdió el autobús.

    b. Estaba nerviosa y se perdió.

    c. Paró a comprar chicles.

    d. Pasó primero por la peluquería.

2.

    a. Quiere dar una buena impresión.

    b. Había oído que el gerente era muy guapo.

    c. Sabe que en esa empresa se emplea sólo a personas atractivas.

    d. Se sentía mal con su aspecto.

3.

    a. por el sueldo

    b. por el almuerzo gratis y el gimnasio

    c. por la bondad de los empleados

    d. porque le encantan las matemáticas

4.

    a. la iniciativa

    b. las habilidades con las matemáticas

    c. el saber hablar más de un idioma

    d. la buena salud

5.

    a. recomendarla en la empresa de un amigo

    b. recomendarla en un club social

    c. no darle el puesto

    d. decirle que estudie matemáticas

3. INFORME

Este informe, que se titula "La sede de diplomacia hace un alto por el carnaval de Barranquilla", se emitió por la emisora Radio Naciones Unidas el 25 de octubre del 2005.

1.

   a. Nueva York

   b. Colombia

   c. Ecuador

   d. Venezuela

2.

   a. ballet y política

   b. música y danza

   c. discursos y tradición

   d. picardía y diplomacia

3.

   a. folklore

   b. tradición

   c. picardía

   d. simios

4.

   a. un centro industrial y comercial

   b. un pueblo rural

   c. la capital de Colombia

   d. una ciudad pobre

5.

   a. un fin de semana en enero

   b. dos semanas en febrero

   c. una semana en marzo

   d. dos semanas en mayo

4. DIÁLOGO

Dos jóvenes hablan de sus equipos deportivos.

I.

   a. No tienen entrenador.

   b. No están en buen estado físico.

   c. Prefieren jugar al básquetbol.

   d. Los uniformes les molestan.

2.

   a. Uno tiene sesenta años.

   b. Uno invita al equipo a tomar helados.

   c. Uno enseña a jugar de manera deportiva.

   d. Uno enseña a jugar de manera deshonesta.

3.

   a. 1995

   b. 1975

   c. 2004

   d. 1950

4.

   a. la edad del entrenador

   b. los uniformes

   c. entrenarse todos los días

   d. jugar sólo al básquetbol

5.

   a. Ella quiere formar parte del equipo de fútbol.

   b. Se dio cuenta de que su amigo tiene razón.

   c. Un helado de vez en cuando no afecta la dieta de un deportista.

   d. El partido de básquetbol se canceló.

5. INFORME

Este informe, que se titula "Conozca a Víctor Pineda, la voz y los ojos de 600 millones", se emitió por la emisora Radio Naciones Unidas el 21 de septiembre del 2005.

1.

    a. respirar

    b. caminar

    c. mover los brazos

    d. comunicarse con sus familiares

2.

    a. la poliomielitis

    b. el cáncer de los pulmones

    c. la distrofía muscular

    d. la fibrosis cística

3.

    a. las piernas y los pulmones

    b. los brazos y el corazón

    c. las manos y los pies

    d. las rodillas y los codos

4.

    a. la lucha por los derechos

    b. la venta de sillas de ruedas

    c. clases más avanzadas en Berklee

    d. la cinematografía

5.

    a. el desarrollo de documentos y de productos

    b. las barreras físicas y las sociales

    c. los discapacitados y la pobreza

    d. el tamaño del cuerpo y la ambición

6. DIÁLOGO

Un joven inmigrante habla con su amigo acerca de su estado de ánimo.

I.

   a. No encuentra escuelas para estudiar inglés.

   b. Se siente solo al vivir en otro país.

   c. Quiere irse inmediatamente de Estados Unidos.

   d. No le gustan los amigos de Alejandro.

2.

   a. de varias nacionalidades

   b. solamente estadounidenses

   c. solamente hispanos

   d. solamente puertorriqueños

3.

   a. dejar a Javier a solas con sus amigos estadounidenses

   b. hacer una fiesta exclusiva para hispanos

   c. trabajar en una tienda hispana durante la semana

   d. hacer una fiesta con amigos de varias nacionalidades

4.

   a. Hay cosas interesantes para ver.

   b. Uno tiene la oportunidad de practicar el inglés.

   c. Hay mucho para aprender.

   d. Todos hablan el mismo idioma.

5.

   a. Alejandro va a llevar a Javier a comprar un pasaje para regresar a su país.

   b. Alejandro va a darle clases particulares de inglés a Javier.

   c. Alejandro va a llevar a Javier a una escuela de inglés.

   d. Alejandro no invitará más a Javier a ninguna fiesta.

7. DIÁLOGO

Una señora necesita los servicios urgentes de un plomero.

I.

a. El agua no salía de la ducha.

b. No había electricidad.

c. Oyó ruidos en la cañería del baño.

d. Había pequeños animales en la cañería.

2.

a. Nadie trabaja mejor que él.

b. Es el mejor plomero de la zona.

c. Para él, no hay secretos.

d. Había oído que era un buen plomero.

3.

a. La mujer no pudo ducharse.

b. Algunos ruidos le impidieron dormir a la mujer.

c. El agua salía lentamente.

d. El agua salía sucia.

4.

a. Cobra demasiado por el trabajo que hace.

b. Los vecinos desconfían de él.

c. No tiene confianza alguna en sus habilidades.

d. Parece un hombre descortés.

5.

a. El agua sale muy caliente.

b. El plomero no hizo bien su trabajo.

c. La señora le pedirá un descuento.

d. Acaban de llamar a la puerta.

8. DIÁLOGO

Una pareja decide ir a cenar a un restaurante de lujo.

1.

   a. La Gala

   b. La Bala

   c. La Gata

   d. La Vaca

2.

   a. Es una mesa para dos personas.

   b. Es tan especial como la comida.

   c. Tiene vista al parque.

   d. Tiene un mantel de lino.

3.

   a. jugo de naranja

   b. agua mineral

   c. refresco

   d. batido de fresa

4.

   a. comida vegetariana

   b. comida rápida

   c. comida exótica

   d. comida china

5.

   a. Hay otros restaurantes más especiales que éste.

   b. El especial del día es demasiado caro.

   c. El especial del día no es una comida exótica.

   d. La mesa especial no es para dos personas.

9. DIÁLOGO

El papá de Juliana habla con ella sobre las notas de la escuela.

I.

    a. Juliana ha recibido un certificado.

    b. Su hija ha mejorado las notas.

    c. La joven ha ganado un premio.

    d. Juliana ha dejado de estar enojada con él.

2.

    a. Limpiaba su cuarto.

    b. Escuchaba música en su dormitorio.

    c. Jugaba en el parque.

    d. Iba al cine.

3.

    a. Juliana se había dormido en clase.

    b. Ella no asistió a los entrenamientos de hockey.

    c. La joven recibió malas notas.

    d. Juliana le contestó mal al director.

4.

    a. tenis

    b. fútbol

    c. básquetbol

    d. hockey

5.

    a. Empezó a pensar en su futuro.

    b. No quería más llamadas del director.

    c. Estaba harta de mirar películas.

    d. Quería dedicarse profesionalmente al hockey.

10. DIÁLOGO

Una mamá habla con su hijo acerca de sus amigos.

1.

    a. por los amigos con quienes anda Francisco

    b. porque a Fernando le encanta la música rock

    c. porque su hijo sale a bailar con Linda

    d. por la actitud y la vestimenta de su hijo

2.

    a. Siempre está distraída.

    b. Le encanta la cibernética.

    c. Siempre está escuchando un radio portátil.

    d. Siempre mira películas de ciencia ficción.

3.

    a. Junta cosas de la basura porque es muy pobre.

    b. Junta cosas usadas para venderlas.

    c. Junta libros para la biblioteca de la escuela.

    d. Junta ropa para los pobres.

4.

    a. que cambie el estilo de música

    b. que no debe llevar su pelo suelto

    c. que sea maestro de música

    d. que sea periodista

5.

    a. al decidir hablar con su hijo

    b. al juzgar a la gente por su apariencia

    c. al no prestarle atención a lo que le dijo su hijo

    d. al pedirle disculpas a su hijo

11. INFORME

Este informe, que se titula "Le presentamos a un ballet de migrantes paraguayas en Estados Unidos", se emitió por la emisora Radio Naciones Unidas el 6 de enero del 2006.

1.
- **a.** Estados Unidos
- **b.** Paraguay
- **c.** Sudamérica
- **d.** Europa

2.
- **a.** Pájaro volando
- **b.** Abeja revoloteando
- **c.** Telaraña fina
- **d.** Mariposa dorada

3.
- **a.** cebada y azúcar
- **b.** arena y canela
- **c.** harina de yuca y queso
- **d.** trigo y mantequilla

4.
- **a.** crecieron en Paraguay
- **b.** nacieron y viven en ciudades grandes como Nueva York
- **c.** estudiaron ballet en Europa
- **d.** dan sus presentaciones en Estados Unidos y después vuelven a su país natal

5.
- **a.** la promoción de la expresión cultural
- **b.** la contribución al desarrollo de la paz
- **c.** la difusión de la cultura paraguaya
- **d.** el mejoramiento de la igualdad

12. NARRACIÓN

Tres bailes latinoamericanos.

1.
   a. el merengue
   b. la salsa
   c. la bachata
   d. el tango

2.
   a. la de 1970
   b. la de 1960
   c. la de 1950
   d. la de 1940

3.
   a. Tito Puente
   b. Celia Cruz
   c. Carlos Gardel
   d. Juan Luis Guerra

4.
   a. acordeón
   b. bandoneón
   c. instrumentos de viento
   d. instrumentos de percusión

5.
   a. irlandés
   b. caribeño
   c. africano
   d. español

13. NARRACIÓN

Una atractiva isla del Caribe.

1.
- **a.** Taíno
- **b.** Santo Domingo
- **c.** La Española
- **d.** Quisqueya

2.
- **a.** Puerto Plata
- **b.** Puerto Rico
- **c.** Haití
- **d.** Cuba

3.
- **a.** cerca de la costa
- **b.** en las montañas
- **c.** en la selva tropical
- **d.** en la zona árida

4.
- **a.** Quisqueya
- **b.** Neiba
- **c.** Puerto Plata
- **d.** Santo Domingo

5.
- **a.** el turismo
- **b.** las minas de sal
- **c.** la actividad forestal
- **d.** la agricultura

14. NARRACIÓN

El deporte más popular entre los hispanos.

1.

   a. Argentina

   b. Perú

   c. México

   d. Venezuela

2.

   a. en la playa

   b. en los parques

   c. en la escuela

   d. todas las anteriores

3.

   a. viernes

   b. sábado

   c. domingo

   d. días feriados

4.

   a. todos los años

   b. cada cuatro años

   c. cada cinco años

   d. cada diez años

5.

   a. México

   b. Uruguay

   c. Venezuela

   d. Colombia

15. INFORME

Este informe, que se titula "Hablamos del agua en la provincia panameña de Chiriquí", se emitió por la emisora Radio Naciones Unidas el 6 de enero del 2006.

1.

    a. en el suroeste de la República de Panamá

    b. en la parte occidental de Panamá

    c. en el noreste de la provincia

    d. cerca de la capital de Panamá

2.

    a. satírico

    b. irónico

    c. informativo

    d. metafórico

3.

    a. el café

    b. el ganado

    c. los plátanos

    d. las naranjas

4.

    a. las empresas

    b. el ganado

    c. los animales

    d. los humanos

5.

    a. que causan enfermedades

    b. que traen agua sucia a los pueblos

    c. que benefician a las familias ricas

    d. que mejoran las condiciones de vida

16. NARRACIÓN

Conoce a Fernando Botero, artista talentoso de Colombia.

I.
   a. España
   b. Puerto Rico
   c. Ecuador
   d. Colombia

2.
   a. estatuillas
   b. caricaturas
   c. esculturas
   d. dibujos

3.
   a. Nueva York
   b. España
   c. Japón
   d. Rusia

4.
   a. colores oscuros
   b. personajes tristes
   c. presencia de objetos solamente
   d. el aspecto de sus personajes

5.
   a. Es surrealista.
   b. Tiene contenido social.
   c. Sigue el estilo de los pintores clásicos.
   d. Su mensaje es difícil de entender.

17. NARRACIÓN

Las delicias a la hora de comer en los países de Hispanoamérica.

1.

    a. asiática

    b. alemana

    c. española

    d. ninguna

2.

    a. los plátanos

    b. las salsas picantes

    c. las frutas tropicales

    d. los frijoles

3.

    a. harina de maíz

    b. yuca

    c. carne

    d. ají

4.

    a. Colombia

    b. Argentina

    c. Perú

    d. El Salvador

5.

    a. carne de res hecha a la brasa

    b. un plato preparado con papas hervidas, lechuga y huevos

    c. un tipo de chile

    d. una ración de plátanos fritos

18. INFORME

Este informe, que se titula "La vocación radiofónica de niños bolivianos obtiene reconocimiento internacional", se emitió por la emisora Radio Naciones Unidas el 12 de diciembre del 2006.

1.

    a. ayudan a los adultos con nuevas tecnologías

    b. trabajan en el informativo tres días la semana

    c. transmiten el programa cada mañana

    d. aprenden muy rápidamente sobre las tecnologías

2.

    a. con apatía

    b. con antipatía

    c. con admiración

    d. con antagonismo

3.

    a. diariamente

    b. semanalmente

    c. mensualmente

    d. anualmente

4.

    a. los sondeos

    b. el micrófono

    c. los instrumentos técnicos

    d. la coreografía

5.

    a. Trabajan en la sala de redacción.

    b. Analizan los temas.

    c. Ganan un salario moderado.

    d. Reciben capacitación en lo que es la comunicación.

19. NARRACIÓN

La influencia de la ropa del Altiplano en la moda de Estados Unidos.

1.

    a. para tomar ideas

    b. para vender sus diseños

    c. para estudiar con los diseñadores europeos

    d. para competir con otros diseñadores

2.

    a. México

    b. Colombia

    c. Perú

    d. Bolivia

3.

    a. las orejas

    b. las mejillas

    c. la cabeza

    d. la nariz

4.

    a. en la costa del Pacífico

    b. en el Altiplano

    c. en el Caribe

    d. en las comunidades indígenas del norte de Estados Unidos

5.

    a. la compra de ropa barata

    b. la curiosidad por países lejanos

    c. la mezcla de culturas

    d. la falta de ropa en Estados Unidos

20. NARRACIÓN

Selena: La historia de una artista inolvidable.

1.
   a. mexicano
   b. salvadoreño
   c. colombiano
   d. dominicano

2.
   a. su madre
   b. su padre
   c. su hermano
   d. su hermana

3.
   a. estudiar música
   b. estudiar canto
   c. estudiar español
   d. estudiar inglés

4.
   a. de los inmigrantes mexicanos
   b. de las personas que no hablan inglés
   c. de lo que le pasa a la gente común
   d. de la política

5.
   a. después de dejar su carrera
   b. al principio de su carrera
   c. cuando no la seguía mucho público
   d. durante un período de fama

Writing

Writing

Essay writing is an important part of the advanced Spanish student's academic experience, be it in class, as an assignment, or on the AP language examination. As you are certain to find yourself writing many essays or compositions, it will be helpful to keep the following guidelines in mind.

First step

Examine the question closely to make sure you understand. Many students rush through the topic presented, assume they understand, and then proceed to write what may seem to be a perfectly good essay, but, in effect, is one that didn't treat the subject or answer the question(s) properly. If you have trouble understanding the question, look for key words or cognates to help you zero in on the topic.

Before you begin to write, take five minutes or so to plan and organize your ideas. Jot down your thoughts and perhaps some key vocabulary words that you plan to use. Outlines are a good tool, but any system that works for you will do. The organization of your essay is as important as the content. A well-written and complete essay should include an introduction, a body, and a conclusion.

Introduction

A good introduction does not simply reword the topic. Instead, it should grab the reader's attention, identify your focus, and set up the general idea of the facts that will be developed in the rest of the essay. You should begin with a clear topic or thesis sentence that introduces the subject to be discussed. In order to catch the interest of the reader you may want to open with a thought-provoking question, a series of questions, a startling statistic, the definition of a term that relates to the topic, or a quote of some sort. After you've introduced and brought the topic into focus, prepare to develop the main idea by including thoughts that will support your opinion when they are discussed in the main body of the essay.

Body

The main body of the essay should include two or more paragraphs that expand the main idea and develop with supporting information the thoughts you put forth in the introduction. Avoid wandering and repetition by explaining your thoughts in a logical manner, clearly and smoothly moving from one point to the next, in order to prove your point. The paragraphs should be presented in order of importance and each should flow into the next. This can be accomplished by careful use of transition words such as "on the other hand," "likewise," "furthermore," etc.

Conclusion

The thoughts put forth in this last section of the essay must agree with the thesis stated in the introduction. The conclusion consists of a general review—but not merely a repetition—of the main ideas discussed in the body. This is where you wrap up the theme of the essay by leaving the reader with a clear insight to the thoughts that you have put forth. After you have tied all the important points together, end your essay with a statement, question or quote that will leave an impact on the reader.

Components of Good Writing: Helpful Hints

- Read and re-read the question carefully to be sure that you understand the topic.

- Organize your thoughts with a rough outline or list of key words and ideas.

- Use a formal writing style.

- Begin with a brief but clear-cut introduction.

- Use examples, anecdotes, original insights, or personal experiences to support your thesis.

- Aim for a clear, concise, complete, creative, and comprehensive presentation and development of ideas.

- Make your writing "flow" by using transition words and phrases between ideas and paragraphs.

- Allow your personality to come through.

- Focus on making an impact on the reader.

- Strive to maintain a high interest level.

- Avoid word-for-word translations and anglicisms by "thinking in Spanish" rather than English.

- Use a wide variety of vocabulary and include idiomatic expressions.

- Show off your linguistic skills by using a variety of structures such as *if*-clauses, subjunctive, and proper tense sequences, but avoid any advanced constructions that may be beyond your "comfort range."

- Make sure your essay meets any indicated length requirement.

- Conclude your essay in a way that will leave the reader impressed.

- Leave yourself enough time to check the final draft.

Organizational Check List:

Did you . . .

- ❑ Cleary state your thesis?
- ❑ Include enough information to back up your ideas?
- ❑ Organize your essay coherently?
- ❑ Make smooth transitions?
- ❑ Conclude with an impact?

Grammar Check List:

- ❑ spelling
- ❑ accents
- ❑ punctuation
- ❑ verb agreement
- ❑ verb tense
- ❑ verb mood
- ❑ word order
- ❑ noun-adjective agreement
- ❑ subject-verb agreement
- ❑ personal **a**
- ❑ articles
- ❑ **ser/estar**
- ❑ **por/para**
- ❑ preterite/imperfect
- ❑ sequence of tenses
- ❑ plurals
- ❑ articles
- ❑ prepositions

Sample Rubrics for the Writing Section of the AP Language Examination

9 DEMONSTRATES *EXCELLENCE* IN WRITTEN EXPRESSION

- Relevant, thorough, and very well-developed treatment of the topic
- Very well organized
- Control of a variety of structures and idioms; occasional errors may occur, but there is no pattern
- Rich, precise, idiomatic vocabulary; ease of expression
- Excellent command of conventions of the written language (orthography, sentence structure, paragraphing, and punctuation)

7–8 DEMONSTRATES VERY GOOD *COMMAND* IN WRITTEN EXPRESSION

- Relevant and well-developed treatment of the topic
- Well organized
- Evidence of control of a variety of structures and idioms, although a few grammatical errors may occur; good to very good control of elementary structures
- Considerable breadth of vocabulary
- Conventions of the written language are generally correct

5–6 DEMONSTRATES BASIC TO GOOD *COMPETENCE* IN WRITTEN EXPRESSION

- Relevant treatment of topic
- Adequate organization
- Errors may occur in a variety of structures
- Appropriate vocabulary; occasional second language interference may occur
- May have errors in conventions of the written language

3-4 SUGGESTS LACK OF COMPETENCE IN WRITTEN EXPRESSION

- Relevant to the topic
- May have inadequate organization
- Frequent grammatical errors may occur even in elementary structures; there may be some redeeming features, such as correct advanced structures
- Limited vocabulary; frequent second language interference may occur
- Frequent errors in conventions of the written language may be present

1-2 DEMONSTRATES LACK OF COMPETENCE IN WRITTEN EXPRESSION

- Minimal relevance to the topic
- Disorganized
- Numerous grammatical errors impede communication
- Insufficient vocabulary; constant second language interference
- Pervasive errors in convention may interfere with written communication

0 CONTAINS NOTHING THAT EARNS POINTS

- Blank or off-task, or mere restatement of the question, or completely irrelevant to the topic

Transition Vocabulary

above all	sobre todo
actually	de veras, en realidad
after all is said and done	al fin y al cabo
again	otra vez
along with	junto con
as far as I'm concerned	por mí, por mi parte
at all costs	cueste lo que cueste
at any rate, anyway	de todos modos
at the beginning	al principio
at the same time	al mismo tiempo, a la vez
besides	además
but rather	sino
to be characterized by	caracterizarse por
to consist of	consistir en
even though	aunque
to exemplify	ejemplificar
formerly	anteriormente
foremost	ante todo
from the above	de lo anterior
I think that	opino que
if we think about	si pensamos en
in conclusion	en conclusión, en suma
in fact	en realidad, de hecho, en efecto
in particular	en particular
in principle	en principio
in relation to	con relación a
in short	en breve, en fin
in spite of	a pesar de
in summary	en resumen, en resumidas cuentas
in the first place	en primer lugar
it has nothing to do with	no tiene nada que ver con
it is suitable	conviene

lastly, finally	por último
meanwhile	mientras tanto
moreover	por otra parte, por otro lado
needless to say	sobra decir que
nevertheless	sin embargo
on the one hand	por una parte, por un lado
on the other hand	en cambio, por otro lado
one must take into account	hay que tomar en cuenta
perhaps	a lo mejor
to point out	señalar
regarding	en cuanto a
to serve to	servir para
similarly	del mismo modo
since, seeing that	ya que
speaking of	hablando de
still	todavía
then, next	entonces
therefore	por eso
thus	así
to turn a deaf ear	hacerse el sordo
what is important is that	lo importante es que

Symbols for Self and Peer Corrections

The use of editing symbols is an effective tool for making corrections on first-draft essays. The teacher or peer editor writes the appropriate symbol over each error, this then enables the writer to immediately focus on the type of error that has been made. For example, the symbol **a** ("accent") indicates that there is an accent missing, an accent misplaced, or an accent that doesn't belong on that particular word. The symbol **voc** (vocabulary) indicates that the wrong word has been chosen. Using the symbols as guidelines helps the writer correct errors in an efficient and expeditious manner.

a: accent

> **Segun** ella, el ladrón entró por la ventana. (**Según**)
>
> **A proposíto**, ¿vas al baile el viernes? (**A propósito**)
>
> El **jóven** no quiere ir a la escuela. (**joven**)

aa: adjective agreement

> **Nuestros** reuniones tienen lugar cada lunes. (**Nuestras**)
>
> Ayer la vi por **primer** vez. (**primera**)

ang: anglicism

> Ahora **realizo** que no puedo jugar tan bien como ella. (**me doy cuenta de**)
>
> Siempre **tengo un buen** tiempo con mi caballo. (**paso un buen rato**)

ap: apocope (short form)

> Nos gusta reunirnos el **primero** viernes de cada semana. (**primer**)
>
> Me gustaría un regalo **cualquier**. (**cualquiera**)

art: article

> Consulte **la** mapa para determinar la ruta más directa. (**el**)
>
> **La** águila voló majestuosamente por el aire. (**El**)
>
> **Una** día dije una mentira a la maestra. (**Un**)
>
> Se usa como **una** taza. (**omit**)

cl: capital letter

Hace cuarenta años que vivo en los **estados unidos**. (**Estados Unidos**)

Nos visitaron el primero de **Agosto**. (**agosto**)

g: gender

Nos fascinan los planetas **lejanas**. (**lejanos**)

La autopista está **atestado** por la tarde. (**atestada**)

n: number (singular/plural)

Los cumpleaños de María es el doce de mayo. (**El**)

Tres **francés** viajaron a Venezuela para las vacaciones. (**franceses**)

or: word order

Esta es la **vez segunda** que hice el mismo error. (**segunda vez**)

Me gustan los animales **mucho**. (Me gustan **mucho** los animales.)

p: por/para

Pepe, ve **para** el médico por favor. (**por**)

Juego muy bien al tenis **por** un novato. (**para**)

pr: preposition

Estoy esperando **por** un amigo que no ha llegado. (**a**)

Sueño a menudo **de** los vaqueros. (**con**)

Trato de enseñar **Juan** a esquiar. (**a Juan**)

Mis colegas quieren **a** visitar otras universidades. (**omit**)

rp: reflexive pronoun

Nos encanta **despertar** muy tarde los sábados. (**despertarnos**)

Vos gusta jugar con los perritos. (**Os**)

Me amo tanto a mi familia. (**omit**)

Todos los amigos **abrazan** unos a otros. (**se abrazan**)

s/e: ser/estar

El teléfono **es** a la izquierda de mi escritorio. (**está**)

Juanito y yo **estamos** mejores amigos. (**somos**)

sp: spelling

Se me **ocurió**. (**ocurrió**)

La visito **frequentemente**. (**frecuentemente**)

vf: verb form:

Mario, tengo que decirte que no **juegue** con el gato. (**juegues**)

Vosotros **trabajaban** mucho de jóvenes. (**trabajabais**)

Tres amigos **salió** unos con otros. (**salieron**)

Juana y yo nos **hablan** cada semana. (**hablamos**)

vm: verb mood (subjunctive or indicative)

Más vale que **pones** las cartas en el escritorio. (**pongas**)

Parece que este árbol **vaya** a dar mucha fruta este año. (**va**)

voc: vocabulary

No es negro **pero** blanco. (**sino**)

Me gusta leer **las cuentas** de ese autor. (**los cuentos**)

Pablo **y** Irena son mejores amigos. (**e**)

Ya tengo siete **o** ocho cuadernos nuevos. (**u**)

vt: verb tense

Hace dos años que yo trabajaba para esta empresa. (**Hacía**)

Tuve que pedirle a Juana que me **presente** al nuevo rector. (**presentara**)

América **era** descubierta por Cristóbal Colón en 1492. (**fue**)

: something is omitted
∧

Dije a ella que no llegara antes de las ocho. (**le**)
∧

Juan no le gusta que yo salga con Miguel. (**a**)
∧

?: Your sentence, word, or thought is confusing.

???: Your sentence, word, or thought is very confusing.

Writing Skills

The AP Spanish Language Examination includes four different writing tasks. The time alloted for this portion of the exam is 80 minutes and no dictionaries are allowed. You should prepare well by honing your writing skills, as this section of the exam constitues a substantial percentage of your final exam. You will be evaluated on your use of the language, linguistic skills, breadth of vocabulary and idioms, your development of a topic, and the organization of your writing.

Informal writing

In the first free-response writing section on the AP exam, you will be asked to perform an informal writing task. This will involve a short passage, such as writing a review of a concert, a thank-you note, or a postcard. You will be assigned a task and given a fixed period of time to gather your ideas and write your response.

Formal writing

The formal writing task is the fourth part of the writing section. It is the longest and most heavily weighted in terms of your writing evaluation. The formal writing task will involve an integration of listening, reading, and writing skills. For this task, you will be required to read two authentic documents and listen to one related recording. You will have a limited amount of time to do this, then you will be directed to write a formal essay using information from all three of the authentic sources.

In the following pages you will find a series of activities to practice your writing skills. Some activities are strictly writing tasks, others require that you read excerpts, listen to a related recording, and then write an essay on the topic presented. All writing activities will prepare you for both for the AP exam and to use the Spanish language in further study or everyday activities.

Informal Writing

1. Escribe un mensaje electrónico a una amiga que acaba de recibir su permiso de conducir.

   - Felicita a tu amiga.
   - Expresa tu reacción a su noticia.
   - Deséale algún bien a tu amiga.

2. Escribe una carta de gracias. Imagina que has recibido un regalo de un buen amigo o un familiar.

   - Menciona el regalo.
   - Expresa por qué te gusta el regalo.
   - Agradécele a la persona.

3. Escribe una tarjeta postal a tu maestra favorita describiendo tus vacaciones.

   - Dile dónde estás.
   - Describe el tiempo.
   - Dale algunos detalles sobre tus vacaciones.

4. Escribe una carta al director de un periódico en tu comunidad quejándote de las condiciones del colegio.

   - Menciona los problemas.
   - Explica por qué estás tan disgustado(a).
   - Ofrece algunas sugerencias.

5. Escribe una crítica de una película para el periódico de tu colegio.

   - Describe la trama.
   - Menciona a los actores.
   - Explica por qué uno debe, o no debe, ver la película.

Formal Writing

Directions: The following five activities are integrated tasks. In each one, you will answer a question based on three accompanying sources. The sources will include both print and audio material. First, read the print material. After you finish reading, listen to the audio recording; you should take notes while you listen. Then, write your essay responding to the question and incorporating information from all three information sources. You should be able to interpret and synthesize information from the different sources. You should use this information in your essay to support your ideas. As you refer to the sources, cite them appropriately. Avoid simply summarizing the sources individually.

Instruccìones: Las cinco actividades siguientes son actividades integradas. En las actividades, responderás a una pregunta que se basa en tres fuentes de información. Las fuentes incluyen material tanto impreso como auditivo. Primero, lee el material impreso. Después, escucha el material auditivo; debes tomar apuntes mientras escuchas. Entonces, escribe tu ensayo. Responde a la pregunta usando información de las tres fuentes. Debes interpretar y sintetizar información de las tres fuentes. Debes utilizar información de las fuentes para apoyar tus ideas. Al referirte a las fuentes, cítalas apropiadamente. Evita simplemente resumir las fuentes individualmente.

1. La Brecha Digital

Writing task: ¿Qué es la brecha digital, cómo afecta a los países latinoamericanos y cuáles son algunas soluciones para eliminarla?

Fuente Nº 1

Fuente: Este fragmento es del artículo "Internet es para todos" por el Capítulo Argentina del Internet Society.

Internet es para todos

Ese es el objetivo a cumplir que guía el accionar de Internet Society: que la red sea, efectivamente, para todos. En Argentina Internet es para unos pocos: el 2,1 por ciento de la población tiene acceso a sus servicios. Además, ese pequeño universo corresponde a los sectores de mayores ingresos [...] Esta situación está sentando las bases de lo que denominamos una Brecha Digital: una distancia radical entre quienes tienen y quienes no tienen acceso a la red y a las tecnologías de la información.

Actualmente los sectores de menores recursos no tienen acceso a estas tecnologías en el ámbito educativo. Esto establece una carencia difícil de sortear en el futuro. Lo que no se haga en la escuela hoy afectará de manera profunda el desarrollo futuro de las personas. Las escuelas, bibliotecas públicas e instituciones intermedias, en general, no están conectadas. [...]

La problemática de la brecha digital es una cuestión mundial que afecta a todos los países, pero en aquellos que sufren una severa crisis social como la Argentina, cobra mayor gravedad. Incluso en los Estados Unidos, donde el desarrollo de estas tecnologías está muy avanzado, el presidente Bill Clinton ha declarado frente al Congreso su preocupación por las áreas que han quedado fuera de la explosión de Internet. [...]

Internet no tiene que ver con tecnología. Internet tiene que ver básicamente con la distribución democrática del capital informacional y con el acceso a la cultura y al saber. La brecha digital, íntimamente relacionada con la distancia entre ricos y pobres, desvirtúa el espíritu auténtico de esta tecnología y sienta las bases de una nueva forma de elitismo. El ataque a los derechos básicos de la persona y el aislamiento del sistema social de manera profunda son las consecuencias de esta nueva clase de analfabetismo.

Fuente Nº 2

Fuente: Esta intervista es del artículo "BID: el sector privado es clave" por BBC Mundo, publicado en su sitio web en diciembre del 2003.

BID: el sector privado es clave

Muchos consideran que los organismos multilaterales deben jugar un papel activo en la promoción de nuevas tecnologías para impulsar el desarrollo de los países pobres. BBC Mundo conversó sobre este tema con Danilo Piaggesi del Banco Interamericano de Desarrollo (BID).

BBC: **Se habla mucho de la brecha digital entre países desarrollados y menos desarrollados, ¿esta brecha también se siente intraregionalmente?**
D.P.: Absolutamente. A nosotros nos preocupa mucho la parte intraregional, en el sentido de la capacidad de tener un mismo nivel de aprovechamiento de las nuevas tecnologías con el objetivo de proveer oportunidades para que todos los países de la región participen de la nueva economía del conocimiento [...]

BBC: **Hay quienes critican que estas nuevas tecnologías no están llegando a tener la penetración necesaria, ¿cómo** ve usted esta falta de llegada, qué se puede hacer para superar la situación?

D.P.: Nuestro mandato es proveer las condiciones iniciales para que todos los países participen de la nueva economía del conocimiento. Nosotros somos concientes de que las nuevas tecnologías de la información y comunicación son una herramienta para la lucha contra la pobreza. Si hay una brecha social, la nueva tecnología no la va a solucionar, pero está claro que esta nueva herramienta favorece la expansión económica y la inclusión social, y reduce los tiempos necesarios para que esto se cumpla [...]

BBC: ¿Podría decirnos los pilares sobre los que el BID considera que hay que trabajar para expandir las tecnologías de información y comunicación?

D.P.: Por lo que conocemos de las necesidades de la región, las prioridades son las estrategias nacionales para las nuevas tecnologías. La segunda línea es apoyar a las pequeñas y medianas empresas de la región, a través del uso de nuevas tecnologías. La tercera línea de acción es la de apoyo a los gobiernos.

Fuente N⁰ 3

Fuente: Este informe, que se titula "Las ventajas del software libre para la región," se emitió por la emisora Radio Naciones Unidas en julio del 2005.

VOCES EN EL INFORME
Presentador Entrevistado: Ángel González

2. Cine como arte

Writing task: Compara lo que influye en el trabajo y el arte de estos tres directores de cine.

Fuente Nº I

Fuente: Esta entrevista por Víctor Fowler Calzada es de la revista *Miradas* en marzo del 2005. Margarita Jusid es una directora de arte del cine argentino.

Víctor Fowler: **¿Cómo llega Margarita al cine y al mundo de la dirección de arte?**

Margarita Jusid: ...Yo empecé estudiando pintura, soy arquitecta; desde muy joven me atrajo todo el aspecto de recrear un espacio, digamos, en un edificio, en un teatro, es decir, armar el espacio que acompaña un filme...

V. F.: **Hemos mencionado así, de paso, arquitectura, artes plásticas, escenografía, o sea, ¿cuáles deben ser los conocimientos de un director de arte ideal?**

M. J.: Es una especialidad multidisciplinaria, pues reúne un conocimiento plástico, un dominio espacial, en el aspecto de la arquitectura, y un conocimiento de la importancia de la luz...la cámara es la encargada de seleccionar un pedazo de la realidad, ese pedazo de la realidad es la escenografía más la luz; no existe escenografía sin luz.

V. F.: **¿Cuál es, en el caso de que tenga uno en especial, su método de trabajo?**

M. J.: Creo que en el libro del filme, del guión, es donde están las respuestas del trabajo: partir del guión y hacerse uno todas las preguntas imprescindibles sobre el guión, con el director. Después, la búsqueda de imágenes...con las que uno pueda dar una respuesta sensible a ese guión. Luego está el diseño de toda esa realidad que uno puede trabajar, la escenografía en estudio, realizar un plan, digamos, de plano, hasta lograr esa reproducción que uno sueña de una realidad...

V. F.: ¿Cómo hablar de estilo en el caso de los directores de arte?

M. J.: Creo que no tienen un estilo: su trabajo debe corresponder al estilo de las películas que hacen...Los directores de arte tratan de darle un carácter particular a cada historia, a cada filme...Los mejores profesionales son los que saben, dentro del modo de manejar su especialidad, encararlo en función del libro....Hay un momento, cuando uno se acerca al libro, que es extraordinario, porque es el momento de máxima imaginación.

Fuente Nº 2

Fuente: Este fragmento es del artículo "El Madrid de Almodóvar" por Juan Zavala. Apareció en el sitio Web Esmadrid de la Empresa Municipal Promoción de Madrid, S.A.

Una ciudad, un director

Pedro Almodóvar huyó a los 17 años de su pueblo, Calzada de Calatrava, para venir a la capital. Su evolución como persona y artista está ligada a Madrid, una ciudad que es un personaje más de sus películas y cuya transformación en las últimas décadas ha reflejado con maestría.

Nueva York tiene a Woody Allen. Roma tuvo a Fellini y Madrid se llama en cine Pedro Almodóvar. Un sinónimo al que ciudad y director han llegado casi sin pretenderlo. Porque, a diferencia de Allen o Fellini, Almodóvar nunca ha hecho un homenaje expreso ni ninguna declaración pública de amor por su ciudad. La relación entre los dos ha sido mucho más natural porque pronto los dos se dieron cuenta de que las suyas eran vidas paralelas.

Almodóvar y Madrid fueron evolucionando al mismo ritmo: desde chicos de provincias a ciudades internacionales y modernas, y en el camino no se despojaron del todo de su origen provinciano y rural. Almodóvar encontró en

Madrid el escenario natural de todas sus paradojas. El lugar en el que el diseño más vanguardista convivía sin complejos con la bata de guatiné.

Fuera de Madrid los espectadores de *Mujeres al borde de un ataque de nervios* interpretaban como hallazgo genial la idea de que Carmen Maura criara gallinas en la terraza de su ático de exquisita decoración, pero, al fin y al cabo, de esas contradicciones estaba hecha la ciudad. Y también Almodóvar, que la utilizaba como espejo. Sólo se trataba de mirar sin complejos y de saber hacia dónde mirar. Y de forma natural Almodóvar ponía nombre y apellidos a los sitios por los que pululaban sus personajes.

El ático de las gallinas estaba en la Calle Montalbán, bautizó a su asesino en serie como el asesino de Cuatro Caminos, el violador de *Kika* era el violador de Orcasitas y el barrio donde penaba su vida la protagonista de *¿Qué he hecho yo para merecer esto?* era el barrio de la Concepción. Y lo curioso del caso es que, a pesar de tanta referencia cercana, sus películas iban alcanzando éxito internacional: "Hay elementos muy locales en mis películas, que se entienden perfectamente fuera, por ejemplo en Nueva York. La vida en las grandes ciudades se parece mucho, las incomodidades son idénticas y, a pesar de las diferencias de cultura, cada vez están más mezcladas".

Fuente Nº 3

Fuente: Este informe, que se titula "Patricio Guzmán y la memoria cinematográfica de Chile premiadas por UNESCO", se emitió por la emisora Radio Naciones Unidas en septiembre del 2005.

VOCES EN EL INFORME
Presentador: Carlos Martínez Reportero: José Lobo Entrevistado: Patricio Guzmán

3. El Patrimonio de la Humanidad

Writing Task: Las ciudades de Salamanca, España y Quito, Ecuador están designadas como ciudades Patrimonios de la Humanidad. Compara las dos ciudades y la importancia de este nombramiento.

Fuente N⁰ I

Fuente: Esta descripción del Patrimonio de la Humanidad viene del sitio Web del Ministerio de Cultura de España.

El término Patrimonio de la Humanidad nació en 1972 como resultado de la Convención sobre la protección del patrimonio cultural y natural celebrada en París y aprobada por todos los países miembros de la UNESCO, a la que España se unió en 1982.

En este documento se decretaron los criterios que debían reunir los bienes para formar parte del Patrimonio de la Humanidad, lo cual les permitía gozar de un compromiso mundial de amparo a la vez que asumir la responsabilidad de gestionar, mantener y rehabilitar su patrimonio, convirtiéndose con el tiempo en una figura promocional turística.

La característica fundamental de la Convención es la de asociar en un solo documento el concepto de conservación de la naturaleza y el de preservación de sitios culturales. En este sentido se dieron una serie de definiciones, así Patrimonio Cultural vendría a designar monumentos, grupos de edificios y sitios que tienen valor histórico, estético, arqueológico, científico, etnológico o antropológico [...] y Patrimonio Natural englobaría las formaciones físicas, biológicas y geológicas excepcionales, hábitats de especies animales y vegetales amenazadas, y zonas que tengan valor científico, de conservación o estético.

Fuente Nº 2

Fuente: Esta descripción es del sitio web official del Municipio del Distrito Metropolitano de Quito. Se titula "Quito, 25 años Patrimonio de la Humanidad."

Quito, por su excepcional ubicación en la cima ecuatorial, su relación con el sol, sus connotaciones de ciudad sagrada aborigen, su comunión con el paisaje, es una ciudad ideal para vivir. Su cultura y su espíritu trascendentes así lo ratifican. El Centro Histórico, el más grande de América, es una obra magnífica y en cada una de las piedras se encuentra escrita la historia de la ciudad. Esas y muchas otras razones primaron para que la UNESCO declare a Quito como la primera Ciudad Patrimonio de la Humanidad...

A todo esto se suma su vocación de ser también Capital de la Cultura que se caracteriza por una identidad múltiple, en la cual las diferentes matices culturales que conviven en la ciudad provocan un riquísimo mosaico, en dinámica interactuación; un panorama simbólico, que muestra un Quito Metropolitano, Cosmopolita y abierto al mundo y a la contemporaneidad, orgulloso de su diversidad y pluriculturalidad.

Conscientes de la importancia única de los valores patrimoniales de la ciudad, los gobiernos locales han prestado atención preferente a políticas de conservación y restauración monumental, generando recursos e institucionalidad para apuntalar acciones sostenibles, especialmente en el centro Histórico de Quito. No cabía otra cosa que una línea de continuidad de esos esfuerzos y el desarrollo de nuevas iniciativas tendientes a potenciar una acción sinérgica de las instituciones públicas y privadas preocupadas del núcleo histórico urbano de la capital del Ecuador.

Fuente Nº 3

Fuente: Este informe, que se titula "Visita a la ciudad española de Salamanca, Patrimonio de la Humanidad", se emitió por la emisora Radio Naciones Unidas en noviembre del 2005.

VOCES EN EL INFORME
Presentadora y reportera: Rosa Rivera Entrevistado: Julio López Revuelta

4. La soberanía alimentaria

Writing task: ¿Qué problemas alimentarios afrontan los indígenas hoy en día y cómo podrán superarlos?

Fuente N° I

Fuente: Este fragmento es del artículo "En profundiad: Agricultura y soberanía alimentaria" y aparece en el sitio web de Choike.org.

El concepto de soberanía alimentaria fue desarrollado por Vía Campesina* y llevado al debate público en ocasión de la Cumbre Mundial de la Alimentación en 1996, con la intención de ofrecer una alternativa a las políticas neoliberales. Desde entonces, ese concepto se ha convertido en un tema mayor del debate agrario internacional, inclusive en el seno de las Naciones Unidas. Fue el tema principal del foro de organizaciones no gubernamentales (ONG) paralelo a la Cumbre Mundial de la Alimentación de la Organización para la Agricultura y la Alimentación (FAO) en junio de 2002.

La soberanía alimentaria involucra:

- priorizar la producción agrícola local para alimentar a la población, el acceso de los campesinos y campesinas a la tierra, al agua, a las semillas y al crédito. De ahí la necesidad de reformas agrarias, de la lucha contra los Organismos Genéticamente Modificados (OGM) para garantizar el libre acceso a las semillas, y de mantener el agua en su calidad de bien público a repartir de una forma sostenible.

- el derecho de los campesinos a producir alimentos y el derecho de los consumidores a poder decidir lo que quieren consumir, y cómo y quién se los produce.

- el derecho de los países a protegerse de las importaciones agrícolas y alimentarias demasiado baratas *(dumping)*.

*La Vía Campesina es un movimiento internacional que coordina organizaciones campesinas de Asia, África, América y Europa.

- precios agrícolas ligados a los costos de producción; esto será posible siempre que los países o las uniones de países tengan el derecho de gravar con impuestos las importaciones demasiado baratas, que se comprometan a favor de una producción campesina sostenible y que controlen la producción en el mercado interno para evitar excedentes estructurales.
- la participación de los pueblos en la definición de la política agraria.
- el reconocimiento de los derechos de las campesinas que desempeñan un papel esencial en la producción agrícola y en la alimentación.

Vía Campesina considera que las políticas neoliberales destruyen la soberanía alimentaria, ya que éstas priorizan el comercio internacional ante la alimentación de los pueblos. Y que no han contribuido en absoluto en la erradicación del hambre en el mundo. Por el contrario, han incrementado la dependencia de los pueblos de las importaciones agrícolas, y han reforzado la industrialización de la agricultura, poniendo así en peligro el patrimonio genético, cultural y medioambiental del planeta, así como la salud de su población. Finalmente, han empujado a millones de campesinos y campesinas a abandonar sus prácticas agrícolas tradicionales, al éxodo rural o a la emigración.

Fuente Nº 2

Fuente: Este fragmento es adaptado de una entrevista del artículo "Los hombres de maíz: Territorio, autonomía y resistencia en los pueblos indígenas de México," por Carlos Santos, publicado en la revista *Biodiversidad* en octubre del 2004.

Aldo González es un indígena del estado mexicano de Oaxaca. Allí las organizaciones comunitarias han protagonizado una fuerte resistencia a la contaminación del maíz nativo con las semillas transgénicas.

—En este caso particular de la Sierra de Juárez, lo interesante que planteas, además, es el vínculo que existe con las denuncias de contaminación de maíz transgénico en México.

—Nosotros sentimos que esta situación nos lastima profundamente porque el maíz para nosotros es sagrado, el maíz es la base de la resistencia de los pueblos indígenas. Si nosotros no tuviéramos maíz no podríamos ser. Los maíces nativos son resistentes a los temporales malos que llegan a nuestras comunidades; pero los maíces híbridos o los maíces transgénicos no creo que nos puedan resistir un año. Ese maíz está diseñado para venderlo y el maíz de nuestras comunidades no es para venderlo; es para consumirlo nosotros mismos, es para resistir, es para que nosotros comamos. [...]

—Tú planteas la diferencia entre el maíz hecho para ser vendido y el otro maíz que es hecho o adaptado de la naturaleza para una cultura muy particular, que es la misma cultura que ahora se reivindica como autónoma ante el Estado nacional mexicano.

—Sí, es una lucha que tenemos que dar durante mucho tiempo. Los tiempos del gobierno, los tiempos de las empresas transnacionales no son iguales a los tiempos de los pueblos indígenas. Nosotros creemos que ha llegado el momento en que nuestros pueblos tienen que empezar a construir formas de organización que les permitan ya no solamente sobrevivir sino realizarse de una mejor manera en este planeta y obviamente en armonía con la naturaleza.

Fuente N⁰ 3

Fuente: Este informe, que se titula "Biodiversidad en el continente latinoamericano", se emitió por la emisora Radio Un Mundo en septiembre del 2004.

VOZ EN EL INFORME
Presentador: José Esquinas-Alcázar

5. Las radios comunitarias

Writing task: Describe la importancia y las funciones de las radios comunitarias en los países de habla hispana.

Fuente Nº I

Fuente: Esta es la historia y misión de OMC Radio, una emisora comunitaria en Madrid.

Interesada y al servicio de la zona sur de Madrid, O.M.C. Radio ha pretendido ser un vehículo de comunicación a la hora de plantear los diferentes problemas que padece la zona sur de Madrid, ha colaborado con asociaciones vecinales, ha participado en campañas y actividades sociales, ha creado un Punto de Información Juvenil y ha abierto sus puertas para dar la palabra a todos aquellos que lo han deseado a través de las Ondas...

Como radio, su meta siempre ha sido informar y comunicar. A lo largo de estos catorce años de vida (nuestra primera emisión en directo fue en 1987) han recorrido las Ondas multitud de programas de estilos muy diversos, programas magazines, musicales, deportivos, informativos, en definitiva, culturales. Programas elaborados por gente como tú, vecinos y jóvenes de la zona sur de Madrid y de otras zonas de Madrid, para nada profesionales en el ámbito de la comunicación, y con un resultado excelente...

Cuando llega el principio de la década, del siglo y del milenio, también llega para nosotros el principio de una etapa, acompañada de un nuevo punto en el dial, el 107.3 F.M., una nueva imagen, con el objetivo de mejorar, y poder darte como siempre lo mejor. Un cambio que se produce, por varias razones, una por causas ajenas a nuestra voluntad, y otra, y la más importante, porque tenemos un objetivo que queremos compartir contigo: mejorar, siendo como siempre diferentes, dándote lo que buscas en una radio como ésta.

Fuente Nº 2

Fuente: Esta entrevista es del artículo que se titula "Con los pies en la tierra," por la asociación civil *Periodismo Social* en junio del 2005.

Las características de esta idea innovadora, la importancia de los espacios de encuentro, la participación de niños, niñas y jóvenes, la formación de nuevos periodistas, entre los temas que Periodismo Social habló con Andrea Holgado, directora de Radio Itinerante en Argentina.

—¿Cómo definirías el proyecto?

—La idea original era hacer talleres de radio en los barrios, recuperando la memoria del barrio...con una radio abierta. El proyecto cuando llegó al terreno fue reformulado por la realidad que encontramos. Empezamos a ver que las demandas en escuelas y organizaciones sociales eran impresionantes...

—Eso es muy bueno, quiere decir que la gente se apropió del proyecto.

—Absolutamente. Es que nuestra idea es esa. Cuando vamos al barrio contamos el proyecto y le preguntamos a la gente qué necesita. En función de la demanda, redefinimos. No hay fórmulas...la gente construye su propio relato y su propia agenda. Vemos que hay dos relatos: el construido por los medios y el de la gente de los barrios. Nosotros no somos mediadores, las personas deben hablar por ellas y la radio lo facilita porque es masiva y de fácil acceso.

—¿Hacen talleres y radios abiertos en cada lugar?

—Eso depende de cada lugar. Por ejemplo en un centro cultural donde funciona un comedor nos dicen que los chicos tienen problemas de lectoescritura, de seguridad. Entonces hicimos un taller de radio con estrategias de oralidad, con cuentos y relatos para que trabajaran sobre temas de seguridad, su valoración, su autoestima...

—**A partir de esta experiencia que relatas, supongo que entendieron la importancia de trabajar en red con otras organizaciones.**

—Por supuesto. Necesitamos la interdisciplinariedad. La comunicación radiofónica no es un medio, sino una mediación. Es una estrategia para trabajar otras cuestiones. Es un espacio de encuentro para expresarse y motivar [...]

Fuente N.º 3

Fuente: Este informe, que se titula "Las radios comunitarias y su influencia social", se emitió por la emisora Radio Un Mundo en marzo del 2004.

VOCES EN EL INFORME
Presentadora Entrevistado: José Ignacio López Vigil

Additional Essay Topics

1. Imagínate una visita al vecindario de tu niñez. Describe los cambios que haya experimentado el barrio, cómo eran los vecinos, cualquier desarrollo económico que haya ocurrido, y tus sentimientos al volver allí. ¿Sientes nostalgia o alivio de haberlo dejado?

2. Hoy en día, con tanta nueva tecnología, es muy fácil hacer trampa, cometer plagios o aun comprar informes completos escritos por otras personas. Muchos jóvenes no consideran esta tendencia inmoral y hacen sus carreras académicas pidiendo prestadas las obras de otros. ¿Qué opinas de esta actitud moderna?

3. En la actualidad mucha gente vive con temor de la violencia. Es posible que personas ancianas te hayan dicho que antes el mundo era más apacible, con vecinos que vivían en armonía, sin violencia, robos, ni amenazas terroristas. En tu opinión, ¿por qué es tan diferente el mundo de hoy y qué se puede hacer para remediar la situación?

4. En los Estados Unidos siempre ha sido usual que los recién graduados de la universidad consigan buenos trabajos y busquen sus propios apartamentos. Sin embargo, recientemente ha surgido una nueva tendencia en que estos jóvenes vuelven a vivir con sus padres. ¿Qué opinas de esta nueva inclinación?

5. Compara y contrasta dos políticos, verdaderos o ficticios. Discute sus personalidades, sus ideales y lo que han hecho para mejorar la vida de sus electores. Puedes enfocarte en estas preguntas: ¿Han cumplido sus promesas? ¿Cuánto tiempo debe esperar la gente a que las cumplan? ¿Qué cualidades deben tener los políticos?

6. En tu opinión, ¿quién es o fue el líder mas influyente del mundo entero? Explica lo que ha hecho para cambiar o mejorar el mundo. ¿Qué cualidades debe reunir una persona para ser líder?

7. Durante los próximos cien años van a ocurrir muchos cambios. Tal vez tendremos autómatas que nos ayudarán con nuestros quehaceres, o aceras y pasillos que se mueven, o aun comidas del tamaño de una píldora. Transpórtanos al próximo siglo explicando qué cambios serían útiles experimentar. Puedes mejorar cosas de la actualidad y puedes inventar cosas nuevas que nos faciliten la vida o que eliminen los problemas con los cuales estamos viviendo.

8. Se dice a menudo que en la vida de la mayoría de personas ha habido por lo menos un maestro o una maestra que ha sido una gran influencia en el progreso escolástico o personal de su estudiante. ¿Hay alguien en tu vida escolar que te haya impresionado así? Explica lo que ha hecho esta persona para ganar tu admiración y tus agradecimientos.

Verbs

1. Present Tense: Regular Verbs

Subject pronoun review

Singular		Plural	
1. yo	I	**1.** nosotros/as	we
2. tú	you (*informal*)	**2.** vosotros/as	you (*informal*)
usted	you (*formal*)	ustedes	you
3. él	he	**3.** ellos	they (*m.*)
ella	she	ellas	they (*f.*)

- Subject pronouns are used only for emphasis or clarification.

    Él dibuja y ella descansa.   *He draws and she rests.*

- **Vosotros/as** is used only in Spain as the plural of **tú**. In other areas **ustedes** is used for both the familiar and formal plural word for *you*.

Vosotros bailáis bien.	*You (familiar) dance well. (Spain)*
Ustedes bailan bien.	*You (familiar and formal) dance well. (Lat. Am.)*

- **Ud.** and **Vd.** are abbreviations for **usted**, and **Uds.** and **Vds.** are abbreviations for **ustedes**.

Ud./Vd./usted canta mucho.	*You sing a lot.*
Uds./Vds./ustedes escuchan bien.	*You listen well.*

Note:

The abbreviations **Vd.** and **Vds.** are generally used in formal or commercial letters.

- The subject pronoun *it* is never expressed in Spanish.

¿El invierno? Llega en noviembre. Llueve.	*Winter? It arrives in November. It's raining.*

- The subject pronouns **ellos** and **ellas** are used only for people; when *they* refers to things the pronoun is omitted.

Ellos van a ver la película.	*They are going to the movies.*
¿Las hojas? Bailan en el viento.	*Leaves? They dance in the wind.*

Note:

For more detailed information on subject pronouns refer to Part Six, Section 7, Subject Pronouns.

Conjugation of regular verbs in the present tense

- Regular **-ar** verbs

  To conjugate, drop the **-ar** and add **-o, -as, -a, -amos, -áis, -an.**

  <u>Example</u>: **hablar** (to speak/talk)

habl**o**	habl**amos**
habl**as**	habl**áis**
habl**a**	habl**an**

Common *-ar* verbs

adivinar	*to guess*	gastar	*to spend*
alquilar	*to rent*	limpiar	*to clean*
amar	*to love*	llamar	*to call*
bailar	*to dance*	llegar	*to arrive*
caminar	*to walk*	llenar	*to fill*
cansar	*to tire*	llevar	*to wear / take / carry*
cantar	*to sing*	llorar	*to cry*
contestar	*to answer*	mirar	*to look at*
descansar	*to rest*	nadar	*to swim*
dibujar	*to draw*	olvidar	*to forget*
durar	*to last*	pagar	*to pay*
enseñar (a)*	*to teach*	preguntar	*to ask (a question)*
entrar	*to enter*	prestar	*to loan / lend*
enviar	*to send*	tomar	*to take / drink / eat*
escuchar	*to listen*	trabajar	*to work*
estudiar	*to study*	tratar	*to treat*
fumar	*to smoke*	tratar (de)*	*to try*
ganar	*to earn / win*	viajar	*to travel*

---

* For more information on verbs that take prepositions, refer to Part Six, Section 10, Prepositional Pronouns.

- Regular **-er** verbs

  To conjugate, drop the -**er** and add **-o, -es, -e, -emos, -éis, -en**

  > Example: **comer** (*to eat*)
  >
  > | | |
  > |---|---|
  > | com**o** | com**emos** |
  > | com**es** | com**éis** |
  > | com**e** | com**en** |

Common *-er* verbs

aprender (a)	*to learn*	escoger	*to choose*
beber	*to drink*	esconder	*to hide*
comer	*to eat*	leer	*to read*
comprender	*to understand*	prometer	*to promise*
correr	*to run*	responder	*to respond*
creer	*to believe*	romper	*to break*
deber	*to owe, ought, must, should*	vender	*to sell*

- Regular **-ir** verbs

  To conjugate, drop the **-ir** and add **-o, -es, -e, -imos, -ís, -en**

  > Example: **vivir** (to live)
  >
  > | | |
  > |---|---|
  > | viv**o** | viv**imos** |
  > | viv**es** | viv**ís** |
  > | viv**e** | viv**en** |

Common *-ir* verbs

abrir	*to open*	insistir (en)	*to insist (on)*
asistir (a)	*to attend*	ocurrir	*to occur*
compartir	*to share*	omitir	*to omit*
consistir (en)	*to consist (of)*	permitir	*to permit*
cubrir	*to cover*	prohibir	*to prohibit*
decidir	*to decide*	recibir	*to receive*
descubrir	*to discover*	sobrevivir	*to survive*
escribir	*to write*		
imprimir	*to print*		

Uses of the present tense

1. To express three English translations.

Hablo mucho.	*I speak (do speak, am speaking) a lot.*
Lee poesía.	*He/She reads (does read, is reading) poetry.*
Salen temprano.	*You/They leave (do leave, are leaving) early.*

2. To describe something that is going on at the present time.

El sol brilla.	*The sun is shining.*
Hablo francamente.	*I am speaking frankly.*
Sí, comprendo.	*Yes, I do understand.*

3. To express a generality or universal truth.

Los pájaros cantan.	*Birds sing.*
Los caballos corren.	*Horses run.*
Los accidentes ocurren.	*Accidents happen.*

4. To express habitual actions.

Normalmente descanso por la tarde.	*I usually rest in the afternoon.*
Siempre comemos juntos.	*We always eat together.*
Van a casa los domingos.	*They go home on Sundays.*

5. To express the English progressive.

Estudio latín.	*I <u>am studying</u> Latin.*
¿Qué lees?	*What <u>are</u> you <u>reading</u>?*
Viven en Miami.	*They <u>are living</u> in Miami.*

6. To replace a past tense, usually when telling a story, to make the action come alive for the listener. This is called *graphic present*.

Anoche caminaba cuando de repente <u>oigo</u> un ruido.
Last night I was walking when suddenly <u>I heard</u> a noise.

<u>Miro</u> por todas partes pero no <u>veo</u> nada.
I <u>look</u> all around but I don't <u>see</u> anything.

7. To replace the future tense when the action will occur relatively soon.

Te llamo esta noche.	I <u>will call</u> you tonight.
Nos vemos más tarde.	We <u>will see</u> each other later.
Entra en el colegio pronto.	He/She <u>will go</u> into high school soon.

Note:

The future tense or the present tense of **ir** a + infinitive may also be used to express an action that will happen in the near future.

Llamaré / Voy a llamar.	I will call / I am going to call.
Veremos / Vamos a ver.	We will see / We're going to see.
Entrará / Va a entrar.	He/She/You will enter He's/She's/You're going to enter.

8. To express *for* when an action began in the past and continues to the present. A construction such as *I <u>have been talking</u> for hours* can be expressed by using the present tense in three ways:

Hace horas que hablo.

Hablo desde hace horas.

Llevo horas hablando.

I have <u>not</u> been talking/have <u>not</u> spoken for hours is expressed in the following three ways.

Hace horas que <u>no</u> hablo.

<u>No</u> hablo desde hace horas.

Llevo horas <u>sin hablar</u>.

1. In the **llevar** construction, if the verb involved is *to be*, it is omitted.

Llevo horas cansado.	*I have been tired for hours.*
Llevan días enfermos.	*They have been sick for days.*

2. In the negative, the **sin** + **ser** or **estar** construction is used.

Llevo horas sin estar cansado.
I haven't been tired for hours.

Lleva meses sin ser una persona feliz.
He/She hasn't been a happy person for months.

9. To express *since* when the action began in the past and continues to the present.

Trabajo aquí desde 1990.
I have been working here since 1990.

Vivimos en Tampa desde junio.
We have been living in Tampa since June.

¿Desde cuándo estás enfermo?
Since when have you been sick?

For more information on **hace, desde hace** and **llevar,** see Part 6, Section 18, Additional Grammar Information.

Reminders

1. Negatives

To make a sentence negative, **no** or another negative word is placed before the verb. Double negatives are not only allowed in Spanish, but are very common. Spanish sentences may have two, or even three or more negative words. For more information on negatives, see Part 7, Section 18, Additional Grammar Information, under Infinitives.

No veo a Antonio.	*I don't see Antonio.*

No veo nunca a Antonio.	*I never see Antonio.*
Nunca veo a nadie.	*I never see anyone.*
No veo nada.	*I don't see anything.*
Nunca veo nada.	*I never see anything.*
Nadie ve nada ni a nadie.	*No one sees anything or anyone.*
Ningún chico tiene ninguna idea.	*No boy has any idea.*

Notice that if another negative word precedes the verb, it replaces the **no**.

<u>No</u> veo nunca muchos perros.	*I never see many dogs.*
<u>Nunca</u> veo muchos perros.	
Aquí <u>no</u> come bien nadie.	*Nobody eats well here.*
Aquí <u>nadie</u> come bien.	

2. Interrogatives

- To form a question place the subject *after* the verb.

¿Canta Pepe?	*Does Pepe sing?*
¿A quién visita Pepe?	*Whom does Pepe visit?*
¿Qué hace Pepe?	*What does Pepe do?*
¿Cuándo sale Pepe?	*When does Pepe leave?*
¿Dónde está Pepe?	*Where is Pepe?*
¿Adónde va Pepe?	*(To) Where does Pepe go?*
¿Por qué no estudia Pepe?	*Why doesn't Pepe study?*
¿Cómo está Pepe?	*How is Pepe?*

- In colloquial speech the speaker may simply raise his voice to ask a question and keep the subject before the verb.

¿Pepe canta?	*Does Pepe sing?*

Often this form appears as an affirmative sentence accompanied by a reinforcing question, such as **¿sí?, ¿no?** or **¿verdad?**

Ana María baila bien, ¿no?	*Ana María dances well, doesn't she?*

3. Verbs that take prepositions

Certain verbs take a preposition when they are followed by infinitives.

Le enseño a Pablo a nadar.	*I teach Pablo to swim.*
Trato de aprender.	*I try to learn.*
Vacila en responder.	*He/She hesitates to respond.*
Insisto en sobrevivir.	*I insist on surviving.*

4. Personal *a*

When the direct object noun is a person it is preceded by the personal **a.**

No conocemos bien a nadie.	*We don't know anybody well.*
¿Nunca visita Pía a Ana?	*Doesn't Pía ever visit Ana?*
Voy a ayudar a Leo.	*I'm going to help Leo.*

Exercises

A. Translate. (Include the subject pronouns when possible.)

1. You hesitate to travel, sir.
2. You, Mr. Santiago, and Ángel spend and loan money.
3. You and I study many lessons, but they are easy.
4. You should rest, my children. (Spain)
5. You walk a lot, my friends.
   (Latin America)
6. It occurs all the time.
7. Angélica and her brother insist on printing books.
8. Miguel doesn't understand why I don't receive good grades.
9. We discover that they don't write well.
10. He attends many concerts.

B. Create ten sentences using a different subject pronoun and two regular verbs in each.

C. Change to the negative and then translate your negative sentence.

Modelo: **Alguna** muchacha canta **algo**.
          Ninguna muchacha canta nada.
          No girl sings anything.

1. Samantha estudia algo en su alcoba.
2. Algún estudiante promete aprender alguna lección.
3. O Leonardo o Natalia insisten en escoger a alguien.
4. Alguien comprende que la lección confunde a Anita.
5. Alguien en esta oficina siempre escribe o imprime algo.

D. Change each statement to the interrogative and then translate your question.

Modelo: Los primos nunca bailan.

¿Nunca bailan los primos?

Don't the cousins ever dance?

1. Cristina trabaja para ganar dinero.
2. Nacho y Elena descubren que les gusta el español.
3. Sarita y yo insistimos en confundir a la clase.
4. La hermana de Rebeca le responde a él.
5. Vosotras nunca prestáis nada a nadie.

E. Answer the following questions and include the negative words in parentheses.

Modelo: ¿Habla Eduardo con alguien? (no, nunca, nadie)

Eduardo **no** habla **nunca** con **nadie**.

1. ¿Estudia Celia el vocabulario? (nadie, nada)
2. ¿Promete Dora aprender los verbos y los adjetivos? (no, ni, ni)
3. ¿Insiste la maestra en cantar con Amalia o con Alonso? (nunca, ni, ni)
4. ¿Descubre Raúl que la lección confunde a alguien? (nada, nadie)
5. ¿Quién en esta oficina imprime documentos? (nadie, no, nada)

F. Write a short narrative of 10 sentences about something that happened in the past, but use the graphic present.

G. Express the following in three ways.

1. We'll call Sarita in the morning.
2. I'll see Elián later.
3. He'll attend Harvard in the fall.
4. I have been waiting for hours.
5. Alicia has been dancing for seven years.

H. Fill in the blanks choosing from *hace, desde hace, desde, sin,* or a form of *llevar.*

1. _____ una hora que leo.

2. Santiago estudia italiano _____ tres meses.

3. Yo _____ cuatro semanas trabajando aquí.

4. Ella habla por teléfono _____ esta mañana.

5. Llevamos meses _____ visitar a Consuelo.

6. Vivimos aquí _____ el año pasado.

7. ¿_____ cuándo prepara la comida?

8. No leo revistas _____ tres meses.

9. _____ dos días que Teresa está enferma.

10. Carlos _____ cinco años escribiendo poesía.

2. Present Tense: Irregular Verbs

Irregular Present Tense Verbs

decir *(to say / tell)*
digo	decimos
dices	decís
dice	dicen

estar *(to be)*
estoy	estamos
estás	estáis
está	están

haber *(to have)*
he	hemos
has	habéis
ha	han

ir *(to go)*
voy	vamos
vas	vais
va	van

oír *(to hear)*
oigo	oímos
oyes	oís
oye	oyen

ser *(to be)*
soy	somos
eres	sois
es	son

tener *(to have)*
tengo	tenemos
tienes	tenéis
tiene	tienen

venir *(to come)*
vengo	venimos
vienes	venís
viene	vienen

Verbs with an Irregular *yo* Form in the Present Tense

asir *(to grasp)*
asgo	asimos
ases	asís
ase	asen

caber *(to fit)*
quepo	cabemos
cabes	cabéis
cabe	caben

caer *(to fall)*
caigo	caemos
caes	caéis
cae	caen

conocer *(to know)*
conozco	conocemos
conoces	conocéis
conoce	conocen

dar (to give)		**salir** (to leave)	
doy	damos	salgo	salimo
das	dais	sales	salís
da	dan	sale	salen

hacer (to do / make)		**traer** (to bring)	
hago	hacemos	traigo	traemos
haces	hacéis	traes	traéis
hace	hacen	trae	traen

poner (to put)		**valer** (to be worth)	
pongo	ponemos	valgo	valemos
pones	ponéis	vales	valéis
pone	ponen	vale	valen

saber (to know)		**ver** (to see)	
sé	sabemos	veo	vemos
sabes	sabéis	ves	veis
sabe	saben	ve	ven

Verbs That Add a *y* in the Present Tense

Verbs that end in **-uir** (but not **-guir** or **-quir**) insert a **y** before the endings in all but the **nosotros** and **vosotros** forms:

construir (*to construct*)		**distribuir** (*to distribute*)	
construyo	construimos	distribuyo	distribuimos
construyes	construís	distribuyes	distribuís
construye	construyen	distribuye	distribuyen

Other verbs that follow this pattern are:

concluir	*to conclude*	incluir	*to include*
contribuir	*to contribute*	influir	*to influence*
destruir	*to destroy*	sustituir	*to substitute*

Reminders

1. Most verbs that end in **-iar** and **-uar** accent the **i** and **u** in all forms except **nosotros** and **vosotros**.

   enviar *(to send)*

envío	envías	envía	enviamos	enviáis	envían

   actuar *(to act)*

actúo	actúas	actúa	actuamos	actuáis	actúan

2. Verbs with the following endings have an orthographic (spelling) change in the **yo** form. For more information on these verbs, refer to Section 4, Present Tense: Verbs with Spelling Changes in this part.

   - consonant + **cer**: change the **c** to **z**

ven**cer**	ven**z**o	*(I conquer)*
conven**cer**	conven**z**o	*(I convince)*
tor**cer**	tuer**z**o	*(I twist)*

   - vowel + **cer**: change the **c** to **zc**

cono**cer**	cono**zc**o	*(I know)*
apare**cer**	apare**zc**o	*(I appear)*
mere**cer**	mere**zc**o	*(I deserve)*

   Exceptions:

ha**cer**:	ha**g**o	*(I do / make)*
co**cer**:	**cuez**o	*(I cook)*

   - vowel + **cir**: change the **c** to **zc**

tradu**cir**	tradu**zc**o	*(I translate)*
condu**cir**	condu**zc**o	*(I drive)*
redu**cir**	redu**zc**o	*(I reduce)*

   Exception:

de**cir**:	**dig**o	*(I say / tell)*

- **-ger** : change the **g** to **j**
  esco**ger** esco**j**o (*I choose*)

- **-gir** : change the **g** to **j**
  diri**gir** diri**j**o (*I direct*)

- **-guir**: change the **gu** to **g**
  extin**guir** extin**g**o (*I extinguish*)

- **-quir**: change the **qu** to **c**
  delin**quir** delin**c**o (*I am gulity*)

Saber vs. conocer

saber: to know facts or information, to know how to, to know thoroughly

Sabe que canto.	*He knows that I sing.*
Sabemos esquiar.	*We know how to ski.*
Lo sé de memoria.	*I know it by heart.*

conocer: to know, to be familiar with or acquainted with someone or something

Conozco Tucson.	*I'm familiar with Tucson.*
Conoce a Amalia.	*He's acquainted with Amalia.*
La conoces.	*You know her.*

Pedir vs. preguntar

pedir: to ask for, to request, to order something, to ask
someone to do something

Pido café.	*I ask for coffee.*
Siempre pedimos bistec.	*We always order steak.*
Me pide que vaya.	*He/She asks me to go.*

preguntar: to ask a question, to inquire, to ask (if)

Pregunta cómo estamos.	*He/She asks how we are.*
Pregunto dónde vive Ana.	*I ask where Ana lives.*
Preguntan si vengo.	*You/They ask if I'm coming.*

Tener vs. haber

tener: to have, to own, to hold

Tengo dos libros.	*I have two books.*
Tienen hijos.	*You/They have children.*
Tiene dos autos.	*He/She owns two cars.*
Lo tengo en los brazos.	*I'm holding him in my arms.*

haber: used in the third person <u>singular</u> to express *there is
/ there are, there was / there were, there will be,* etc. In
the present tense **hay** is used rather than **ha.**

Hay una fiesta.	*There is a party.*

For more information on **haber,** refer to Section 11, Perfect
Tenses in this part.

Ser vs. estar

ser: to be used for permanent or inherent characteristics
and to answer the questions *who . . . ?* or *what . . . ?*

Es peruano.	*He is Peruvian.*
Soy maestra.	*I am a teacher.*
Son mis libros.	*They are my books.*
¿Cuándo es la fiesta?	*When is the party?*

estar: to be used for temporary conditions or positions, for locations (both temporary and permanent), and to answer the questions *where . . . ?* and *how . . . ?*

Estoy cansado.	I am tired.
Sucre está en Bolivia.	Sucre is in Bolivia.
Estamos en la escuela.	We are in school.

For more information on **ser** and **estar,** refer to Section 18 in this part.

Exercises

A. Write the correct verb form and translate it. (Note that 1.s. indicates *first person singular*, 1.p. indicates *first person plural*, and so on.)

1. valer	1.s.	11. decir	2.s.
2. dar	2.p.	12. delinquir	1.s.
3. traer	1.s.	13. tener	1.p.
4. estar	1.p.	14. extinguir	1.s.
5. salir	1.s.	15. venir	3.p.
6. pedir	3.s.	16. fingir	2.s.
7. poner	1.p.	17. construir	3.s.
8. ir	1.s.	18. enviar	1.p.
9. ver	3.s.	19. actuar	2.s.
10. caber	1.s.	20. recoger	3.p.

B. Use the following verbs in original sentences in the present tense.

1. saber	(1. s)
2. preguntar	(3. s)
3. extinguir	(2. s)
4. oír	(3. p)
5. traducir	(1. s)

C. Fill in the blank with the correct form of *saber* or *conocer*.

1. Yo _____ de memoria este poema.
2. ¿_____ Ud. quién es ese hombre?
3. Nosotros _____ la ciudad de Nueva York.
4. ¿_____ Uds. cuánto cuesta?
5. Nosotros no _____ si vienen hoy o mañana.
6. ¿_____ tú al tío de Benjamín?
7. Yo no _____ tocar el arpa.
8. ¿_____ tú estos libros?
9. Ella nunca _____ qué hora es.
10. Ellas _____ Nicaragua porque la visitan a menudo.

D. Fill in the blank with the correct form of *ser* or *estar*.

1. El _____ cubano.
2. La fiesta _____ hoy.
3. Nosotros _____ maestros.
4. Cancún _____ en México.
5. Ellos _____ cansados.
6. Diana y Rubén _____ músicos.
7. Antonio _____ enfermo.
8. Ariel _____ una persona triste.
9. Aníbal _____ triste hoy.
10. San Diego _____ cerca de la frontera con México.

E. Fill in the blank with the appropriate verb form.

1. Siempre digo la verdad.
   Luis siempre _____ mentiras.
   Nosotros no _____ nada.

2. Vemos muchos espectáculos en el teatro.
   Yo no _____ muchas películas.
   Ella _____ cosas interesantes en la calle.

3. Estamos tristes.

Yo _____ muy contenta.

¿Cómo _____ Uds.?

4. Salen todos los días a las ocho.

Yo nunca _____ antes de las nueve.

Vosotros _____ muy temprano.

5. No vamos al cine.

Yo _____ a la escuela con mi hermano.

Ella no _____ al concierto.

F. **Answer the following questions in complete sentences.**

1. ¿Siempre dices la verdad?

2. ¿Con quién sales los viernes?

3. ¿Te caes mucho cuando caminas en la nieve?

4. ¿Eres una persona honesta?

5. ¿Sabes leer chino?

6. ¿Traes mucho dinero?

7. ¿Dices que duermes todo el tiempo?

8. ¿Vences tus temores?

9. ¿Mereces más premios?

10. ¿Convences a tu padre de que dices la verdad?

3. Present Tense: Stem-changing Verbs

Types of Stem-changing Verbs

There are certain verbs that change their stems in the present tense in all forms but **nosotros** and **vosotros**. The three main categories of stem-changing verbs are:

e→ie		o→ue		e→i	
pensar (*to think*)		**almorzar** (*to eat lunch*)		**servir** (*to serve*)	
pienso	pensamos	almuerzo	almorzamos	sirvo	servimos
piensas	pensáis	almuerzas	almorzáis	sirves	servís
piensa	piensan	almuerza	almuerzan	sirve	sirven

Notes:

- **-ar** and **-er** verbs can change only from **e→ie** or **o→ue.** Only **-ir** verbs can change from **e→i.**

- **jugar** (*to play*) changes from **u→ue.**

  juego   juegas   juega   jugamos   jugais   juegan

- **adquirir** (*to aquire*) changes from **i→ie.**

  adquiero   adquieres   adquiere   adquirimos   adquirís   adquieren

- **oler** (*to smell*), in addition to the **o→ue** change, adds **h** to all forms but **nosotros** and **vosotros.**

  huelo   hueles   huele   olemos   oléis   huelen

- Some stem-changing verbs are used only in the third person singular.

  llueve (*it rains*)   nieva (*it snows*)

  truena (*it thunders*)   cuesta (*it costs*)

- **reír** (*to laugh*), **sonreír** (*to smile*), and **freír** (*to fry*), in addition to the **e→i** stem change, have a written accent over the **i** in all forms.

  río   ríes   ríe   reímos   reís   ríen

Stem-changing Verbs by Category

e→i

cerrar *to close*

comenzar *to begin*

despertar *to awaken*

empezar *to begin*

negar *to deny*

recomendar *to recommend*

sentar *to seat*

defender *to defend*

encender *to turn on*

perder *to lose*

querer *to want*

divertir *to amuse*

mentir *to lie*

preferir *to prefer*

sentir *to regret*

sugerir *to suggest*

o→ue

acostar *to put to bed*

almorzar *to eat lunch*

colgar *to hang up*

contar *to count/tell*

encontrar *to meet/find*

mostrar *to show*

probar *to try/prove*

recordar *to remind*

renovar *to renew*

devolver *to give back*

doler *to hurt*

mover *to move*

resolver *to resolve*

poder *to be able*

dormir *to sleep*

morir *to die*

e→i

conseguir *to obtain/get*

corregir *to correct*

elegir *to elect*

freír *to fry*

gemir *to groan*

impedir *to prevent*

medir *to measure*

perseguir *to pursue*

reír *to laugh*

reñir *to scold*

repetir *to repeat*

seguir *to follow*

servir *to serve*

sonreír *to smile*

vestir *to dress*

Exercises

A. Conjugate.

1. one **-ar** verb (**e→i**)
2. one **-er** verb (**e→ie**)
3. one **-ir** verb (**e→ie**)
4. one **-ar** verb (**o→ue**)
5. one **-er** verb (**o→ue**)
6. one **-ir** verb (**o→ue**)
7. one **-ir** verb (**e→i**)
8. one **-ir** verb (**i→ie**)
9. one **-ar** verb (**u→ue**)
10. one verb used only in third person singular

B. Translate.

1. She dresses the baby.
2. He puts the child to bed.
3. They smile and amuse the teacher.
4. I prefer to laugh.
5. He resolves to invite Marisa.
6. We are not able to sleep.
7. He shows the book to Arturo.
8. They return the papers.
9. The children lie to their parents.
10. They play baseball in the park.

C. Conjugate the verbs according to the form indicated (for example: 1.s = first person singular)

1. 1.s.- cerrar sugerir acostar morir medir renovar
2. 2.s.- reñir volver medir perder doler sentar
3. 3.s.- oler contar elegir preferir poder reír
4. 1.p.- sentir colgar dormir corregir jugar oler
5. 3.p.- mentir resolver seguir empezar gemir sonreír

D. Write a short passage including at least 10 stem-changing verbs.

E. Fill in the blanks with the correct form of the verb in parentheses.

1. Facundo _____ (jugar) al fútbol todos los sábados.
2. Liliana y Victoria _____ (freír) empanadas para la cena.
3. Tú _____ (adquirir) un televisor nuevo.
4. Nosotros _____ (pedir) permiso para ir a bailar.
5. A Lucía le _____ (doler) la espalda.
6. Yo _____ (poder) quedarme a cuidar a tu hermano.
7. Esteban _____ (dormir) hasta tarde.
8. Vosotros _____ (seguir) estudiando en la universidad.
9. Ellos _____ (cerrar) las puertas del teatro.

4. Present Tense: Verbs with Spelling Changes

Verbs with Irregular *yo* Forms

The following types of **-er** and **-ir** verbs have an orthographic (spelling) change in the **yo** form of the present tense. The spelling change occurs so that the original sound in the infinitive will remain the same.

1. Verbs ending in a **consonant + -cer** or **-cir** change the **c** to **z**:

ve**ncer:** ven**zo**	conve**ncer:** conven**zo**
eje**rcer:** ejer**zo**	fru**ncir:** frun**zo**

2. Verbs ending in a **vowel + -cer** or **-cir** change the **c** to **zc**:

con**ocer:** cono**zco**	trad**ucir:** tradu**zco**	ofr**ecer:** ofre**zco**

   Exceptions:

cocer: cue**zo**	hacer: ha**go**
decir: di**go**	torcer: tuer**zo**

3. Verbs ending in **-ger** and **-gir** change the **g** to **j**:

reco**ger:** reco**jo**	diri**gir:** diri**jo**	fin**gir:** fin**jo**

4. Verbs ending in **-guir** change the **gu** to **g**:

extin**guir:** extin**go**	distin**guir:** distin**go**

5. Verbs ending in **-quir** change the **qu** to **c**:

delin**quir:** delin**co**

Note:

After the spelling change is made in the **yo** form, the rest of the conjugation is regular.

vencer	conocer	recoger	extinguir	delinquir
ven**zo**	cono**zco**	reco**jo**	extin**go**	delin**co**
vences	conoces	recoges	extingues	delinques
vence	conoce	recoge	extingue	delinque
vencemos	conocemos	recogemos	extinguimos	delinquimos
vencéis	conocéis	recogéis	extinguís	delinquís
vencen	conocen	recogen	extinguen	delinquen

6. Most verbs ending in **-iar** and **-uar** accent the **i/u** in all forms but **nosotros** and **vosotros**.

   - enviar (*to send*):

     envío envías envía enviamos enviáis envían

   - actuar (*to act*):

     actúo actúas actúa actuamos actuáis actúan

7. Verbs that end in **-uir** (but not **-guir** or **-quir**) insert a **y** after the **u** in all forms but **nosotros** and **vosotros**.

   - huir (*to flee*):

     huyo huyes huye huimos huís huyen

Verbs by category

c→z (consonant + -cer/-cir infinitives)

convencer	*to convince*
ejercer	*to exert*
fruncir	*to frown*
torcer (o→ue)*	*to twist*
vencer	*to conquer*

c→zc (vowel + -cer/-cir infinitives)

aparecer	to appear
conducir	to drive
conocer	to know
crecer	to grow
desaparecer	to disappear
nacer	to be born
obedecer	to obey
ofrecer	to offer
traducir	to translate

g→j (-ger/-gir infinitives)

afligir	to afflict
coger	to grab, catch
corregir (e→i)*	to correct
dirigir	to direct
elegir (e→i)*	to elect
escoger	to choose
exigir	to demand
fingir	to pretend
proteger	to protect
recoger	to gather

gu→g (-guir infinitives)

distinguir	to distinguish
extinguir	to extinguish
perseguir (e→i)*	to pursue
proseguir (e→i)*	to proceed / pursue
seguir (e→i)*	to follow

qu→c (-quir infinitives)

delinquir	to be guilty

*These verbs have stem changes as well as spelling changes. (See the following page.)

These verbs have stem changes and spelling changes.

torcer	elegir	seguir
tuer**zo**	eli**jo**	si**go**
tuerces	eliges	sigues
tuerce	elige	sigue
torcemos	elegimos	seguimos
torcéis	elegís	seguís
tuercen	eligen	siguen

Like **torcer: cocer**
Like **elegir: corregir**
Like **seguir: conseguir, perseguir, proseguir**

Helpful hint:

When dealing with orthographic-changing verbs (and pronunciation in general) you should know that the vowels **a, o,** and **u** make the preceding **c** and **g** sound <u>hard</u>. The vowels **e** and **i** make the preceding **c** and **g** sound <u>soft</u>. For example, in the combinations **ca, co,** and **cu,** the **c** sounds like the **c** in *cat.* In the combinations **ce** and **ci,** the **c** sounds like the **c** in *city.* In the combinations **ga, go,** and **gu,** the **g** sounds like the **g** in *good.* In the combinations **ge** and **gi,** the **g** sounds like the **h** in *hot.* Spelling changes in verbs are made in order to preserve the original sound of the verb. Note the following sounds:

cat	**g**o	**h**ow	**s**o	**Gwen**	**qu**ack
ca	ga	ja	za	gua	cua
que	gue	ge	ce	güe	cue
qui	gui	gi	ci	güi	cui
co	go	jo	zo	guo	cuo
cu	gu	ju	zu		

Exercises

A. Translate.

1. recogemos
2. dirige
3. exigen
4. vencemos
5. obedeces
6. delinquimos
7. extinguen
8. ejerce
9. afligimos
10. tuerces
11. aparecemos
12. conduce
13. ofrecen
14. cuece
15. nacen

B. Change the verbs in Part A to the *yo* form.

C. Write 10 sentences including two words with spelling changes in each.

D. Translate.

1. It appears
2. She drives
3. They offer
4. I convince
5. He obeys
6. They are born
7. I catch
8. We protect
9. She grows
10. I choose
11. I distinguish
12. They know
13. I am guilty
14. We extinguish
15. I gather

E. Provide the infinitive and the *yo* form in Spanish.

1. to conquer
2. to disappear
3. to twist
4. to pursue
5. to be born
6. to be guilty
7. to translate
8. to cook
9. to protect
10. to distinguish
11. to pretend
12. to elect
13. to follow
14. to correct
15. to proceed

F. Answer in complete sentences with an explanation.

Example: ¿Frunce Ud. la frente a menudo?
Casi nunca frunzo la frente porque soy
una persona alegre.

1. ¿Recoge Ud. los platos de la mesa?
2. ¿Corrige Ud. los errores de la maestra?
3. ¿Vence Ud. todos sus problemas?
4. ¿Sigue Ud. los consejos de sus amigos?
5. ¿Persigue Ud. a los criminales?
6. ¿Escoge Ud. la ropa que se va a poner cada día?
7. ¿Sigue Ud. las instrucciones del médico?
8. ¿Dirige Ud. una orquesta?
9. ¿Ejerce Ud. mucha influencia entre sus amigos?
10. ¿Cuece Ud. mucho?

5. Preterite

Preterite Forms of Different Types of Verbs

The preterite corresponds to the simple past tense in English (*I spoke, he ate, we lived, etc.*).

Regular verbs

Drop the **-ar/-er/-ir** of the infinitive and add the following endings. Note the accents on the first and third person singular.

<u>hablar</u> (*to speak*)	<u>comer</u> (*to eat*)	<u>vivir</u> (*to live*)
habl**é**	com**í**	viv**í**
habl**aste**	com**iste**	viv**iste**
habl**ó**	com**ió**	viv**ió**
habl**amos**	com**imos**	viv**imos**
habl**asteis**	com**isteis**	viv**isteis**
habl**aron**	com**ieron**	viv**ieron**

Stem-changing verbs

- -ar and -er verbs do not change the stem (e→ie or o→ue) in the preterite as they do in the present.

pensar (*to think / plan*)

<u>present</u>	<u>preterite</u>
p**ie**nso	pensé
p**ie**nsas	pensaste
p**ie**nsa	pensó
pensamos	pensamos
pensáis	pensasteis
p**ie**nsan	pensaron

volver (*to return / go back*)

<u>present</u>	<u>preterite</u>
v**ue**lvo	v**o**lví
v**ue**lves	v**o**lviste
v**ue**lve	v**o**lvió
volvemos	volvimos
volvéis	volvisteis
v**ue**lven	v**o**lvieron

- -**ir** stem-changing verbs do not have the same stem change (**e→i** or **o→ue**) in the preterite as they do in the present. In the preterite they change the **e** to **i** and the **o** to **u** in the third person singular and plural.

pedir (*to ask / ask for*)

present	preterite
pido	pedí
pides	pediste
pide	pidió
pedimos	pedimos
pedís	pedisteis
piden	pidieron

dormir (*to sleep*)

present	preterite
duermo	dormí
duermes	dormiste
duerme	durmió
dormimos	dormimos
dormís	dormisteis
duermen	durmieron

- -**ir** stem-changing verbs include the following:

advertir	*to warn*	morir	*to die*
conseguir	*to get / obtain*	preferir	*to prefer*
consentir	*to consent*	reñir	*to scold*
divertir	*to amuse*	repetir	*to repeat*
despedir	*to dismiss*	seguir	*to follow*
dormir	*to sleep*	sentir	*to regret*
elegir	*to elect*	sentirse	*to feel*
freír	*to fry*	servir	*to serve*
hervir	*to boil*	sugerir	*to suggest*
mentir	*to lie*	vestir	*to dress*

Verbs with spelling (orthographic) changes

Verbs that end in **-gar, -car, -zar,** and **-guar,** have a spelling change in the **yo** form in order to keep the pronunciation uniform throughout the conjugation.

llegar (*to arrive*)	**sacar** (*to take out*)	**empezar** (*to begin*)	**averiguar** (*to verify*)
lle**gu**é	sa**qu**é	empe**c**é	averi**gü**é
llegaste	sacaste	empezaste	averiguaste
llegó	sacó	empezó	averiguó
llegamos	sacamos	empezamos	averiguamos
llegasteis	sacasteis	empezasteis	averiguasteis
llegaron	sacaron	empezaron	averiguaron

Verbs whose stem ends in a vowel

Verbs with double vowels (**-er** and **-ir** verbs with **a, e, o,** or **u** at the end of the stem) change the **i** to **y** in the third person singular and plural forms.

leer (*to read*)		**caer** (*to fall*)		**huir** (*to flee*)	
leí	leímos	caí	caímos	huí	huimos
leíste	leísteis	caíste	caísteis	huiste	huisteis
le**y**ó	le**y**eron	ca**y**ó	ca**y**eron	hu**y**ó	hu**y**eron

Verbs that end in *-ñer, -ñir,* and *-llir*

These verbs drop the **i** in the third person singular and plural forms.

tañer (*to ring a bell*)	**reñir** (*to scold*)	**bullir** (*to boil*)
tañí	reñí	bullí
tañiste	reñiste	bulliste
ta**ñó**	ri**ñó**	bu**lló**
tañimos	reñimos	bullimos
tañisteis	reñisteis	bullisteis
ta**ñe**ron	ri**ñe**ron	bu**lle**ron

Irregular verbs

Some of the most frequently used verbs in Spanish are irregular in the preterite.

ser (*to be*)	**ir** (*to go*)	**dar** (*to give*)	**ver** (*to see*)
fui	fui	di	vi
fuiste	fuiste	diste	viste
fue	fue	dio	vio
fuimos	fuimos	dimos	vimos
fuisteis	fuisteis	disteis	visteis
fueron	fueron	dieron	vieron

The following verbs have irregular stems <u>and</u> endings. They all have **u** or **i** in the stem and the same set of endings. Those with a **j** in the stem drop the **i** in the third person plural.

andar (*to walk*)	**tener** (*to have*)	**estar** (*to be*)
anduve	tuve	estuve
anduviste	tuviste	estuviste
anduvo	tuvo	estuvo
anduvimos	tuvimos	estuvimos
anduvisteis	tuvisteis	estuvisteis
anduvieron	tuvieron	estuvieron

caber (*to fit*)	**saber** (*to know*)	**poner** (*to put*)
cupe	supe	puse
cupiste	supiste	pusiste
cupo	supo	puso
cupimos	supimos	pusimos
cupisteis	supisteis	pusisteis
cupieron	supieron	pusieron

poder (*to be able*)	**haber** (helping verb *to have*)
pude	hube
pudiste	hubiste
pudo	hubo
pudimos	hubimos
pudisteis	hubisteis
pudieron	hubieron

traducir (*to translate*)	**producir** (*to produce*)	**conducir** (*to drive*)
traduje	produje	conduje
tradujiste	produjiste	condujiste
tradujo	produjo	condujo
tradujimos	produjimos	condujimos
tradujisteis	produjisteis	condujisteis
tradu**j**eron	produ**j**eron	condu**j**eron

querer (*to want*)	**venir** (*to come*)	**hacer** (*to do/make*)
quise	vine	hice
quisiste	viniste	hiciste
quiso	vino	hi**z**o*
quisimos	vinimos	hicimos
quisisteis	vinisteis	hicisteis
quisieron	vinieron	hicieron

satisfacer (*to satisfy*)	**decir** (*to say/tell*)	**traer** (*to bring*)
satisfice	dije	traje
satisficiste	dijiste	trajiste
satisfi**z**o*	dijo	trajo
satisficimos	dijimos	trajimos
satisficisteis	dijisteis	trajisteis
satisficieron	di**j**eron	tra**j**eron

* Note that **hacer** and **satisfacer** change the **c** to **z** in the third person singular to keep the sound uniform throughout the conjugation.

Reminders:

- Regular verbs have accents in the first and third person singular.

  hablar: hablé hablaste habló hablamos hablasteis hablaron

- Verbs of one syllable (**ser, ir, dar,** etc.) have no accents.

  ser/ir: fui fuiste fue fuimos fuisteis fueron

- Verbs with irregular stems (**decir, venir, saber,** etc.) have no accents.

  decir: dije dijiste dijo dijimos dijisteis dijeron

- Verbs with double vowels (**leer, caer, creer,** etc.) require written accents on the weak vowels to keep the stress where it belongs.

  leer: leí   leíste   leyó   leímos   leísteis   leyeron

- **-ar** and **-er** verbs have no stem change in the preterite.

  pensar: pensé   pensaste   pensó   pensamos   pensasteis   pensaron
  volver: volví   volviste   volvió   volvimos   volvisteis   volvieron

- **-ir** stem-changing verbs change the **e** to **i** and the **o** to **u** in the third person singular and plural.

  pedir: pedí   pediste   pidió   pedimos   pedisteis   pidieron
  dormir: dormí   dormiste   durmió   dormimos   dormisteis   durmieron

- Verbs ending in **-gar, -car, -zar,** and **-guar** have spelling changes in the first person singular.

  llegué, saqué, empecé, averigüé

- The **nosotros** forms of **-ar** and **-ir** verbs are the same in the present and preterite.

  hablamos / hablamos   vivimos / vivimos

- The **nosotros** form of **-er** verbs is different in the present and preterite.

  comemos / comimos

- **Reír** (*to laugh*), **sonreír** (*to smile*), and **freír** (*to fry*) are stem-changing verbs (**e→i**). They require written accents on the **í** in the first and second person (singular and plural).

  reír: reí   reíste   rió   reímos   reísteis   rieron

- When **hubo** is used as an impersonal verb it means both *there was* and *there were.*

  | Hubo un accidente. | *There was an accident.* |
  | Hubo muchos accidentes. | *There were many accidents.* |

- **Traer** and verbs ending in **-cir (decir, producir, traducir)** have a **j** in the stem and drop the **i** in the third person plural.

  trajeron, dijeron, produjeron, tradujeron

- Derivatives are conjugated like the verbs from which they were derived: **componer** (*to compose*) like **poner**, **contener** (*to contain*) and **entretener** (*to entertain*) like **tener**, etc.

componer:	compuse	compusiste	compuso
	compusimos	compusisteis	compusieron
entretener:	entretuve	entretuviste	entretuvo
	entretuvimos	entretuvisteis	entretuvieron

Uses for the Preterite

- to correspond with the simple past tense in English

Hablé.	*I spoke / I did speak.*
Comimos.	*We ate / We did eat.*
Escribieron.	*They wrote / They did write.*

- to express an action that was completed in the past

Llegué en septiembre.	*I arrived in September.*
Salí a las nueve.	*I left at nine o'clock.*

- to speak of an event that took place within a limited time period

Escribió por dos horas.	*He wrote for two hours.*
No nos hablamos durante un mes.	*We didn't speak to each other for a month.*

  Even if the time period is extensive, as long as its beginning or end is indicated, the preterite must be used.

  Los dinosaurios existieron durante millones de años.
  Dinosaurs existed for millions of years.

- to report or record a past event

Hubo un fuego.	*There was a fire.*
Robaron el banco.	*They robbed the bank.*
Comimos a las siete.	*We ate at seven.*

Common expressions often used with the preterite

esta mañana	*this morning*
esta tarde	*this afternoon*
esta noche	*tonight*
esa mañana	*that morning*
esa tarde	*that afternoon*
esa noche	*that night*
ayer	*yesterday*
anteayer	*the day before yesterday*
anoche	*last night*
la semana pasada	*last week*
el año pasado	*last year*
el sábado pasado	*last Saturday*
hace dos años	*two years ago*
hace un mes	*a month ago*
hace un rato	*a while ago*
una vez	*once / one time*

Exercises

A. List 10 facts about the preterite and provide an original example of each.

<u>Modelo</u>:

Hubo means both *there was* and *there were*.

Hubo un incendio.	*There was a fire.*
Hubo dos huracanes.	*There were two hurricanes.*

B. Change the verbs to the present.

1. Llegué temprano al trabajo.
2. Saqué mis libros en la escuela.
3. Empezamos a estudiar.
4. Averiguaste que Blas mintió.
5. Pensó que Patricio dijo bien el discurso.
6. Volvieron tarde del partido de fútbol.
7. Vivisteis en San Juan.
8. Comieron el almuerzo a las doce.
9. Te advertí que no me gustaban las bromas.
10. Riñó con su asistente porque el agua para el té no hirvió.
11. Consintieron en comprar sábanas azules.
12. Tendiste la cama con una nueva colcha.
13. Repitió que no frió bien los huevos.
14. Dormisteis sin mantas.
15. Preferí vestirme antes de desayunar.

C. Change the verbs to the preterite.

1. Bibiana come galletas con miel.
2. Piensas en el problema y te preocupas.
3. Elvira y Cristina piden perritos calientes con mostaza.
4. Mario prefiere comer enchiladas de pollo.

5. Voy a la casa de Eduardo después de comer.

6. Volvéis temprano de la reunión.

7. Beto vive en la casa de sus abuelos.

8. Te advertimos que suena una alarma.

9. Consiento demasiado a mi hermana menor.

10. Antonio, Germán y Daniel andan juntos todas las vacaciones.

11. Estoy un poco desconcertado.

12. Estos adornos no caben en las cajas.

13. Repetís las canciones hasta aprenderlas.

14. Rogelio cree que su hermano miente.

15. Todos los domingos tañes las camapanas de la iglesia.

D. Translate.

1. Reinaldo dreamed many things last night.

2. I made the bed and got dressed.

3. Guillermo and Alejandro went into the kitchen.

4. I went to work, he went to the store, and she went to school.

5. You preferred to travel to the mountains.

E. Write the following verbs in the present and preterite according to the form indicated (for example: 1.s = first person singular).

1. hablar (2.s.)	9. sacar (1.s.)
2. vivir (1.p.)	10. huir (3.p.)
3. pensar (2.p.)	11. haber (3.s.)
4. llegar (1.s.)	12. preferir (3.s.)
5. vestir (2.p.)	13. averiguar (1.s.)
6. pedir (3.p.)	14. poder (3.s.)
7. advertir (3.s.)	15. caber (2.s)
8. hacer (1.s.)	

REVIEW EXERCISES— Sections 1-5

A. Section 1: Present Tense of Regular Verbs

1. Conjugate one **-ar**, one **-er,** and one -**ir** verb.
2. List and translate five **-ar**, five **-er**, and five **-ir** verbs.
3. List three facts about subject pronouns and give original examples.
4. Re-cap the reminders on p. 215 and give original examples.

B. Section 2: Present Tense of Irregular Verbs

1. Provide the infinitive for the following:

   a. dice   f. vengo
   b. ha   g. quepo
   c. oyen   h. hacemos
   d. sois   i. sé
   e. tienen   j. traigo

2. Provide the **yo** form for the following:

   a. asir   f. dar
   b. ver   g. hacer
   c. caber   h. salir
   d. valer   i. ver
   e. caer   j. poner

3. Provide the indicated form for the following:

   a. decir (1.s.)   f. ser (2.p)
   b. estar (2.s)   g. tener (3.p)
   c. haber (3.s)   h. venir (1.p)
   d. merecer (1.s.)   i. traer (2.s.)
   e. oír (1.p.)   j. conocer (1.s)

4. Use original examples to contrast the following verbs:

   a. saber / conocer   c. pedir / preguntar

   b. ser / estar   d. tener / haber

C. Section 3: Present Tense of Stem-changing Verbs

1. Conjugate one verb of each of the following types:

   a. -ar (e→ie)   d. -ar (o→ue)   g. -ir (e→i)

   b. -er (e→ie)   e. -er (o→ue)

   c. -ir (e→ie)   f. -ir (o→ue)

2. Write the appropriate verb forms.

   a. sugerir (yo)   f. sentar (ellos)

   b. conseguir (nosotros)   g. corregir (vosotros)

   c. sentir (ellas)   h. servir (ella)

   d. vestir (tú)   i. seguir (él)

   e. sonreír (Ud.)   j. preferir (Uds.)

3. Provide the infinitive.

   a. duelen   f. mueres

   b. sugiero   g. renuevan

   c. niegas   h. pides

   d. mides   i. almuerzas

   e. impido   j. huelo

4. Write the **nosotros** and **vosotros** forms of the verbs in Exercise 3.

D. Section 4: Present Tense of Verbs with Spelling Changes

1. Conjugate: **ejercer   vencer   producir**

2. Provide the **yo** form:

   a. conducir   f. nacer

   b. desaparecer   g. ofrecer

   c. distinguir   h. perseguir

   d. extinguir   i. torcer

   e. fingir   j. traducir

3. Provide the **ellos** form.

a. concluir	f. ampliar
b. actuar	g. destruir
c. enviar	h. distribuir
d. construir	i. huir
e. variar	j. continuar

E. Section 5: Preterite

1. Put the following verbs in the **yo** form.

a. tener	e. querer	i. dar
b. saber	f. llegar	j. producir
c. poder	g. hablar	
d. ir	h. estar	

2. Give an original example for each of the four uses of the preterite.

3. State one fact about the preterite of the following and give examples.

   a. verbs that end in **-gar**

   b. **querer**

   c. verbs that end in **-cir**

   d. **freír**

   e. **-ir** stem-changing verbs

4. Put the following verbs in the **Ud.** and **nosotros** forms of the preterite.

a. pensar	f. bullir
b. almorzar	g. hacer
c. sentir	h. traer
d. reír	i. entretener
e. leer	j. ser

6. Imperfect

Spanish has two simple past tenses in the indicative mood: the preterite and the imperfect. The preterite reports an event that happened at a specific point in time (*I ate, he spoke, they lived, etc.*). The imperfect refers to an event, an action, or a state in the past that was habitual, customary, or in progress (*I always ate, he used to speak, she was going, etc.*).

Verb Forms in the Imperfect

Conjugation of regular verbs

hablar	comer	vivir
hablaba	comía	vivía
hablabas	comías	vivías
hablaba	comía	vivía
hablábamos	comíamos	vivíamos
hablabais	comíais	vivíais
hablaban	comían	vivían

Note:

There are no stem changes in the imperfect.
pensar: pensaba, dormir: dormía, pedir: pedía, etc.

Conjugation of irregular verbs

There are only three irregular verbs in the imperfect.

ir	ser	ver
iba	era	veía
ibas	eras	veías
iba	era	veía
íbamos	éramos	veíamos
ibais	erais	veíais
iban	eran	veían

Meanings and Uses of the Imperfect

Meanings of the imperfect

- was / were + -ing

  | Vivía con su tía. | He/She was living with his/her aunt. |
  | Hablaba con Luis. | I was talking with Luis. |

- used to

  | Venía tarde. | He/She used to come late. |
  | Miraba los toros. | I used to watch the bulls. |

- would (always, customarily, habitually)—in the past

  | Comprábamos helados. | We would (always) buy ice cream. |
  | Iba los domingos. | I would (always) go on Sundays. |

- simple past in English (went, saw, spoke, etc., habitually)

  | Cantaban siempre. | They always sang. |
  | La veía todos los días. | I/He/She saw her every day. |

Specific uses of the imperfect

- to set the scene

  | Era un día brillante. | It was a bright day. |
  | La casa estaba oscura. | The house was dark. |

- to provide background information

  | Era uruguayo. | He was Uruguayan. |
  | Tenía una familia grande. | He/She had a big family. |

- to describe physical and emotional characteristics

  | Era alta. | She was tall. |
  | Estaba contenta. | I was content. |

- to express age

  | Eran jóvenes. | They were young. |
  | Tenía unos cuarenta años. | He/She was about forty years old. |

- to tell time in the past

Era (el) mediodía.	*It was noon.*
Eran las dos y cuarto.	*It was 2:15.*

- to describe situations that went on for a long or unspecified period of time

Había cuatro colegios.	*There were four high schools.*
Tenía una familia grande.	*He/She had a big family.*

- to express repeated or habitual actions

Siempre iba al supermercado.	*I always went to the supermarket.*
Comprábamos helados de vainilla	*We used to buy vanilla ice cream.*

- to express ongoing actions

Hablaba a Inés.	*I/He/She was talking to Inés.*
Jugaba con Aníbal.	*I/He/She was playing with Aníbal.*

- to tell what was happening when another action occurred

Caminaba cuando me caí.	*I was walking when I fell.*
León **salía** cuando Luz entró.	*León was leaving when Luz came in.*

Note:

The verb that tells what was happening is in the imperfect and the verb that tells what interrupted the action is in the preterite.

- to indicate past intentions or events that haven't yet occurred

Iba a salir.	*I was going to leave.*
Regina dijo que **quería** ir.	*Regina said she wanted to go.*
Miguel aseguró que **venía** hoy.	*Miguel swore he was coming today.*

- to express actions or conditions where no beginning or end is stated

Corría a la escuela.	*He/She used to run to school.*
Siempre jugaba con Joaquín.	*I/He/She always played with Joaquín.*
Querían ese perro.	*They wanted that dog.*

- with verbs of perception and emotion

  Because perceptions (*know, think, believe,* etc.) and emotions (*love, adore, admire, respect,* etc.) usually last for an extended time period, the imperfect is normally used with these verbs.

Sabía que era bueno.	*I/He/She knew it was good.*
La amaba.	*I/He/She loved her.*
Lo respetaba.	*I/He/She respected him.*

Exercises

A. Put the following verbs into the imperfect.

1. caer   (2.p.)
2. comer   (3.p.)
3. conocer   (3.s.)
4. construir   (2.s.)
5. dar   (1.s.)
6. freír   (1.p.)
7. hablar   (3.p.)
8. ir   (1.s.)
9. oír   (1.p.)
10. pensar   (3.s.)
11. prohibir   (3.p.)
12. reír   (2.p.)
13. ser   (2.p.)
14. traer   (1.s.)
15. ver   (2.s.)

B. Give 3 examples for each of the following in complete sentences in Spanish.

1. "was / were + -ing"
2. "used to"
3. "would (always)"
4. simple past (habitual or customary)

C. Give an original example for each of the following uses for the imperfect.

1. telling time
2. emotional state
3. repeated action
4. habitual action
5. setting the scene
6. giving background
7. expressing age
8. ongoing action
9. ongoing action interrupted
10. description (emotional)
11. description (physical)
12. long-lasting condition
13. event yet to occur
14. no beginning or end stated
15. perception

D. Choose from the categories in Exercise C to indicate why the imperfect is used in the following sentences. (More than one category is possible in many sentences.)

1. Siempre iba a la escuela en bicicleta.
2. Solíamos visitar diferentes ciudades.
3. Estaba trabajando cuando me interrumpió.
4. Mi hermano era alto, inteligente y elegante.
5. Eran las seis de la tarde.
6. Agosto era el mes perfecto para ir a la playa.
7. Era un día lluvioso.
8. Pensábamos que era bueno.
9. Todos los sábados íbamos a la tienda.
10. Había tres ríos en esa ciudad.
11. Jugábamos al fútbol.
12. La noche era muy larga.
13. Sebastián dijo que iba a ir.
14. Éramos muy buenos amigos.
15. Los domingos comíamos en la casa de mis abuelos.

E. Translate.

1. The roses were the most expensive flowers in the market.
2. When I was young I played soccer.

3. I used to admire her cats.

4. Néstor used to drive a truck.

5. We always visited museums.

6. Margarita always said **"Bueno"** when she answered the phone.

7. I thought they were Spanish.

8. It was one o'clock.

9. He was happy because it was time to eat.

10. They used to be important men.

F. Complete the paragraph with the correct form of the imperfect. (Choose from the following verbs. Some verbs can be used more than once.)

ser	estar	haber	tener	sentarse	llover	ladrar
ir	llamarse	vivir	jugar	hacer	charlar	buscar

Cuando era niño, mi mejor amigo (1) _____ Joaquín,
que (2) _____ en la calle Rojas. Su casa (3) _____
grandísima; (4) _____ en una esquina y (5) _____
un jardín grande. En la casa (6) _____ seis baños y seis
alcobas. En el jardín (7) _____ un árbol de manzanas.
En ese árbol (8) _____ un nido de pájaros. Nos
(9) _____ a menudo debajo de ese árbol donde
(10) _____ con nuestros amigos. Cerca del jardín
(11) _____ una cancha de tenis donde nosotros
(12) _____ por horas cuando no (13) _____.
Joaquín (14) _____ un perrito que nunca
(15) _____. Se (16) _____ Elmo, y porque
(17) _____ muy bueno, (18) _____ todas las
pelotas que se nos iban fuera de la cancha. Joaquín
nunca (19) _____ al tenis sin la magnífica compañía
de Elmo porque todos pensábamos que el perrito (20)
_____ un jugador indispensable.

G. Use the imperfect to describe yourself at age twelve. Write at least 10 sentences.

7. Preterite vs. Imperfect

The preterite and imperfect are the two simple past tenses in the indicative mood. Both tenses refer to actions, situations, and events in the past, but there are specific meanings and uses for each. When narrating in the past, there are completed events for which the preterite is used, and ongoing, repeated, and habitual actions for which the imperfect is used. Thus, when a story is told in the past tense there is generally a combination of actions (preterite) with a description and background information (imperfect). Note the contrast between the meanings and uses for the imperfect and preterite:

meanings:	PRETERITE	IMPERFECT
	hablé	hablaba
	I spoke	I was speaking
	I did speak	I used to speak
		I would (always) speak
		I spoke (repeatedly)

Preterite—uses:

- to record completed actions
  We ate. (Comimos)

- to report events
  There was a fire. (Hubo)

- to indicate a beginning
  I walked at 9 months. (Caminé)

- to indicate an end
  He left early. (Salió)

- for limited time periods
  I ate for two hours. (Comí)

- to interrupt an ongoing action:
  When Jorge was singing, I screamed. (Grité)

Imperfect—uses:

- to set the scene
  It was a dark night. (Era)

- to give background information
  He had red hair. (Tenía)

- to express age
  He was old. (Era)

- to tell time
  It was noon. (Era)

- to express ongoing actions
  She was walking. (Caminaba)

- to express habitual actions
  I used to sing. (Cantaba)

Imperfect—uses (cont):

- to express repeated actions
  They went every day. (Iban)

- to describe mental capacities
  He was bright. (Era)

- to describe physical attributes
  She was short. (Era)

- to describe emotions
  We were upset. (Estábamos)

- to tell what was happening when another
  action occurred (in the preterite)
  I was walking when I fell. (Caminaba cuando caí.)

- to describe things that lasted for an unspecified period of time
  He had a big family. (Tenía)

- to indicate something in the past that hadn't yet occurred
  `I was going to leave. (Iba)

- to make a polite request
  I wanted to purchase this jacket. (Quería)

Verbs with Meaning Changes

The following verbs have different meanings in the
preterite and the imperfect. The preterite refers to one
action, and the imperfect refers to a situation that was
already in effect. Note the contrasts:

	preterite	imperfect
conocer	conocí (*I met*)	conocía (*I knew*)
saber	supe (*I found out*)	sabía (*I knew*)
querer	quise (*I tried*)	quería (*I wanted*)
	no quise (*I refused*)	no quería (*I didn't want*)
poder	pude (*I was able / I could / I succeeded*)	podía (*I was able*)
	no pude (*I wasn't able / I couldn't / I failed*)	no podía (*I wasn't able*)
tener	tuve (*I received*)	tenía (*I had*)
entender	entendí (*I caught on*)	entendía (*I understood*)

The following examples should help to further clarify the differences in the meanings of the preterite and imperfect of these verbs.

preterite

Conocí a mucha gente en la fiesta de Ángela.
I met many people at Angela's party.

imperfect

Yo **conocía** bien a Ángela.
I knew Angela well.

preterite

Ayer, cuando lo vi, **supe** que estaba triste.
Yesterday, when I saw him, I found out that he was sad.

imperfect

Yo **sabía** que tenía problemas.
I knew that he had problems.

preterite

Quise arreglar la radio pero no pude.
I tried to fix the radio but I couldn't.

imperfect

Quería comprar una radio portátil para el viaje.
I wanted to buy a portable radio for the trip.

preterite

Finalmente, **tuve** el premio que quería.
Finally I received the prize that I wanted.

imperfect

Tenía muchas esperanzas ese día.
I had many hopes that day.

Exercises

A. Is the preterite or imperfect used for the following? Provide original examples.

1. ongoing actions
2. actions that started earlier and continue to the present
3. actions where no beginning or end is stated
4. providing background information
5. actions that happened within a certain time period
6. setting the scene
7. long-lasting conditions
8. habitual actions
9. description of physical and emotional attributes
10. telling time

B. Complete the following sentences using preterite or imperfect.

1. Anoche oí en la televisión que...
2. Jonás me dijo que el café...
3. Ayer leí que el presidente...
4. Siempre pasábamos los veranos en Barcelona donde...
5. Mientras mi perrita dormía...
6. Vieron que un ladrón...
7. El doctor Alcalá estaba preocupado porque...
8. Yo siempre pensaba que los turistas...
9. Ayer supe que...
10. Cuando abrí los ojos, vi que...

C. Choosing between the preterite and the imperfect, translate the verbs in the following sentences:

1. A duck <u>bit</u> me on the nose today. (morder)
2. While a boy <u>was fishing</u>, his hook <u>caught</u> on the bird's wing. (pescar, enganchar)
3. The boy <u>came</u> to us for help. (venir)
4. It <u>happened</u> on the dock right next to our boat. (pasar)
5. We <u>tried</u> to get the bird out of the water. (querer)
6. He <u>was</u> petrified. (estar)
7. We <u>worked</u> on him for twenty minutes. (trabajar)
8. My husband <u>was able</u> to take the hook out. (poder)
9. The boy, who <u>was</u> about 12 years old, always <u>fished</u> there. (tener, pescar)
10. We <u>were</u> all worried. (estar)

D. Translate.

1. He used to like to play soccer.
2. He usually needed a dictionary.
3. I always was able to ski, but this afternoon I couldn't do it, so (así que) I preferred to leave.
4. I had a letter from my cousin this morning. I had it in my hand when she called.
5. I never liked salad but I did like the salad your mother served last night.
6. I wanted the compact disc but he refused to bring it.
7. She didn't want to take the medicine. I tried to convince her but she refused to take it.
8. The teacher put a notebook on the table.
9. We found out that he met Lucio's brother yesterday. He already knew his sister.
10. Yesterday we prepared a big meal.

8. Future

Forming the Future Tense

The future tense has only one set of endings for all verbs, both regular and irregular: **-é, -ás, -á, -emos, -éis, -án**. Verbs that are regular in the future tense attach the endings to the whole infinitive.

hablar	**ser**	**ir**
hablar**é**	ser**é**	ir**é**
hablar**ás**	ser**ás**	ir**ás**
hablar**á**	ser**á**	ir**á**
hablar**emos**	ser**emos**	ir**emos**
hablar**éis**	ser**éis**	ir**éis**
hablar**án**	ser**án**	ir**án**

- Infinitives with an accent mark drop that accent when the endings are added. The endings are accented normally.

  reír: reir**é**   reir**ás**   reir**á**   reir**emos**   reir**éis**   reir**án**

- Thirteen verbs add the endings to irregular stems.

infinitive	**stem**	**endings**
caber	cabr-	
haber	habr-	
poder	podr-	
querer	querr-	yo: **é**
saber	sabr-	tú: **ás**
poner	pondr-	Ud./él/ella: **á**
tener	tendr-	nosotros: **emos**
salir	saldr-	vosotros: **éis**
valer	valdr-	Uds./ellos/ellas: **án**
venir	vendr-	
decir	dir-	
hacer	har-	
satisfacer	satisfar-	

Example:

poner: pondré   pondrás   pondrá   pondremos   pondréis   pondrán

Future of *haber*

The auxiliary verb **haber** has two uses in the future tense.

- to form the future perfect:

  Habría cantado. *I will have sung.*

- as an impersonal 3.s. verb:

  Habrá muchos autos. *There will be many cars.*

> **Note:**
>
> For more information on **haber** and the future perfect tense, see Section 11, Perfect Tenses in this part.

- Compound verbs, formed by adding a prefix to another simple verb, generally have the same stem as the simple verb.

like **venir**:	con**venir**	*to agree / be suitable*	con**vendré,** etc.
like **poner**:	com**poner**	*to compose / to fix*	com**pondré**, etc.
like **tener**:	con**tener**	*to contain*	con**tendré**, etc.
	man**tener**	*to maintain*	man**tendré**, etc.

Uses of the Future Tense

Main uses

- The Spanish future tense corresponds to the English future tense, and means *will* (or *shall* in the first person).

  Volveré en diciembre. *I shall return in December.*
  No llegará hasta mayo. *He/She will not arrive until May.*

- The future tense is often replaced by **ir a** + infinitive.

  Voy a volver en diciembre. *I'm going to return in December.*
  No va a llegar hasta mayo. *He's/She's not going to arrive until May.*

- The simple present tense rather than the future tense is often used to refer to events that will take place in the near future.

Te llamo esta noche.	*I'll call you tonight.*
Nos vemos más tarde.	*We'll see each other later.*
Se casa la semana próxima.	*He's/She's getting married next week.*
Salimos mañana.	*We leave (we'll leave) tomorrow.*

- The future tense is used with the present tense in "if" clauses. The present tense follows **si**, and the other verb is in the future. The **si** clause may be the first or second clause.

Si tengo tiempo iré.	*If I have time I'll go.*
Iré si tengo tiempo.	*I'll go if I have time.*
Te llamaré si quieres.	*I'll call you if you want.*
Si quieres, te llamaré.	*If you want, I'll call you.*

Notes:

- **De** + infinitive may be used in place of **si** + present tense.

De tener tiempo, iré.	*If I have time, I will go.*

- In informal speech, it is common to have both verbs in the present tense.

Si tengo tiempo, voy.	*If I have time, I will go.*

Future of probability

- In addition to referring to the future and meaning *will*, the future tense is also used to express probability or conjecture (wondering, guessing, assuming, etc.). The present tense in English, accompanied by words like *probably, must, should, can, ought,* and *wonder,* is translated into Spanish using the future tense.

Juan estará en la oficina.	*Juan is <u>probably</u> in the office.*
	Juan <u>must</u> be in the office.
	Juan <u>should</u> be in the office.
	Juan <u>ought</u> to be in the office.
¿Estará Juan en la oficina?	*I <u>wonder</u> if Juan is in the office.*
	<u>Can</u> Juan be in the office?

Notes:

- Probability sentences with *can* and *I wonder* are always interrogative in Spanish.

¿Quién será?	*Who can it be?*
¿Qué hora será?	*What time can it be?*
¿Estará perdido?	*Can he be lost?*

- If *can* means "is able" or "may," there is no probability involved, and **poder** + the infinitive is used.

¿Puedes jugar?	*Can you (Are you able to) play?*
No puedo caminar.	*I can't (am not able to) walk.*
¿Puedo visitar?	*Can (May) I visit?*

- If *can* means "knows how to," there is no probability involved, and **saber** + the infinitive is used.

Sé nadar.	*I can (know how to) swim.*
Sabe jugar.	*He/She can (knows how to) play.*
Sabemos conducir.	*We can (know how to) drive.*

- When *must, should,* and *ought* have the connotation of obligation or duty, there is no probability involved, and **deber** + the infinitive is used.

Debo salir temprano.	*I must leave early.*
Debes estudiar.	*You ought to study.*
No debemos hablar así.	*We shouldn't talk like that.*

- Probability is used only to express "*I wonder . . .*". The "*I wonder*" is not translated, but is understood.

¿Quién será?	*I wonder who it is.*
¿Estará aquí?	*I wonder if he/she is here.*
¿Qué hora será?	*I wonder what time it is.*

The literal translation for *to wonder* is **"preguntarse"** (*to ask oneself*).

Me pregunto quién es.	*I wonder who it is.*
Se pregunta si está aquí.	*He wonders if she is here.*
Se preguntan qué hora es.	*They wonder what time it is.*

- **Deber de** + infinitive to express probability

  There is an alternate way to express the future of probability. Instead of the future tense, the present tense of **deber de** + the infinitive may be used.

Estará aquí.	Debe de estar aquí.	*He/She must be here.*
Tendrás hambre.	Debes de tener hambre.	*You should be hungry.*
Exagerán.	Deben de exagerar.	*They probably exaggerate.*

  Although this is the academic form, some speakers use only **deber** + infinitive to show probability rather than obligation.

Exercises

A. **Use the following verbs to describe life *now* and in 20 *years*.**

Modelo: Ahora vivo con mis padres.
En veinte años viviré en mi propia casa.

1. salir	6. saber
2. poder	7. hacer
3. tener	8. haber
4. decir	9. venir
5. querer	10. caber

B. Translate.

1. The maid will make the bed and clean the room.

2. We will pay the bill at the desk before leaving.

3. Amparo will tell the children many secrets.

4. I will have all the homework by Friday.

5. The receptionist will give a card to the guest.

6. Susana and Pablo will want to leave.

7. We will pay the bill by credit card.

8. I will ask for a room with a double bed.

9. The letter will contain important information.

10. The brothers will put the money in the bank.

C. Use the future tense to predict what these people *will* do.

1. el presidente	en diez años
2. tu músico preferido	el año que viene
3. tu mejor amigo	mañana
4. tu maestro de español	el verano que viene
5. tu equipo favorito	en diciembre

D. Use *ir* to predict what these people *are going to do* next year.

1. tu jugador de béisbol favorito

2. un pariente

3. un compañero de esta clase

4. los presidentes de otros países

5. tú

E. Translate the following *without* using the future tense.

1. I'll see you tomorrow.

2. We'll call her tonight.

3. We'll see each other later.

4. He'll leave tomorrow for Guadalajara.

5. We'll play against Alfredo and Darío next week.

F. Translate with attention to the meaning intended. (Consider probability, duty, being able, and knowing how.)

1. She should be here by now. (She left early enough.)
2. She should be here now. (Her appointment is at nine.)
3. It must be 1:00. (It probably is.)
4. You must study. (If not, you'll fail.)
5. They are probably ready.
6. Can you play tennis? (with that broken finger?)
7. Can you play tennis? (Do you know the rules?)
8. Who can it be?
9. I wonder who it is.
10. He wonders who I am.

9. Conditional

Forming the Conditional

The conditional has only one set of endings for all verbs, both regular and irregular: **-ía, -ías, -ía, -íamos, -íais, -ían.** Regular verbs in the conditional attach the endings to the whole infinitive.

hablar	comer	vivir
hablar**ía**	comer**ía**	vivir**ía**
hablar**ías**	comer**ías**	vivir**ías**
hablar**ía**	comer**ía**	vivir**ía**
hablar**íamos**	comer**íamos**	vivir**íamos**
hablar**íais**	comer**íais**	vivir**íais**
hablar**ían**	comer**ían**	vivir**ían**

- Infinitives with an accent mark drop that that accent when the endings are added. The endings carry their regular accents.

reír:	reir**ía**	reir**ías**	reir**ía**	reir**íamos**	reir	reir**ían**
oír:	oir**ía**	oir**ías**	oir**ía**	oir**íamos**	oir**íais**	oir**ían**

- The following verbs have the same irregular stems in the conditional as they do in the future tense. The endings are regular.

infinitive	stem	endings
caber	cabr-	
haber	habr-	
poder	podr-	
querer	querr-	
saber	sabr-	yo: **ía**
poner	pondr-	tú: **ías**
tener	tendr-	Ud./él/ella **ía**
salir	saldr-	nosotros: **íamos**
valer	valdr-	vosotros: **íais**
venir	vendr-	Uds./ellos/ellas: **ían**
decir	dir-	
hacer	har-	
satisfacer	satisfar-	

- Compound verbs have the same irregular stem as the simple verb from which they were derived.

> con**venir** (*to agree*): con**vendría**, con**vendrías**, etc.
>
> com**poner** (*to compose*): com**pondría**, com**pondrías**, etc.
>
> man**tener** (*to maintain*): man**tendría**, man**tendrías**, etc.

Uses of the Conditional

Main uses

The main meaning of the conditional is *would* (or *should* when it is synonymous to *would*).

Me dijo que iría.	*He/She told me that he/she would go.*
Lo haría con mucho gusto.	*I would do it with much pleasure.*
Me gustaría tomar té.	*I should / would like to have tea.*

Notes:

The word *would* does not always call for the conditional. There are other ways to express *would* in Spanish:

- When *would* means *used to*, the imperfect is used.

Siempre le pedía dinero.	*I would always ask him for money.*
De niño lloraba mucho.	*As a child he would cry a lot.*

- When *would* means *would you / will you (please) ...?*, when asking someone to do something, the present tense of **querer** is used with an infinitive.

¿Quieres ir a la puerta?	*Would/Will you go to the door?*
¿Quiere Ud. cerrarla?	*Would/Will you close it?*

- When *would not* means *refused*, **no querer** in the preterite with an infinitive is one of the possible translations.

No quiso comer el hígado.	*He/She would not eat the liver.*
No quisieron ir conmigo.	*They would not go with me.*

Other words for refusal include **rehusar, denegar, rechazar, privarse de,** and **negarse a**.

Conditional of *haber*

The auxiliary verb **haber** has two uses in the conditional.

- to form the conditional perfect:

    Habría cantado.   *I would have sung.*

- as an impersonal 3.s. verb:

    Habría tormentas.   *There would be storms.*

For more information on **haber** and the conditional perfect, see Section 11, Perfect Tenses in this part.

"If" clauses

The conditional is used with the imperfect subjunctive in "if" clauses. The imperfect subjunctive follows **si**, and the other verb is in the conditional. Either clause may come first.

Si tuviera tiempo, iría.	*If I had time I would go.*
Iría si tuviera tiempo.	*I would go if I had time.*
Si jugaras, ganarías.	*If you played you would win.*
Ganarías si jugaras.	*You would win if you played.*

Notes:

- The verb following **si** is often expressed in English by *were to* plus the verb:

Si saliera ahora...	If I were to leave now . . .
Si jugaras al golf...	If you were to play golf . . .
Si fueras al café...	If you were to go to the café . . .

- **De** + infinitive may be used to replace **si** + imperfect subjunctive.

    De tener tiempo, iría.   *If I had time, I would go.*

For more information on the imperfect subjunctive, see Section 15, Subjunctive Tenses in this part.

Conditional of probability

- In addition to meaning *would*, the conditional is used to express probability, supposition, or conjecture (wondering, assuming or guessing). The past tense in English with the words *probably* and *I wonder* correspond to the conditional. *Could* is another possible translation of this construction.

Manuel estaría en casa.	*Manuel was probably at home.*
	Manuel could be / could have been at home.
¿Estaría Manuel en casa?	*I wonder if Manuel was at home.*
¿Qué hora sería?	*I wonder what time it was.*
	What time could it be / have been?
Sería la una.	*It was probably 1:00.*
	It could be / have been 1:00.

Notes:

- If *could* has the meaning of "being able," there is no probability involved, and **poder** plus the infinitive is used.

No podía cantar.	*I couldn't (wasn't able to) sing.*
Pude hacerlo.	*I could do it. (I succeeded.)*
No pude hacerlo.	*I couldn't (failed to) do it.*

- If *could* means "knew how to," the imperfect of **saber** is used.

Sabía hablar bien.	*I could / knew how to speak well.*

- While the conditional of probability is used to express probability or conjecture in the past, the future of probability is used to express the same, but in the present. Note the contrasts:

Beatriz estará en la escuela.	*Beatriz probably is at school.*
Beatriz estaría en la escuela.	*Beatriz probably was at school.*
¿Quién será?	*Who can it be?*
¿Quién sería?	*Who could it have been?*
¿Adónde irá?	*I wonder where he/she goes.*
¿Adónde iría?	*I wonder where he/she went.*

Exercises

A. Give the *yo* form of the following verbs in the conditional.

1. hablar	6. hacer	11. poder
2. reír	7. construir	12. poner
3. sonreír	8. caber	13. ser
4. oír	9. tener	14. querer
5. satisfacer	10. ir	15. decir

B. Write ten original sentences using the conditional of a different verb in each.

C. Complete the following sentences, using the conditional and translate.

1. Si yo fuera tú . . .
2. Si tuviéramos tiempo . . .
3. Si él me invitara . . .
4. Si Uds. jugaran mejor . . .
5. Si fueras a almorzar . . .
6. Si quisieras perder peso . .
7. Si yo tuviera mil dólares . . .
8. Si él no estuviera enfermo . . .
9. Si fuéramos con Victoria a la fiesta . . .
10. Si tuviera un trabajo . . .

D. Provide the following information.

1. five irregular verbs in the conditional (1.s.)
2. five ways to say "I refuse."
3. one "if" clause
4. three different ways to express "would" / "would not"
5. four translations for "She would not speak Spanish."

E. Translate.

1. He would maintain the kitchen.
2. I would agree to satisfy his boss's request.
3. She said she would compose a poem.
4. I would tell him I would do it if I were you.
5. I would want to know if it would fit in the box.
6. As a baby, my brother would cry before dinner.
7. I should like to have tea with the queen.
8. Would you (please) erase the board?
9. He would not eat the apple.
10. If I were to leave now, I would be on time.
11. If you were to go to lunch, where would you go?
12. I wonder if it was worth millions.
13. He probably sold cars.
14. I couldn't walk last year with that broken leg.
15. Where can he be? What time could it be?

10. Progressive Tenses

Forming Progressive Tenses

Forms of *estar*

For every simple tense in Spanish there is a corresponding progressive form. The progressive constructions usually consist of a form of **estar** and the present participle (**-ndo** form) of the main verb.

<u>**Examples:**</u> <u>simple tense</u> <u>progressive form</u>

present:	hablo	estoy hablando	*I am talking.*
imperfect:	hablaba	estaba hablando	*I was talking.*
preterite:	hablé	estuve hablando	*I was talking.*
future:	hablaré	estaré hablando	*I will be talking.*
conditional:	hablaría	estaría hablando	*I would be talking.*
subjunctive:	hable	esté hablando	*I am talking.*
imperfect subjunctive:	hablara	estuviera hablando	*(if) I were talking.*

- The progressive constructions are used when an action is going on at the moment in question (present, past, future, etc.). It is used to emphasize that the subject is in the act of, in the process of, or in the middle of performing the action. The name "progressive" is logical, as this construction describes something that is in progress.

¿Qué está haciendo?	*What is he/she (in the process of) doing?*
Estará escribiendo.	*He/She will be (busy) writing.*
Estábamos saliendo.	*We were (in the act of) leaving.*

- In the progressive constructions, **estar** is conjugated to agree with the subject, but the present participle does not change.

estoy	hablando	estamos	hablando
estás	hablando	estáis	hablando
está	hablando	están	hablando

Formation of the present participle

- Regular verbs

  -ar verbs: change the **ar** to **ando**
  hablar: habl**ando**   *speaking*

  -er verbs: change the **er** to **iendo**
  comer: com**iendo**   *eating*

  -ir verbs: change the **ir** to **iendo**
  vivir: viv**iendo**   *living*

- Stem-changing verbs

  -**ar** and -**er** verbs have no stem change in the present participle:

pensar:	pensando	*thinking*
contar:	contando	*counting*
querer:	queriendo	*wanting*
mover:	moviendo	*moving*

  Exception:

poder: p**u**diendo	*being able*

  -**ir** verbs change the stem from **e** to **i** and **o** to **u**.

pedir:	p**i**diendo	*asking / asking for*
servir:	s**i**rviendo	*serving*
dormir:	d**u**rmiendo	*sleeping*
morir:	m**u**riendo	*dying*

- *Ir, oír,* and verbs ending in *-aer, -eer,* and *-uir*

  In Spanish, a word cannot begin with an unstressed **i** that is followed by another vowel. Because of this rule, the present participle of **ir** is **yendo** rather than "**iendo**." Also, an unstressed **i** cannot appear between two other vowels. Therefore, any verb with a double vowel in the stem uses **yendo** rather than "**iendo**" as the present participle ending. In simpler terms, the **i** in the participle becomes **y** between two vowels. Some examples are:

ir:	yendo	*going*	concluir:	concluyendo	*concluding*
oír:	oyendo	*hearing*	destruir:	destruyendo	*destroying*
creer:	creyendo	*believing*	incluir:	incluyendo	*including*
leer:	leyendo	*reading*	huir:	huyendo	*fleeing*
caer:	cayendo	*falling*	sustituir:	sustituyendo	*substituting*

Exception:

Although verbs that end in **-uir** have the present participle ending in **-yendo**, those that end in **-guir** and **-quir** do not: their present participles are formed regularly and end in **-iendo**. Some examples are:

delinquir:	delinqu**iendo**	*being guilty / offending*
extinguir:	extingu**iendo**	*extinguishing*
seguir:	sigu**iendo**	*following*

- Verbs ending in *-llir, -ñer,* and *-ñir*

  The present participles of these verbs end in **-endo** rather than **-iendo**. Some examples are:

bullir:	bull<u>endo</u>	*boiling*
ceñir:	ciñ<u>endo</u>	*girding*
mullir:	mull<u>endo</u>	*softening*
reñir:	riñ<u>endo</u>	*scolding*
tañer:	tañ<u>endo</u>	*playing/ringing*

- **Irregular verbs**

  Irregular verbs have <u>regular</u> present particples.

dar:	dando	*giving*	saber:	sabiendo	*knowing*
estar:	estando	*being*	salir:	saliendo	*leaving*
haber:	habiendo	*having*	ser:	siendo	*being*
hacer:	haciendo	*making/doing*	tener:	teniendo	*having*
poner:	poniendo	*putting*	ver:	viendo	*seeing*
querer:	queriendo	*wanting*			

Uses of the Present and Imperfect Progressives

Although every simple tense has a corresponding progressive form, the present and imperfect progressives are the most commonly used.

Present / present progressive

- The simple present tense in Spanish corresponds to both the simple present and the present progressive in English.

Lo estudia.	*He/She studies / is studying it.*
Hacen el trabajo.	*They do / are doing the work.*

- The present progressive, therefore, simply adds more emphasis to the idea that the action is in progress at the moment.

Lo está estudiando.	*He/She is studying it (NOW).*
Están haciendo el trabajo.	*They are doing the work (NOW).*

Imperfect / imperfect progressive

- The simple imperfect tense in Spanish can be used in place of the imperfect progressive.

Lo estudiaba.	*He/She was studying it.*
Hacían el trabajo.	*They were doing the work.*

- The imperfect progressive stresses that the action was in progress at that moment.

Lo estaba estudiando.	*He/She was studying it (then).*
Estaban haciendo el trabajo.	*They were doing the work (then).*

- The imperfect progressive is also used instead of the simple imperfect to avoid ambiguity by showing clearly that the action <u>was in progress</u>. The simple imperfect may not convey this because it has other possible meanings. Note the contrasts:

Lloraba.	*He cried (all the time).*
	He would (always) cry.
	He used to cry.
	He was crying.
Estaba llorando.	*He was crying (then).*

It can be seen from the translations above that the imperfect progressive stresses the fact that the action was going on at the time in question. The simple imperfect can convey that the action was going on <u>or</u> that the action was merely habitual.

Notes:

The progressive is very rarely used when the main verb is **ir, venir,** or another verb of motion. Instead, the simple tenses are used.

Voy al mercado.	*I am going to the market.*
Venía conmigo.	*He/She was coming with me.*
Volveremos juntos.	*We will be returning together.*

- **Llevar** is used in the progressive only when it means "to take." The simple tenses are used when it means "to wear."

Está llevando la gorra a la lavandería.	*He/She is taking the cap to the laundry.*
Lleva gorra.	*He/She is wearing a cap.*

- The present participle is not used for verbs that indicate positions of the body (verbs of posture). The past participle is used in its place.

Estoy sentada.	*I am sitting / seated.*
Estaba acostado.	*He was lying down.*
Estarán parados.	*They will be standing.*

Exception:

If the action is actually in progress, the progressive tenses are used.

Estoy sentándome.	*I am (in the act of) sitting down.*
Estabas acostándote.	*You were (in the process of) lying down.*
Estarán levantándose.	*They will be (in the middle of) standing up.*

- The progressive tenses are not used to describe states or conditions as is sometimes the case in English. The simple tenses are used instead.

La luna brilla.	*The moon is shining.*
Nos faltaban dos.	*We were missing (lacking) two.*
Parecía pálida.	*She was looking pale.*

Notice that in the above examples there is no real action involved and, therefore, no need for the progressive.

- **Seguir, continuar,** and **andar** are often used in place of **estar. Seguir** and **continuar** both mean "to continue" or "to keep on" doing something. **Andar** means "to walk around" or "to go around" doing something.

Sigo escribiendo.	*I keep on writing.*
Continuaba jugando.	*He/She continued to play / playing.*
Andábamos cantando.	*We were walking around singing.*

- **Ir** may be used in place of **estar** to indicate that the action was progressing slowly, gradually, or painstakingly.

Íbamos cantando.	*We were "singing and singing."*
Iba nevando.	*It was snowing (more and more).*
Va escribiendo todito.	*He/She is writing down every little thing.*

- **Venir** may be used in place of **estar** to indicate that the action increases or accumulates over a period of time. It can also indicate growing frustration.

Venía escuchando eso.	*I was hearing that (more and more).*
¡Siempre viene diciendo eso!	*He's/She's always saying that!*

- **Acabar** may be used with the present participle to mean "to end up" doing something.

Siempre acaba llorando.	*He/She always ends up crying.*
Acabarás obedeciéndola.	*You'll end up obeying her.*

- **Llevar** is used with the present participle to indicate an action that has or had been going on for a period of time.

Llevo días trabajando.	*I have been working for days.*
Llevaba horas llorando.	*He/She had been crying for hours.*

This construction may be replaced by expressions with **hacer**.

Hace días que trabajo. / Trabajo desde hace días.	*I have been working for days.*
Hacía horas que lloraba. / Lloraba desde hacía horas.	*He/She had been crying for hours.*

- The preterite progressive is used only when the action was in progress during a specific limited time period. It conveys the idea that the action went on for some time, or was repeated, but that it was then completed.

Estuve leyendo todo el día.	*I was reading all day.*
Estuvo riendo por una hora.	*He was laughing for one hour.*

Exercises

A. Give the present participle for the following verbs.

1. reñir	6. nevar
2. mullir	7. atender
3. seguir	8. encender
4. huir	9. preferir
5. sonreír	10. servir

B. Fill in any missing letters to complete the present participles.

1. le_endo	6. quer_endo
2. zambull_endo	7. v_stiendo
3. pers_guiendo	8. extingu_endo
4. influ_endo	9. contribu_endo
5. rep_tiendo	10. mull_ndo

C. Translate using progressive tenses.

1. The cow is eating the grass.

2. I was counting the hours.

3. The sister will be moving faster than the brother.

4. The policeman was catching robbers.

5. A bird was flying.

6. He keeps on reading.

7. The aunt and uncle will be playing with the niece.

8. The teacher goes around scolding the students.

9. She continues to give water to the cats.

10. Victoria is singing with Liliana and Beatriz.

D. Translate.

1. I was returning with the money when the man scared me.
2. He is coming with me to return the camera to the store.
3. He is taking his lunch to the woods.
4. She was wearing a new coat.
5. The horses and bulls kept on running.
6. He will continue playing with his toys.
7. The cat was going around crying.
8. The gorillas were standing near the monkeys.
9. The tiger was (in the act of) lying down near the bear.
10. The sun is shining, but the girl is looking pale.

REVIEW EXERCISES—
Sections 6-10

A. Section 6: Imperfect

1. Using a different verb in each sentence, give original examples of 5 uses for the imperfect.

2. Provide the indicated form of the imperfect for the following:

   a. decir (1.s.)   f. tener (3.p.)   k. vencer (3.p.)
   b. estar (2.s)   g. venir (1.p.)   l. construir (3.s.)
   c. haber (3.s.)   h. traer (2.s.)   m. coger (2.s.)
   d. merecer (1.s.)   i. enviar (1.p.)   n. dirigir (3.s.)
   e. ser (2.p.)   j. actuar (2.p.)   o. extinguir (3.p.)

3. Translate:
   a. It was 1:00.
   b. She was happy.
   c. I always went to her house.
   d. We slept late every Saturday.
   e. It was a beautiful day.
   f. He was ten years old.
   g. I was running when I fell.
   h. She was very smart.
   i. He was tall and thin.
   j. They were tired all the time.
   k. I was going to call.
   l. There were bears in the woods.
   m. The paper was on the desk.
   n. I knew she was pretty.
   o. He loved her a lot.

B. Section 7: Preterite vs. Imperfect

1. Give two translations for **cantaba**.

2. Give two translations for **canté**.

3. Give original examples, each with a different verb, for three uses for the imperfect.

4. Give original examples, each with a different verb, for three uses for the preterite.

5. Contrast the meanings:

	<u>preterite</u>	<u>imperfect</u>
conocer		
saber		
entender		
querer		
tener		

C. Section 8: Future

1. Translate

   a. It will be necessary.

   b. They will want to know.

   c. You will have to do it soon.

   d. It will satisfy us.

   e. They will be worth millions.

2. Translate in two ways: **María estará en la escuela.**

3. Translate in two ways: *I wonder who it is.*

4. Use original examples in Spanish to contrast the following:

   a. *must* (probability) vs. *must* (obligation)

   b. *can* (probability) vs. *can* (being able)

   c. *can* (being able) vs. *can* (knowing how)

   d. *should* (probability) vs. *ought* (obligation)

D. Section 9: Conditional

1. Explain the formation of the conditional of two verbs—one regular and one irregular.

2. Provide, with examples, one fact about each of the following:

a. **haber**

b. compound verbs

c. infinitives with accent marks

d. *would*

e. "if" clauses

f. probability

3. Translate.

a. Would it fit in the car?

b. I should like my tea now.

c. He probably had problems

d. I wonder where she put it.

e. It would be worth a lot.

f. If I had time I'd go.

g. There would be many.

h. I would compose it.

i. He would not eat yesterday.

j. If you were to go...

E. Section 10: Progressive Tenses

1. Using seven different verbs, give the progressive form for each simple tense.

2. Give the present participle for the following verbs:

a. pensar

b. almorzar

c. mover

d. poder

e. morir

f. ir

g. leer

h. querer

i. ver

j. tañer

3. List, with examples, four instances in which the progressive forms are avoided in Spanish.

4. Translate.

a. I end up losing.

b. I kept on dancing.

c. It was boiling.

d. I'm going now.

e. He was lying down.

11. Perfect Tenses

Forming Perfect Tenses

Forms of *haber*

The perfect tenses, also called compound tenses, are composed of the helping (auxiliary) verb **haber** and the past participle. There is a corresponding perfect tense for each of the simple tenses:

Indicative mood

present perfect:	he hablado	*I have spoken*
pluperfect:	había hablado	*I had spoken*
preterite perfect:	hube hablado	*I had spoken*
future perfect:	habré hablado	*I will have spoken*
conditional perfect:	habría hablado	*I would have spoken*

Subjunctive mood

present perfect:	haya hablado	*. . . I have spoken*
pluperfect:	hubiera hablado	*. . . I had spoken*

For more on the subjunctive perfect tenses, see Section 14 in this part.

Notes:

- The helping verb and past participle are <u>never</u> separated as they sometimes are in English.

  Ya <u>había ido.</u>   *He/She <u>had</u> already <u>gone</u>.*
  Nunca <u>he mentido.</u>   *I <u>have</u> never <u>lied</u>.*

- Negative words (**no, nunca**, etc.) and object pronouns are placed before the helping verb, with the negative preceding the pronoun.

  <u>No</u> hemos comido.   *We have not eaten.*
  <u>Nunca</u> <u>le</u> he hablado.   *I have never spoken to him/her.*
  <u>No</u> <u>la</u> ha visto.   *He/She has not seen her.*

- The helping verb **haber** is conjugated but the past participle does not change.

  Les **he** habl<u>ado</u>.   *I have spoken to them.*
  La **ha** com<u>ido</u>.   *He/She has eaten it.*
  Han limpi<u>ado</u> los cuartos.   *They have cleaned the rooms.*

Formation of the past participle

- Regular past participles

-ar verbs:		**-er** / **-ir** verbs:	
change **-ar** to **-ado**		change **-er** / **-ir** to **-ido**	
hablar	habl**ado**	comer	com**ido**
bailar	bail**ado**	beber	beb**ido**
comprar	compr**ado**	vivir	viv**ido**

Note:

The **i** of **-ido** has a written accent when preceded by a vowel other than **u**.

	creer	creído
	leer	leído
	reír	reído
	oír	oído
But:	huir	huido

- Irregular past participles

hacer:	hecho	*done/made*	abrir:	abierto	*opened*
decir:	dicho	*said/told*	cubrir:	cubierto	*covered*
poner:	puesto	*put/placed*	resolver:	resuelto	*resolved*
ver:	visto	*seen*	absolver:	absuelto	*absolved*
morir:	muerto	*died*	volver:	vuelto	*returned*
freír:	frito	*fried*	escribir:	escrito	*written*

Compound verbs have the same past partciples as the original:

re**volver**: re**vuelto**	*stirred up*	pre**ver**:	pre**visto**	*foreseen*
de**volver**: de**vuelto**	*given back*	pos**poner**:	pos**puesto**	*postponed*
en**volver**: en**vuelto**	*enveloped*	com**poner**:	com**puesto**	*composed*
de**scribir**: de**scrito**	*described*	des**hacer**:	des**hecho**	*undone*

Some verbs have one past participle that is used as a verb form in compound tenses (verbal) and another that is used as an adjective (adjectival). When used with **haber** the participle never changes. When used as an adjective it changes to agree with the noun it modifies.

Examples:

Compound tense:	La he despertado.	*I have awakened her.*
Adjective:	Está despierta.	*She is awake.*

The following list includes some common examples.

	Verbal	**Adjectival**	
absorber	absorbido	absorto	*absorbed*
bendecir	bendecido	bendito	*blessed*
confundir	confundido	confuso	*confused*
despertar	despertado	despierto	*awake*
elegir	elegido	electo	*elected*
imprimir	imprimido	impreso	*printed*

Uses of the Perfect Tenses

Present perfect: *I have spoken*

The present perfect tense is composed of the present tense of **haber** + past participle.

he	
has	
ha	+ hablado, comido, vivido, etc.
hemos	
habéis	
han	

Les he hablado.	*I have spoken to them.*
Ya hemos comido.	*We have already eaten.*
Han vivido bien.	*They have lived well.*

Pluperfect: *I had spoken*

The pluperfect tense is composed of the imperfect tense of **haber** + past participle.

había	
habías	
había	+ sido, ido, dado, etc.
habíamos	
habíais	
habían	

Había sido difícil.	*It had been difficult.*
No habían ido mucho.	*They had not gone a lot.*
Le había dado dinero a ella.	*He had given her money.*

Preterite perfect: *I had spoken / . . . had I spoken*

The preterite perfect tense is composed of the preterite tense of **haber** + past participle.

hube	
hubiste	
hubo	+ leído, reído, oído, etc.
hubimos	
hubisteis	
hubieron	

The preterite perfect has the same meaning as the pluperfect, but it is used less frequently, and usually after conjunctions of time.

Apenas lo hube leído cuando...	**Barely / No sooner** *had I read it when . . .*
Así que hubo reído...	**As soon as** *he/she had laughed . . .*
Cuando hubimos oído...	**When** *we had heard . . .*

The preterite perfect can be avoided by using the following:

1. the pluperfect:

Así que había terminado...	*As soon as he/she had finished . . .*
Cuando habían salido...	*When they had left . . .*

2. the preterite:

Apenas entré...	*Barely did I enter . . .*
Luego que salí...	*As soon as I left . . .*

3. preposition + infinitive:

Antes de ir...	*Before leaving . . .*
Al llegar...	*Upon arriving . . .*
Después de visitar...	*After visiting . . .*

4. preposition + **haber** + past participle:

Al haberlo leído...	*Upon having read it . . .*
Después de haberlos oído...	*After having heard them . . .*

Note that the object pronoun is attached to **haber.**

5. **habiendo** + past participle:

Habiéndoles escrito...	*Having written them . . .*
Habiéndola visitado...	*Having visited her . . .*

Note that the object pronoun is attached to **habiendo,** which then adds an accent over the **e**.

6. past participle as an adjective:

Terminada la lección...	*The lesson finished . . .*
Servidas las comidas...	*The meals served . . .*

Note that the past participle agrees with the word it modifies.

Future perfect: *I will have spoken*

The future perfect is composed of the future tense of **haber** + past participle.

habré	
habrás	
habrá	+ huido, concluido, construido, etc.
habremos	
habréis	
habrán	

Habrán huido para entonces.	*They will have fled by then.*
Lo habré concluido.	*I will have finished it.*
Los habrá construido.	*He/She will have built them.*

Future perfect of probability

- Besides expressing what <u>will</u> <u>have</u> happened, the future perfect is used to express probability or conjecture (wondering, guessing, etc.) about what <u>has happened</u>. The present perfect tense in English with the words *probably, must, should, can, ought,* and *wonder* is translated by the future perfect tense in Spanish.

Habrá salido.	He/She **probably** has left.
Habrá habido miles.	There **must** have been thousands.
Habrán llegado para ahora.	They **should** have arrived by now.
¿Quién habrá sido?	Who **can** it have been?
Habrán salido para ahora.	They **ought** to have left by now.
¿Adónde habrán ido?	I **wonder** where they have gone.

Note:

If the expressions *should have* and *ought to have* refer to duty or obligation, there is no probability involved and, therefore, the future perfect is <u>not</u> used. Instead, the preterite of **deber** + the infinitive is used.

Debí ir.	*I should have gone.*
Debiste estudiar.	*You should have studied.*
No debieron mentir.	*They shouldn't have lied.*

- The same construction can be translated by using the present tense of **deber** + **haber** + the past participle.

Debo haber ido.	*I should have gone.*
Debes haber estudiado.	*You should have studied.*
No deben haber mentido.	*They shouldn't have lied.*

- Note the contrast between obligation and probability.

Obligation

Debí ir. / Debo haber ido.	*I should have gone.* *(It was my job.)*
Debió cantar. / Debe haber cantado.	*She ought to have sung.* *(It was her duty.)*
Debió venir. / Debe haber venido.	*He should have come.* *(It was his obligation.)*

Probability

Habrá terminado.	*He ought to have finished.* *(He started very early.)*
Habrá salido para ahora.	*She should have left by now.* *(I saw her start the car.)*

Conditional perfect: *I would have spoken*

The conditional perfect is composed of conditional forms
of **haber** + past participle

habría	
habrías	
habría	+ hecho, dicho, puesto, etc.
habríamos	
habríais	
habrían	

¿Habrías hecho eso?	*Would you have done that?*
No lo habría dicho.	*I wouldn't have said it.*
Los habría puesto allí.	*He/She would have put them there.*

Conditional perfect of probability

In addition to expressing what <u>would</u> <u>have</u> happened,
the conditional perfect is used to express probability or
conjecture about what <u>had</u> <u>happened</u>. The pluperfect tense
in English with the words *probably* and *wonder* is translated
by the conditional perfect in Spanish. Also, just as the future
perfect expresses what *can have* happened, the conditional
perfect is used to express what *could have* happened.

Habría salido.	*He/She **probably** had left.*
¿Adónde habrían ido?	*I **wonder** where they had gone.*
¿Quién habría sido?	*Who **could** it have been?*

Present perfect subjunctive:
. . . that I have spoken

present subjunctive of **haber** + past participle

haya	
hayas	
haya	+ visto, muerto, roto, etc.
hayamos	
hayáis	
hayan	

Me alegro de que lo hayas visto.	*I'm glad you have seen it.*
Dudo que haya muerto.	*I doubt he has died.*
Niega que se haya roto.	*He denies that it has broken.*

Remember that the subjunctive is a mood that is used after certain expressions that indicate emotion, doubt, denial, etc.

Note that when the present perfect subjunctive is used in the second clause, the verb in the main clause is in the present. (Future and present perfect are also possible.)

For more information on sequence of tenses, see Section 15, Subjunctive Tenses in this part.

Pluperfect subjunctive: . . . *I had spoken*

The pluperfect subjunctive is composed of the imperfect subjunctive forms of **haber** + past participle.

hubiera	
hubieras	
hubiera	+ frito, abierto, cubierto, etc.
hubiéramos	
hubierais	
hubieran	

Esperaba que los hubiera frito.	*I hoped he/she had fried them.*
Era fácil que lo hubiera abierto.	*It was likely I had opened it.*
Negó que lo hubiera cubierto.	*He/She denied he/she had covered it.*

Note that when the pluperfect subjunctive is used in the second clause, the verb in the main clause must be in a past tense. The conditional is also possible. Refer to Section 15, Subjunctive Tenses in this part.

Future perfect subjunctive: ... *I will have spoken*

The future perfect subjunctive is composed of the future
subjunctive forms of **haber** + past participle

hubiere	
hubieres	
hubiere	+ salido, ido, llegado, etc.
hubiéremos	
hubiereis	
hubieren	

Espero que hubieren salido.	*I hope they will have left.*
Duda que yo hubiere ido.	*He/She doubts I will have gone.*
Temo que no hubiere llegado.	*I fear he/she will not have arrived.*

Note:

The future perfect subjunctive and the future
subjunctive have become obsolete in modern
Spanish, and are seen only occasionally in literature
and proverbs.

For more on the future subjunctive, see Section 15,
Subjunctive Tenses in this part.

Exercises

A. Translate.

1. Por fin hemos visto el aeropuerto nuevo.
2. He hablado con el actor principal de la obra.
3. Miguel ha ido al centro.
4. Hemos comprado un teléfono nuevo.
5. Habíamos visto muchas películas.
6. Patricia había comprado revistas.
7. Yo sabía que mi hermano había ido a la iglesia.
8. Mi amigo ya había salido cuando llegué.
9. Habíamos llegado cinco minutos antes que la maestra.
10. Elvira había perdido mucho tiempo.

B. Provide the past participles for the following verbs.

1. hablar	6. dar	11. descomponer
2. comer	7. hacer	12. revolver
3. vivir	8. abrir	13. describir
4. ser	9. decir	14. ver
5. ir	10. cubrir	15. resolver

C. Translate.

1. I will have left by 3:00.
2. He will have carried the baby to his room.
3. We will have passed through Boston by then.
4. They will have returned to the office.
5. He will have gone to the train station.
6. I would have made a reservation.
7. He would have looked for his sister.
8. They would have picked up their magazines.
9. I would not have boarded that plane.
10. Would you have gone with me?

D. Rewrite the following using the indicated constructions.

1. Así que me hube embarcado... (pluperfect)
2. Apenas hubimos abordado... (preterite)
3. Cuando hubo hecho una reservación...
   (al + infinitive)
4. Después de que hubieron ido... (al + haber)
5. Apenas hube recogido el pasaje... (habiendo)
6. Cuando hubo cocinado la cena... (past participle)

E. Write 2 original sentences in each of the following tenses. Use a different verb in each.

1. present perfect
2. pluperfect
3. future perfect
4. conditional perfect
5. preterite perfect
6. pluperfect subjunctive

F. Translate using the tenses indicated below.

Preterite perfect.

1. Barely had I arrived when the plane left.
2. When they had lost the game, I cried.
3. As soon as he had made a reservation she smiled.
4. No sooner had he awakened when he heard the announcement.
5. Barely had we entered when we lost our tickets.

Present perfect subjunctive.

1. I'm glad he hasn't broken the window.
2. She denies that it has decomposed.
3. I doubt that they have postponed the game.
4. We hope you have described the picture well.
5. I fear she may not have given the money back.

Pluperfect subjunctive.

1. I denied that it had opened.
2. We doubted that she had done the homework.
3. I was glad that he had absolved me of guilt.
4. She feared that I had not written to her.
5. They hoped he had not irritated them.

G. Use the following to translate the sentences below.

probably has, must have, should have, can have, ought to have, wonder + have, could have, probably had, wonder + had

1. Habrá salido.
2. ¿Adónde habría ido?
3. Se habrá dormido para ahora.
4. Habrá ido para ahora.
5. ¿Dónde habrá estado?

H. Translate the following to express probability or obligation.

1. They must have arrived by now. (They left early.)
2. He should have listened to her. (She knows best.)
3. He should have left by now. (I saw him start the car.)
4. We ought to have gone to class. (We're failing.)
5. He ought to have finished. (He started hours ago.)

12. Present Subjunctive

Introduction to the Subjunctive Mood and Its Uses

Verbs are classified by *tense* and *mood*. The *tense* shows the time of action (present, future, etc.), and the *mood* shows the attitude of the speaker toward the action or situation. The indicative, subjunctive, and imperative are the three moods in Spanish.

- The subjunctive is rarely used in English. Note the contrast between the indicative and the subjunctive when it is used in English.

Indicative	Subjunctive
You **are** early.	*It's necessary that you **be** early.*
He **speaks** Spanish.	*I insist that he **speak** Spanish.*
She **eats** well.	*We prefer that she **eat** well.*

- The subjunctive is used much more in Spanish than it is in English. It usually occurs in dependent clauses (those that cannot stand alone) that are joined to the independent (main) clause by **que.**

Es preciso que **estés** temprano.	*It is necessary that you be early.*
Insisto en que **hable** español.	*I insist that he/she speak Spanish.*
Preferimos que **coma** bien.	*We prefer that he/she eat well.*

- The indicative mood is <u>objective</u> and is used to speak of facts and certainties. The subjunctive mood is <u>subjective</u> and is used when emotions, doubt, feelings, hopes, wishes, requests, suggestions, preferences, etc. are expressed in the main clause.

Indicative	Subjunctive
Habla español.	Estoy feliz de que **hable** español.
He/She speaks Spanish.	*I'm happy that he/she speaks Spanish.*
Come mucho.	Duda que **coma** mucho.
He/She eats well.	*He/She doubts that he/she eats a lot.*
No **vive** bien.	Siento que no **viva** bien.
He/She doesn't live well.	*I'm sorry he/she doesn't live well.*
Son profesores.	Espero que **sean** profesores.
They are professors.	*I hope they are professors.*
Va a la oficina.	Le pide que **vaya** a la oficina.
He/She goes to the office.	*He/She asks him/her to go to the office.*
Sabe nadar.	Sugiero que **sepa** nadar.
He/She knows how to swim.	*I suggest that he/she know how to swim.*
Dan dinero.	Preferimos que **den** dinero.
They give money.	*We prefer that they give money.*

- There is a common misconception among many Spanish students that **que** is always followed by the subjunctive. This is not true. If the main clause does <u>not</u> express emotion, doubt, denial, etc., but, instead, states a fact or expresses a certainty, then the verb following the **que** is in the <u>indicative</u>. Note the contrasts:

Indicative	Subjunctive
Sé que **está** aquí.	Espero que **esté** aquí.
I know he is here.	I hope he is here.
Es verdad que **esquía**.	Es posible que **esquíe**.
It is true that she skis.	It is possible that she skis.
Estoy segura de que **va** allá.	Dudo que **vaya** allá.
I'm sure he goes there.	I doubt he goes there.
Dice que **es** peligroso.	Teme que **sea** peligroso.
She says it's dangerous.	She fears it is dangerous.

Meanings of the subjunctive

I speak	*He is happy that I speak well.*
	Está feliz que yo hable bien.
I do speak	*She hopes I do speak her language.*
	Ella espera que yo hable su idioma.
I am speaking	*He fears that I am speaking too fast.*
	Él teme que yo hable demasiado rápido.
I will speak	*They doubt that I will speak at the meeting.*
	Ellos dudan que yo hable en la reunión.
I may speak	*She's afraid I may speak another language.*
	Ella tiene miedo de que yo hable otro idioma.
I might speak	*It's possible that I might speak with Pablo.*
	Es posible que yo hable con Pablo.
To speak	*She wants me to speak slowly.*
	Ella quiere que yo hable lentamente.

Formation of Present Subjunctive

Regular verbs

To form the subjunctive of regular verbs, the "opposite" vowel is used for the endings: **-ar** verbs have **e** in the ending, and **-er** and **-ir** verbs have **a**.

hablar: hable	hables	hable	hablemos	habléis	hablen
comer: coma	comas	coma	comamos	comáis	coman
vivir: viva	vivas	viva	vivamos	viváis	vivan

Stem-changing verbs

- **-ar** and **-er** verbs have the same stem change in the subjunctive as in the present indicative.

pensar: piense	pienses	piense	pensemos	penséis	piensen
contar: cuente	cuentes	cuente	contemos	contéis	cuenten
perder: pierda	pierdas	pierda	perdamos	perdáis	pierdan
volver: vuelva	vuelva	vuelva	volvamos	volváis	vuelvan

- **-ir** verbs have the same stem change in the subjunctive as in the present indicative and an additional change as well. In the **nosotros** and **vosotros** forms the **e** changes to **i** and the **o** changes to **u**.

pedir: pida pidas pida pidamos pidáis pidan
dormir: duerma duermas duerma durmamos durmáis duerman

Irregular verbs

To form the subjunctive forms of irregular verbs, drop the **o** in the **yo** form and add the opposite endings.

hacer:	haga	hagas	haga	hagamos	hagáis	hagan
decir:	diga	digas	diga	digamos	digáis	digan
poner:	ponga	pongas	ponga	pongamos	pongáis	pongan
venir:	venga	vengas	venga	vengamos	vengáis	vengan
tener:	tenga	tengas	tenga	tengamos	tengáis	tengan
salir:	salga	salgas	salga	salgamos	salgáis	salgan
caer:	caiga	caigas	caiga	caigamos	caigáis	caigan
traer:	traiga	traigas	traiga	traigamos	traigáis	traigan
conocer:	conozca	conozcas	conozcas	conozcamos	conozcáis	conozcan
parecer:	parezca	parchezcas	parezca	parezcamos	parezcáis	parezcan
huir:	huya	huyas	huya	huyamos	huyáis	huyan
ver:	vea	veas	vea	veamos	veáis	vean

Six irregular verbs, have **yo** forms that do not end in **o**.

ser:	sea	seas	sea	seamos	seáis	sean
ir:	vaya	vayas	vaya	vayamos	vayáis	vayan
haber:	haya	hayas	haya	hayamos	hayáis	hayan
dar:	dé*	des	dé*	demos	deis	den
estar:	esté	estés	esté	estemos	estéis	estén
saber:	sepa	sepas	sepa	sepamos	sepáis	sepan

* The first and third person singular of **dar** have accents in order to differentiate them from the preposition **de**.

Verbs with spelling changes

These spelling changes occur in all forms of the present subjunctive.

-car	sacar	c-qu	sa**que**
-gar	llegar	g-gu	lle**gue**
-zar	empezar	z-c	empie**ce**
-guar	averiguar	gu-gü	averi**güe**
-ger	escoger	g-j	esco**ja**
-gir	dirigir	g-j	diri**ja**
-guir	extinguir	gu-g	extin**ga**
-quir	delinquir	qu-c	delin**ca**
vowel -cer	conocer	c-zc	cono**zca**
consonant -cer	vencer	c-z	ven**za**

Exercises

A. Write the indicated verb form of the present subjunctive.

1. caminar (ellas)
2. beber (Uds.)
3. abrir (él)
4. comenzar (nosotros)
5. almorzar (ellos)
6. perder (él)
7. encender (tú)
8. volver (yo)
9. hacer (tú)
10. ser (nosotros)
11. decir (ellos)
12. ser (él)
13. sacar (tú)
14. poner (Uds.)
15. ir (Ud.)
16. llegar (yo)
17. venir (nosotros)
18. dar (ellas)
19. empezar (Uds.)
20. caer (tú)

B. Translate.

Indicative	Subjunctive
1. He helps.	We are happy that he helps.
2. She verifies things.	I doubt that she verifies things.
3. They fall.	He denies that they fall.
4. I bring them.	She hopes that I bring them.
5. They flee.	It is necessary that they flee.
6. I choose.	He suggests that I choose.

7. We know Madrid.	She recommends that we know Madrid.
8. She directs the program.	I demand that she direct the program.
9. He sees movies.	I ask that he see movies.
10. They conquer.	It is necessary that they conquer.

C. Fill in the verb form.

1. Es indipensable que yo la _____. (recoger)
2. Es necesario que ellos lo _____. (obtener)
3. Es esencial que tú _____. (salir)
4. Es mejor que nosotros _____. (traducir)
5. Es importante que Ud. lo _____. (construir)
6. Es recomendable que vosotros _____. (dormir)
7. Es posible que ellos _____. (volver)
8. Es probable que yo lo _____. (colgar)
9. Es imposible que ellas _____. (entender)
10. Es improbable que tú las _____. (apagar)

D. Change from present indicative to present subjunctive.

1. convencen	6. empezáis	11. tocamos
2. permite	7. insiste	12. pagan
3. leen	8. vende	13. subimos
4. extingue	9. hago	14. mueve
5. pienso	10. cuenta	15. perdemos

E. Indicate which of the following are indicative forms and which are subjunctive.

1. encuentran, hagan, decís, traemos, muevas
2. ponga, vienes, vale, duerma, parezcas
3. conozca, produce, vas, vayas, pienses
4. traduzca, conduzca, somos, sepamos, seamos
5. podemos, cuentas, cueste, podamos, mintamos

F. Translate

Modelo: I hope that he leaves.

(Yo) espero que (él) salga.

[Word order: subject + verb (indicative) + **que** + subject + verb (subjunctive)]

1. I am happy that the bedroom is near the kitchen.
2. She doubts that they have a dining room.
3. He is sorry that they leave the room.
4. We hope that she will come to the office.
5. I ask her to go to the study.
6. She suggests that we play in the field.
7. They prefer that he not sleep in the garage.
8. It is possible that they don't have a yard.
9. They fear that the flowers in the garden may die.
10. It is essential that we choose a color for the new house.

G. Combine the verbs and vocabulary below to form sentences.

- Use a different subject in each clause.
- Use the indirect object pronoun before the main verb.
- Use the subjunctive in the subordinate clause.

Modelo: decir / limpiar la cocina

Esteban le dice a Boris que limpie la cocina.

(Esteban tells Boris to clean the kitchen.)

1. pedir / cerrar los armarios
2. indicar / empezar a limpiar los espejos
3. sugerir / poner los vestidos en la cama
4. gritar / apagar las lámparas en la sala
5. decir / mover la foto cerca de la escalera
6. insistir / escoger un color para el cuarto
7. repetir / ir a la lavandería y luego al sótano
8. recomendar / poder arreglar los libros en el estante
9. suplicar / no dormir en la oficina
10. rogar / limpiar las paredes de la alcoba

H. Use the subjunctive in five original Spanish sentences with a different verb in each.

13. Uses of the Subjunctive

The Subjunctive and *que* Clauses

The subjunctive usually occurs in a dependent clause (one that cannot stand alone). The dependent clause is joined to the independent (main) clause by **que**. The subject in each clause is usually different. A helpful "formula" to follow is:

subject	verb (indicative)	que	subject	verb (subjunctive)
(dependent clause)			(independent clause)	
Osvaldo	espera	que	Carmela	vaya.
Osvaldo	*hopes*	*that*	*Carmela*	*will go.*
Pedro	quiere	que	Lorenzo	viaje.
Pedro	*wants*		*Lorenzo*	*to travel.*
Yo	temo	que	mi equipo	pierda.
I	*fear*	*that*	*my team*	*may lose.*

When the subject in each clause is the same, the main clause is generally followed by the infinitive.

Estoy feliz de hablar español.
I am glad that I speak Spanish.

Quiere hablar más para dominar la lengua.
He/She wants to speak more in order to master the language.

Meanings of the subjunctive

Notice in the examples above that the translation is <u>not</u> word for word from one language to the other.

Regardless of the English translation, the formula must be followed in Spanish. The present subjunctive has the following meanings:

... que hable: *he/she speaks, does speak, is speaking, will speak, may speak, might speak, to speak*

Examples:

Me encanta que hable español.
I am glad he/she <u>speaks</u> Spanish.

Espera que no les hable así.
He/She hopes he/she <u>doesn't speak</u> to them that way.

No creo que hable con su novio.
I don't believe she <u>is speaking</u> to her boyfriend.

Esperamos que hables con la maestra.
We hope you <u>will speak</u> to the teacher.

Temo que no le hable con respeto.
I fear he/she <u>may / might</u> not <u>speak</u> respectfully to him/her.

Nos dicen siempre que hablemos con cuidado.
They always tell us <u>to speak</u> carefully.

Concepts that require the subjunctive in *que* clauses

The subjunctive rarely stands alone. It is used in a dependent (or subordinate) clause when emotion, doubt, uncertainty, etc., are expressed or implied in the main clause. The following concepts call for the subjunctive.

- **Emotion:** Me alegra que te **guste**.
  I'm glad you like it.

- **Doubt:** Dudamos que **pierda**.
  We doubt he/she will lose.

- **Denial:** Niega que él **mienta**.
  He/She denies that he lies.

- **Implied commands:** Quiero que Uds. **estudien**.
  I want you to study.

- **"Let . . . "**   Que lo **haga** Jorge.
  Let Jorge do it.

- **"May . . . "**   Que **descanse** en paz.
  May he/she rest in peace.

- **Incomplete action:**   Iremos cuando **suene** el timbre.
  We will go when the bell rings.

- **Indefinite antecedents:**
  ¿Conoces a alguien que **conduzca** una moto?
  Do you know somebody who drives a motorcycle?

- **Negative antecedents:** No hay perro que **ladre** así.
  There is no dog that barks like that.

- **Certain conjunctions:**   No iré a menos que **vayas.**
  I won't go unless you go.

- **Impersonal expressions:**   Es posible que **vayamos.**
  It's possible that we may go.

- **Unknown outcome:**   Haz lo que **quieras.**
  Do what you want.

Specific verbs and expressions + *que* + subjunctive

The following verbs and expressions are often followed by **que** clauses in the subjunctive.

Emotion

alegrarse (de)	*to be happy*
enfadar / enojar	*to anger*
estar alegre (de)	*to be happy*
estar triste (de)	*to be sad*
irritar	*to irritate*
temer	*to fear*
tener miedo (de)	*to be afraid*
qué lástima / pena	*what a pity*

Doubt

es difícil	*it's unlikely*
dudar	*to doubt*
es dudoso	*it's doubtful*
es improbable	*it's improbable*
no creer	*to believe / think*
no es seguro	*it's not sure*
no es cierto	*it's not certain*
no pensar	*to not think*

Denial

negar	*to deny*
no es verdad	*it's not true*
no significa	*it doesn't mean*

Implied commands

decir	*to tell*
insistir	*to insist*
pedir	*to ask*
querer	*to want*
rogar	*to beg*
suplicar	*to beg*

Implied commands that take subjunctive or infinitive

aconsejar a	*to advise*
animar a	*to encourage*
ayudar a	*to help*
dejar / permitir	*to allow / permit*
impedir	*to prevent / impede*
incitar a	*to incite / spur on*
inducir a	*to induce / lead on*
invitar a	*to invite*
mandar / ordenar	*to order*
obligar a	*to oblige*
persuadir a	*to persuade*
prohibir	*to prohibit / forbid*
proponer	*to propose*
recomendar	*to recommend*

Uses of the Subjunctive, the Indicative, and the Infinitive

Subjunctive for emotion

When the main clause expresses any kind of emotion about the following action, the subjunctive is used in the subordinate clause. Emotions can include many possibilities, such as pleasure, happiness, sadness, regret, pity, surprise, etc., and even value judgments such as *it's a shame, it's fair,* or *it's enough.*

Tememos que **esté** enferma.	*We fear he/she may be sick.*
Es una lástima que **llore**.	*It's a pity that he/she cries.*
Basta que lo **ames**.	*It's enough that you love him.*

Subjunctive for doubt and indicative for certainty

- When doubt is expressed in the main clause, the subjunctive must be used in the subordinate clause.

Dudo que **perdamos**.	*I doubt we will lose.*
Es dudoso que lo **sepan**.	*It's doubtful that they know (it).*
No estoy seguro de que **vaya**.	*I'm not sure that he'll/she'll go.*

- The indicative is used with expressions of certainty.

Estoy seguro de que roba.	*I'm sure that he/she steals.*
Es verdad que miente.	*It's true that he/she lies.*
Es cierto que iré.	*It's certain that I'll go.*

- When expressions of certainty are negative, the subjunctive is called for.

No estoy seguro de que **robe**.	*I'm not sure that he/she steals.*
No es verdad que **mienta**.	*It's not true that he/she lies.*
No es cierto que yo **vaya**.	*It's not certain that I'll go.*

- When expressions of certainty are interrogative, the speaker's doubt or lack of doubt dictates whether the subjunctive or indicative will follow.

¿Es cierto que **vaya**?	*It is certain that he/she'll go? (I doubt it)*
¿Es cierto que irá?	*It is certain that he/she'll go? (Just asking)*

Creer: Subjunctive or indicative? Doubt or no doubt?

The verb **creer** (*to believe / to think*) takes the subjunctive when there is doubt in the speaker's mind. It is not the verb, but rather the speaker's perception that determines whether the subjunctive or indicative will be used. **Pensar que** (*to think*) may often be interchanged with **creer**.

negative:	No creo que llueva.	(subjunctive)
	I don't think it will rain.	(doubt implied)
	¡No puedo creer cómo llueve!	(indicative)
	I don't believe how it rains!	(no doubt implied)
interrogative:	¿Crees que llueva?	(subjunctive)
	Do you think it may rain?	(doubt implied)
	¿Crees que lloverá?	(indicative)
	Do you think it will rain?	(no doubt implied)
negative:	¿No crees que llueve mucho?	(indicative)
interrogative:	*Don't you think it rains a lot?*	(no doubt implied)

Hint:

Creer and **pensar** usually follow a pattern:

main clause	subordinate clause	
affirmative	indicative	Creo que llueve.
negative	subjunctive	No creo que llueva.
interrogative	indicative	¿Crees que llueve?
		¿Crees que lloverá?
negative interrogative	indicative	¿No crees que llueve?

Subjunctive for negation

- When negation is expressed in the main clause, the subjunctive must be used in the subordinate clause.

¿Niega Ud. que la **odie**?	*Do you deny that you hate her?*
Eso no significa que **robe**.	*That doesn't mean he/she steals.*
No es que lo **ame**.	*It's not that I love him.*

- Obviously, if the negation is removed the indicative follows.

No niego que la odio.	*I don't deny that I hate her.*
Eso significa que roba.	*That means he/she steals.*
Es que lo amo.	*It's that I love him.*

Subjunctive for implied commands

- When someone expresses that he or she wants something to be done, it is considered an implied command. The implied command can be mild (wish, want, hope, prefer, etc.) or strong (insist, demand, order, etc.). When the main clause indicates the desire that something be done, the subjunctive is used in the subordinate clause.

Quiero que **estudies**.	*I want you to study.*
Insiste en que **aprendamos**.	*He/She insists that we learn.*
Exijo que **vengan**.	*I demand that they come.*

- Verbs of communication (telling, asking, begging, etc.) require the indirect object pronoun in the main clause.

<u>Te</u> ruego que **vengas**.	*I beg you to come.*
<u>Me</u> pide que **viaje**.	*He/She asks me to travel.*

- Verbs of volition (wanting, wishing, hoping, etc.) have no indirect object pronoun in the main clause.

Quiero que **vengas**.	*I want you to come.*
Espera que (yo) **viaje**.	*He/She hopes I travel.*

- **Subjunctive with *ojalá:***

  The subjunctive is used after the expression **ojalá** when speaking about something desired. English equivalents of **ojalá** include "Oh, how I hope," "I wish," "Let's hope," "If only," "May," etc. **Ojalá** may be used with or without **que**.

Ojalá (que) no saliera.	*Let's hope he/she didn't leave.*
Ojalá (que) me oyeran.	*I hope they heard me.*

  The **que** is usually omitted when contrary-to-fact situations are expressed.

Ojalá tuviera más tiempo.	*I wish I had more time (but I don't).*
Ojalá fuéramos altos.	*If only we were tall (but we're not).*

- **Subjunctive with *así:***

  Así followed by the imperfect subjunctive is used jokingly—somewhat like a friendly teasing curse—in casual speech in Spain. **Así** is not followed by **que** in this construction.

¡Así te cayeras ahorita!	*May you fall down right now!*
¡Así fueras inteligente!	*If only you were smart!*

- It is possible for a command to be implied even when the main clause is omitted. The speaker leaves out expressions such as *I want* or *I hope*, but the idea that he or she wants something done is still apparent. The English equivalent of this type of indirect command is the construction with *let, may,* or *have.*

Que lo **haga** Jorge.	*Let Jorge do it.*
Que **entren** ahora.	*Have them come in now.*
¡Que te **vayas** a la oficina!	*Go to the office!*

Notes:

- There is a significant difference between **Que lo haga Jorge** and **Deje que Jorge lo haga / Permite que lo haga Jorge** even though all mean *Let Jorge do it*. **Que lo haga Jorge** means that the speaker is simply expressing <u>his</u> wish that Jorge do it. With **dejar** and **permitir**, the speaker is asking the <u>listener</u> to let, permit, or allow Jorge to do it.

- In certain common or set expression the **que** can be omitted.

Viva México.	*Long live Mexico.*
Descanse en paz.	*May he/she rest in peace.*
Vengan las lluvias.	*Let the rains come!*

Indicative to convey information

It is not the verb itself that dictates the use of subjunctive, but the idea that a command is implied. Verbs of communication (to tell, to write, to mention, to advise, etc.) can be used either to express a wish that something be done or to simply relay information. Note the contrasts:

Me dice que **vaya**.	*He/She tells me to go.*
Me dice que irá.	*He/She tells me he'll/she'll go.*
Escríbele que **venga** temprano.	*Write him/her to come early.*
Escríbele que vendré temprano.	*Write him/her that I'll come early.*

Infinitive when both subjects are the same

With verbs of emotion, the subjunctive is used when the subject in the main clause and the subject in the subordinate clause are different. When they are the same, the infinitive is generally used.

Quiere que **vayas**.	*He/She wants you to go.*
Quiere ir.	*He/She wants to go.*
Espero que **ganemos**.	*I hope we win.*
Espero ganar.	*I hope I win. / I hope to win.*

Infinitive with implied commands

- Verbs of persuasion or influence can be followed by the subjunctive or the infinitive, even when both subjects are different. When the infinitive is used, an indirect object precedes the main verb to indicate the person being advised to do something. When the subjunctive is used, an indirect object precedes the main verb if it is a verb of communication. Notice that in this case, the clause that requires the subjunctive is still a **que** clause. The most common verbs of persuasion are:

aconsejar (a)	*to advise*	mandar	*to order*
animar a	*to encourage*	obligar a	*to oblige, force*
ayudar a	*to help*	ordenar	*to order*
dejar	*to allow*	permitir	*to permit*
impedir	*to prevent*	persuadir a	*to persuade*
incitar a	*to incite, spur on*	prohibir	*to prohibit*
inducir a	*to induce, lead on*	proponer	*to propose*
invitar a	*to invite*	recomendar	*to recommend*

Gloria deja que visitemos.	*Gloria allows us to visit.*
Gloria nos deja visitar.	*Gloria allows us to visit.*
Permitimos que estudien aquí.	*We permit them to study here.*
Les permitimos estudiar aquí.	*We permit them to study here.*
Te mando que vayas.	*I order you to go.*
Te mando ir.	*I order you to go.*
Nos aconseja que visitemos.	*He/She advises us to visit.*
Nos aconseja visitar.	*He/She advises us to visit.*
Le ordeno que no entre.	*I order him/her not to enter.*
Le ordeno no entrar.	*I order him/her not to enter.*
Te propongo que salgas.	*I propose that you go.*
Te propongo salir.	*I propose that you go.*
Nos animan a que protestemos.	*They encourage us to protest.*
Nos animan a protestar.	*They encourage us to protest.*

- When the infinitive follows the verb of persuasion, and the subordinate subject is a noun, the indirect object pronoun may be omitted. The personal **a** precedes the noun.

Le prohíbe ir.	*She forbids him/her to go.*
Prohíbe **a** Pedro ir.	*She forbids Peter to go.*
Les obligo a salir.	*I force them to leave.*
Obligo **a** sus amigos a salir.	*I force his/her friends to leave.*

Notes:

- Four verbs in the implied command category can never be followed by the infinitive. The subjunctive must be used after **querer** (*to want*), **pedir** (*to ask*), **decir** (*to tell*), and **rogar** (*to beg*).

Quiero que **estudien**.	*I want you to study.*
Te pido que **vayas**.	*I ask you to go.*
Les dice que **salgan**.	*He/She tells them to leave.*

- When more than two object pronouns are used— one in the main clause and two in the subordinate clause—the subjunctive is preferred.

Le dejo que me la **compre**.	*I'll let him/her buy it for me.*
Te mando que se lo **vendas**.	*I order you to sell it to him/her.*

Exercises

A. Give an original example of the following.

1. an independent clause
2. a dependent clause
3. emotion followed by subjunctive
4. emotion followed by infinitive
5. doubt followed by subjunctive
6. negation followed by subjunctive
7. negation followed by infinitive
8. implied command followed by subjunctive
9. implied command followed by infinitive
10. **decir** followed by statement of fact
11. **creer:** negative interrogative + indicative
12. an indirect command with **que**
13. an indirect command without **que**
14. three ways to say "Let Gerardo do it."
15. **decir** indicating an implied command

B. Translate.

1. Persuade your father to come, David.
2. I don't want you to buy that sports car, Amalia.
3. He doesn't permit me to look at his letters.
4. She always asks me to visit her.
5. Tell her to put the toys in the closet, Roberto.
6. That song? He never lets me sing it to him.
7. This one girl prevents the other students from learning.
8. She begs him to change his mind.
9. We always force him to stop and listen.
10. The red bicycle? I'll let you buy it for me, Laura.

C. Complete using subjunctive or indicative. Explain your choice.

Modelos: Quiero <u>hablar</u>. indicative: same subject

Me pide que <u>vaya</u>. subjunctive: implied command

Es cierto que <u>miente</u>. indicative: certainty

1. Estoy seguro de que tú _____ bien. (conducir)

2. No es verdad que él _____ dos perritas. (tener)

3. No niego que nosotros _____ demasiado. (jugar)

4. Eso no significa que Guillermo _____. (venir)

5. Es que no me _____ usar el cinturón de seguridad. (gustar)

6. Exigimos que ellos lo _____ al español. (traducir)

7. Que lo _____ Javier. (cerrar)

8. Me irrita que aquí no se _____ flores. (vender)

9. Espero que el tanque no _____ vacío. (estar)

10. Mamá me dice que me _____ la camisa. (cambiar)

D. Translate each sentence in 2 ways (subjunctive and infinitive).

Modelo: He lets me read. Deja que yo lea.

Me deja leer.

1. My mother advises us to clean our rooms.

2. She never lets me play too much.

3. I recommend that you use a pen, Enrique.

4. I don't permit the children to sit in my car.

5. The policemen encourage us to be courteous.

E. Complete the following and translate your sentences.

1. Espero que...

2. Me sorprende que...

3. Dudo que...

4. Sentimos que...

5. Quiero que...

14. Additional Uses of the Subjunctive

Uses of the subjunctive to express emotion, doubt, denial, and implied commands were discussed in Section 13. The following concepts also call for subjunctive in certain situations. In some cases, however, the indicative may be used.

Incomplete Action

Uses of the subjunctive

- The subjunctive is used after conjunctions of time <u>if</u> the action has not yet happened. These conjunctions include:

cuando	*when*	tan pronto como	*as soon as*
antes (de) que	*before*	en cuanto	*as soon as*
después (de) que	*after*	así que	*as soon as*
hasta que	*until*	luego que	*as soon as*
mientras (que)	*while*	una vez que	*once*

Cuando **suene** el timbre iremos.   *When the bell **rings**, we'll go.*
Comerá antes de que él **salga**.   *He/She'll eat before he **leaves**.*
Una vez que **vaya** estudiaré.   *Once he/she **goes** I'll study.*

- The conjunction of time may appear in the first or second clause.

Mientras estudies dormiré.   ***While** you study I will sleep.*
Dormiré **mientras** estudies.   *I will sleep **while** you study.*

Cuando el banco abra iré.   ***When** the bank opens I'll go.*
Iré **cuando** el banco abra.   *I'll go **when** the bank opens.*

- Due to the fact that it means "before," **antes de que** (or **antes que**) always takes the subjunctive. Even if both actions happened in the past, the subjunctive is required because, at that point in time, one action happened before the other was completed.

Saldré antes de que él **venga**.	*I'll leave before he/she **comes**.*
Salí antes de que él **viniera**.	*I left before he/she **came**.*
Llámame antes de que **salga**.	*Call me before he/she **leaves**.*
Me llamó antes de que **saliera**.	*He/She called me before he/she **left**.*

- If the conjunction does not include a preposition, the subjunctive is used even when the subject in each clause is the same.

Así que yo **llegue** comeré.	*As soon as **I** arrive **I'll** eat.*
No comerás hasta que **estudies**.	***You** won't eat until **you** study.*
Después **de** llegar comeré.	*I'll eat after I get there.*
Debes comer antes **de** estudiar.	*You should eat before studying.*

Uses of the indicative

- When the action has already occurred the indicative is used.

Cuando **sonó** el timbre lloramos.	*When the bell **rang** we cried.*
Rió después de que él salió.	*He/She **laughed** after he left.*
Una vez que **salió** comí.	*Once he/she **left** I ate.*

- When the action is customary or habitual, the indicative is used.

Cuando **suena** el timbre vamos.	*When the bell **rings** we go.*
Diana come después de que él **sale**.	*Diana eats after he **leaves**.*
Así que se **ducha** come.	*As soon as he **showers** he eats.*

Notes:

- When determining whether or not the action after the conjunction of time is incomplete, it is helpful to check the verb in the other clause. If that verb is in the command form, the future, or the near future, the action is incomplete, and the subjunctive is used after the conjunction of time.

  Sal tan pronto como puedas.
  Leave as soon as you can.

  Te veo cuando llegues.
  I'll see you when you arrive.

  Va a ir después de que comamos.
  He/She's going to go after we eat.

- If the subject is the same in both clauses, the infinitive generally replaces the **que** + subjunctive when the conjunction includes a preposition.

  Antes de **ir** comeré.
  Before I go I will eat.

  Después de **estudiar** se durmió.
  After he/she studied he/she fell asleep.

Indefinite Antecedents

Use of the subjunctive

An indefinite antecedent is something or someone whose existence is doubtful, uncertain, or indefinite. The antecedent may or may not exist and, even if it does exist, it may or may not be found. When such an antecedent is in the main clause, the subjunctive is used in the relative clause.

Quiero un perro que no **ladre**.	*I want a dog that doesn't **bark**.*
Busca un bolígrafo que **funcione**.	*He's/She's looking for a pen that **works**.*
¿Has visto un pez que **vuele**?	*Have you seen a fish that **flies**?*
¿Hay alguien que **guíe** bien?	*Is there someone who **drives** well?*

Use of the indicative

When referring to someone or something definite that <u>does</u> exist, the indicative is used.

Tengo un perro que no **ladra**.	*I have a dog that doesn't **bark**.*
Compré un bolígrafo que **funciona**.	*I bought a pen that **works**.*
Ha visto un pez que **vuela**.	*He/She has seen a fish that **flies**.*
Hay aquí alguien que **guía** bien.	*There is someone here who **drives** well.*

Notes:

• In questions, when determining whether the antecedent is definite or indefinite, it is helpful to check the article. If the definite article is used, the antecedent is definite, and the indicative is used.

¿Ha visto **el** pez que **vuela**? *Has he/she seen **the** fish that flies?*

¿Quieres **el** gato que **juega**? *Do you want **the** cat that plays?*

• If the indefinite article is used, the antecedent is indefinite, and the subjunctive is used.

¿Ha visto **un** pez que **vuele**? *Has he/she seen **a** fish that flies?*

¿Quieres **un** gato que **juegue**? *Do you want **a** cat that plays?*

Negative Antecedents

Use of the subjunctive

If denial or negation is expressed in the main clause, the verb in the relative clause must be in the subjunctive. The main clause is negative and often includes words such as **nunca, nadie, nada,** or a form of **ninguno**.

No conozco un hombre que **robe**.	*I don't know a man who steals.*
Nunca he visto un pez que **vuele**.	*I've never seen a fish that flies.*
No hay **ningún** gato que **juegue**.	*There is no cat that plays.*

Use of the indicative

If the **definite** article replaces the **indefinite** article, the antecedent exists, and the indicative is used.

No conozco **el** hombre que **roba**.	*I don't know **the** man that steals.*
Nunca he visto **el** pez que **vuela**.	*I've never seen **the** fish that flies.*
Compré **el** gato que **juega**.	*I bought **the** cat that plays.*

Conjunctions

Conjunctions that require the subjunctive

Certain conjunctions always require the subjunctive because they refer to an incomplete action or an unknown outcome. These include the following:

en caso de que	*in case*
a menos que	*unless*
a no ser que	*unless*
con tal que	*provided that*
a condición de que	*provided that*
antes de que	*before*
sin que	*without*
para que	*in order that / so that*
a fin de que	*in order that / so that*
con el objeto de que	*in order that / so that*
con el propósito de que	*in order that / so that*
con la intención de que	*in order that / so that*
a que	*in order that / so that*

Iré con tal que **vayas**.	*I'll go provided that you go.*
Lleva gorra en caso de que **nieve**.	*Wear a cap in case it snows.*
Enseño para que **aprendan**.	*I teach so that you'll learn.*
Sal sin que te **vean**.	*Leave without them seeing you.*

Conjunctions used with both subjunctive and indicative

* **de manera que** and **de modo que** *(so, so that)*

  When <u>purpose</u> is implied, the subjunctive is used.

Enseño de modo que **aprendas**.	*I teach so that you can learn.*
Enseñé de modo que **aprendieras**.	*I taught so that you could learn.*
Lo levanto de manera que lo **veas**.	*I'll lift it so you'll see it.*

  When <u>result</u> is denoted, the indicative is used.

Enseñó bien, de modo que **aprendí**.	*He/She taught well, so I learned.*
Lo levantó, de manera que lo **vi**.	*He lifted it, so I saw it.*
¿De modo que **vas** a la playa?	*So you go to the beach?*

* **aunque** *(even if, even though, although)*

  When the situation is uncertain or hypothetical, the subjunctive is used, and the meaning of **aunque** is "even if."

Iré aunque **llueva**.	*I'll go even if it rains. (It may or may not rain.)*

  When the situation is factual, the indicative is used, and the meaning of **aunque** is "even though" or "although."

Iré aunque **está lloviendo**.	*I'll go even though it's raining. (It is raining.)*

  Note:

  With **aunque, de modo que,** and **de manera que,** the speaker must decide whether the subjunctive or indicative is called for. There are other words, most of them meaning "perhaps," "probably," or "possibly," where such a decision is necessary. The basic rule to follow is that if there is doubt involved, the subjunctive is used.

tal vez (**talvez** in Latin America)	*perhaps / maybe*
quizás / quizá	*perhaps / maybe*

- If the action is happening in the present, the subjunctive <u>or</u> the indicative is used. The use of the subjunctive expresses more doubt than the use of the indicative.

  Tal vez / Quizás **esté** / **está** nevando. Maybe it's snowing.

- If the action happened in the past, the subjunctive <u>or</u> the indicative is used. Again, the use of the subjunctive expresses more doubt than the use of the indicative.

  Tal vez / Quizás la **viera** / **vio**.   *Maybe he saw her.*

- If the action might happen in the future, the subjunctive <u>or</u> the indicative is used.

  Tal vez / Quizás **llueva** / **llueve** / **lloverá** más tarde.
  Maybe it will rain later.

- **acaso** *(perhaps, maybe, perchance)*

  In declarative statements the subjunctive is used.

  Acaso **quieran** ir.   *Perhaps they want to go.*

  In the interrogative, either is possible, but the indicative is used if the question is sarcastic or if the answer to the question is obvious.

¿Acaso **sea** / **es** verdad?	*Perhaps it's true?*
¿Acaso **has visto** más tontos?	*Perhaps you have seen more fools?* (sarcastic)
¿Acaso este hielo **es** frío?	*Perhaps this ice is cold?* (obvious)

- **posiblemente, probablemente, seguramente**
  (*possibly, probably, surely*)

  If the action is happening in the present, the subjunctive or the indicative is used. Here the use of the subjunctive expresses more doubt than the indicative.

  Probablemente **esté / está** llorando.   *He's/She's probably crying.*

  If the action happened in the past, the subjunctive or the indicative is used. Again, the use of the subjunctive expresses more doubt.

  Probablemente **saliera / salió**.   *He/She probably left.*

  If the action might happen in the future, the subjunctive or the future is used.

  Probablemente **muera / morirá**.   *It will probably die.*

- **a lo mejor**   (*maybe, perhaps, probably, very likely*)

  Used mostly in spoken or informal Spanish, this expression is used with the indicative only.

  A lo mejor **está** triste.   *He's/She's probably sad.*

Impersonal Expressions

Uses of the subjunctive

- **for expressions of emotion and value judgment**

  The subjunctive is used after impersonal expressions that express emotion or value judgment. These include:

es absurdo	*it's absurd*	es justo	*it's fair*
basta que	*it's enough*	es una lástima	*it's a shame*
conviene	*it's suitable*	más vale	*it's better*
es dudoso	*it's doubtful*	es necesario	*it's necessary*
es extraño	*it's strange*	parece mentira	*it's a lie*
hay duda	*there is doubt*	es posible	*it's possible*
importa	*it matters*	es preferible	*it's preferable*
es increíble	*it's incredible*	es preciso	*it's necessary*
es imposible	*it's impossible*	es probable	*it's probable*
es improbable	*it's probable*	es ridículo	*it's ridiculous*
es injusto	*it's unfair*	es triste	*it's sad*

Es posible que **vengan**.   *It's possible that they'll come.*
Es triste que **mientas**.   *It's sad that you lie.*
Es una lástima que no **baile**. *It's a shame that he/she doesn't dance.*

- **for expressions of doubt**

  When the expression of certainty is negative, the certainty is replaced by doubt and the subjunctive follows.

  No es cierto que **vengan**.   *It is not certain that they'll come.*
  No es verdad que **mientas**.   *It is not true that you lie.*
  No parece que **baile**.   *It does not appear that he/she dances.*

Use of the indicative for expressions of certainty

Impersonal expressions that express certainty are followed by the indicative. These include:

es cierto	*it's certain*	parece	*it appears*
es claro	*it's clear*	es seguro	*it's certain*
es evidente	*it's evident*	es verdad	*it's true*
es obvio	*it's obvious*	claro está / está claro	*it's clear*
		está visto	*it's seen*

Es cierto que **vienen**.	*It's certain that they're coming.*
Es obvio que **mientes**.	*It's obvious that you lie.*
Parece que **baila**.	*It appears that he dances.*

Unknown Outcome

Uses of the subjunctive

• When the outcome of an action is unknown, uncertain or indefinite, the subjunctive is used. When the speaker tells the listener to "go where he likes," "do what he wants," "take what he pleases," etc. he does not know what the listener will decide, and therefore, some uncertainty has arisen. Also, the action has not yet happened. The subjunctive is then used in the second clause.

Ve adonde te **guste**.	*Go where you like.*
Haz lo que **quieras**.	*Do what you want.*
Toma lo que te **apetezca**.	*Take what you please.*

• There are certain set expressions that indicate that the resulting action is uncertain or has not yet happened. In these expressions the subjunctive is repeated. This is called the "reduplicative" form.

Sea lo que **sea**.	*Be that as it may.*
Venga lo que **venga**.	*Come what may.*
Pase lo que **pase**.	*Whatever happens.*
Digan lo que **digan**.	*Whatever they say / Say what they may.*
Hagan lo que **hagan**.	*Whatever they do / Do what they may.*
Vaya adonde **vaya**.	*Wherever you go / Go where you will.*

• When the expression "no matter how" refers to an indefinite degree, the subjunctive is used.

Por cansado que **esté**, irá.	*No matter how tired he/she may be, he'll/she'll go.*
Por mucho que **gane**, no bastará.	*No matter how much I may earn, it won't be enough.*
Cuanto más **coma**, más querré.	*No matter how much I may eat, I'll want more.*

Uses of the indicative

If the event referred to has happened, the indicative is used.

> Por mucho que **ganaba** no bastaba.
> *No matter how much he/she earned, it wasn't enough.*
>
> Cuanto más **comía** más quería.
> *No matter how much he/she ate, more he/she wanted more.*

-quiera compounds used with both subjunctive and indicative

The ending **-quiera** is added to certain words to form indefinite expressions. These **-quiera** compounds include the following:

(a)dondequiera	*(to) wherever*
comoquiera	*however*
cualquiera	*whatever*
dondequiera	*wherever*
quienquiera	*whoever*

Note:

Cualquiera can be used with or without a noun. When it precedes a masculine or feminine singular noun it shortens to **cualquier**.

> Cualquiera que compre será caro.
> *Whatever he/she buys will be expensive.*
>
> Cualquier carro que compre . . .
> *Whatever car he/she buys . . .*
>
> Cualquier rosa que compre . . .
> *Whatever rose he/she buys . . .*

- When the action is incomplete, the subjunctive follows these compounds because the outcome is uncertain. The other verb will be either in the command form or future tense.

Invita a quienquiera que **desees**.	*Invite whomever you want.*
Irá adondequiera que **pueda**.	*He/She will go wherever he/she can.*
Comoquiera que lo **haga** me gustará.	*However he/she does it I'll like it.*

- When the action is complete or habitual, the outcome is known and therefore the indicative follows.

Invitó a quienquiera que **quería**.
He/She invited whomever he/she wanted.

Iba adondequiera que **podía**.
He/She went wherever he/she could.

Comoquiera que lo **sirve** me gusta.
However he/she serves it I like it.

Exercises

A. Use the subjunctive with the following in original examples. Write one model sentence using a different verb in each.

- incomplete actions
- indefinite antecedents
- negative antecedents
- conjunctions
- impersonal expressions
- unknown outcomes

B. Translate and explain why the subjunctive is used in each sentence.

1. Cuando nieve esta tarde estaremos sanos y salvos en casa.

2. ¿Hay algún pájaro que sepa nadar?

3. No conozco a nadie que conduzca mejor que él.

4. Jugaré con la condición de que ese hombre no juegue.

5. Es preciso que vayamos de compras antes de la tormenta.

6. Puedes hacer lo que quieras.

7. Pase lo que pase, estaremos juntos.

8. Es absurdo que nadie quiera salir.

9. Debo salir sin que él me vea.

10. Nunca hemos visto un gato que goce de la nieve.

C. Use in original sentences with a different verb in each.

1. mientras que (*incomplete action*)

2. hasta que (*complete action*)

3. antes de que

4. a no ser que

5. en caso que

6. tal vez (*with subjunctive*)

7. acaso (*with indicative*)

8. es cierto

9. adondequiera (*with subjunctive*)

10. comoquiera (*with indicative*)

D. Complete using subjunctive or indicative. Explain your choice.

Modelo: Cuando ella _____, saldré. (llegar)
            llegue—incomplete action

1. Iré antes de que ella lo _____. (saber)

2. Es importante que primero te _____ las manos y después _____ la cena. (lavar / comer)

3. Lloro después de que él _____. (salir)

4. Tengo dos perros que nunca _____. (ladrar)

5. Antes de _____, escribiré el informe. (ir)

6. Quiero un gato que _____. (jugar)

7. ¿Has visto a la secretaria que _____ español? (hablar)

8. Antes de que ella _____ el examen, practicará los ejercicios. (tomar)

9. No conozco al hombre que _____ en el juicio. (mentir)

10. Lleva paraguas en caso de que _____. (llover)

E. Complete the following to create original sentences.

1. Iré con tal que...
2. Voy a salir sin que...
3. Hacía calor, de modo que...
4. Yo lo hago con el propósito de que...
5. Me enseñó bien, de manera que...
6. Quiere ganar dinero de modo que...
7. Mañana quizás...
8. Adondequiera que vayas...
9. Quienquiera que seas...
10. Es increíble que...

F. Subjunctive, indicative, or either? Provide examples for each possible case.

1. por más que
2. no es cierto
3. parece
4. es probable
5. probablemente
6. a lo mejor
7. acaso
8. tal vez
9. con tal que
10. cualquiera

G. Translate.

1. Wherever she goes she will have problems.
2. Go to whatever gas station you like, Javier.
3. Be that as it may, I need a new car.
4. No matter how well it may work, it costs too much.
5. It doesn't seem that the camera works.
6. It is necessary that you change your clothes.
7. It is doubtful that the window will close.
8. Please, sir, fix my computers so that they'll work.
9. I'll change the tires in case we take a trip.
10. There is no secretary here that checks the attendance.

15. Subjunctive Tenses

The subjunctive mood has only four tenses that are used in modern Spanish—present, imperfect, present perfect, and pluperfect. The future subjunctive and future perfect subjunctive are now obsolete, but are still seen occasionally in literature and in some proverbs.

Present Subjunctive

For a review of present subjunctive forms and uses, see Section 12, in this part.

Formation

Drop the **o** from the first person singular of the present indicative and add the "opposite" endings. The **-ar** verbs have **e** in the endings, and **-er** and **-ir** verbs have **a**.

hablar:	hable	hables	hable	hablemos	habléis	hablen
comer:	coma	comas	coma	comamos	comáis	coman
vivir:	viva	vivas	viva	vivamos	viváis	vivan
poner:	ponga	pongas	ponga	pongamos	pongáis	pongan

Irregular:

Notice that these verbs do not end in **o** in the first person singular of the present indicative.

ser:	sea, etc.
saber:	sepa, etc.
ir:	vaya , etc.
dar:	dé, etc.
estar:	esté, etc.

Meanings

que hable: *speaks, speak, does speak, is speaking, will speak,*
may speak, to speak

Dudamos que él hable.	We doubt that he speaks.
Prefiero que él hable.	I prefer that he speak.
Espero que él hable.	I hope he does speak.
Negamos que él hable.	We deny that he is speaking.
Es dudoso que él hable.	It is doubtful that he will speak.
Temo que él hable.	I fear he may speak.
Quiero que él hable.	I want him to speak.

Uses

When the main clause is in the present, future present perfect, future perfect, or imperative, the present subjunctive is used in the subordinate clause in situations that call for the subjunctive.

present:	Prefiero que le hables. *I prefer that you talk to him/her.*
future:	Negará que trabajen. *He/She will deny that he/she works.*
present perfect:	Me ha dicho que salga. *He/She has told me to leave.*
future perfect:	Habré negado que vaya. *I will have denied that he/she goes.*
imperative:	Dile que se dé prisa. *Tell him/her to hurry.*

Imperfect Subjunctive

Formation

Drop the **-ron** from the third person plural preterite and add the endings **-ra, -ras, -ra, -ramos, -ais, -ran.**

Note:
The **nosotros** form has an accent on the vowel immediately preceeding the ending.

hablar:	hablara	hablaras	hablara	habláramos	hablarais	hablaran
comer:	comiera	comieras	comiera	comiéramos	comierais	comieran
vivir:	viviera	vivieras	viviera	viviéramos	vivierais	vivieran
poner:	pusiera	pusieras	pusiera	pusiéramos	pusierais	pusieran
ser:	fuera	fueras	fuera	fuéramos	fuerais	fueran
pedir:	pidiera	pidieras	pidiera	pidiéramos	pidierais	pidieran
morir:	muriera	murieras	muriera	muriéramos	murierais	murieran

This formation rule applies to all verbs, regular and irregular.

The imperfect subjunctive has an alternate form that is less commonly used but is often seen in written Spanish. This form replaces the **-ra** ending with **-se**:

hablar:	hablase	hablases	hablase	hablásemos	hablaseis	hablasen
vivir:	viviese	vivieses	viviese	viviésemos	vivieseis	viviesen

Meanings

que hablara: *spoke, did speak, was speaking, would speak, to speak*

Espero que él hablara.	*I hope he spoke.*
Me alegro de que él no hablara.	*I'm glad he didn't speak.*
Yo dudaba que él hablara.	*I doubted he was speaking.*
Yo esperaba que él hablara.	*I hoped he would speak.*
Yo quería que él hablara.	*I wanted him to speak.*

Uses

When the main clause, the subordinate clause, or both clauses are in the past, the imperfect subjunctive is used in the subordinate clause in situations that call for the subjunctive. The tense in the main clause can be present, conditional, or any past tense.

present:	Él duda que ella saliera.
	He doubts that she left.
conditional:	Lidia lo compraría si tuviera el dinero.
	Lidia would buy it if she had the money.
preterite:	Él negó que ellas lo supieran.
	He denied that they knew it.
imperfect:	Yo no creía que él oyera.
	I didn't think he heard.
pluperfect:	Yo había dudado que él me lo diera.
	I had doubted that he would give it to me.

Additional uses for the imperfect subjunctive:

* **to soften the tone**

The **-ra** form is used to make a statement or request seem softer or more courteous. This construction is most commonly used with **deber, querer,** and **poder.**

Debieras estudiar más.	*You (really) should study more.*
Yo quisiera saberlo.	*I would (surely) like to know (it).*
¿Pudieras mostrármelo?	*Could you (please) show it to me?*

* **with *quién***

Quién followed by the imperfect subjunctive is synonymous to **ojalá**. It is used to express a wish that is impossible or contrary to fact. **Quién** is not followed by **que**. The **quién** in this expression has nothing to do with the word meaning "who."

Quién pudiera ir.	*How I wish I could go.*
Quién supiera bailar.	*If only I knew how to dance.*
Quién estuviera allí.	*I wish I were there.*

* **to replace the conditional**

The **-ra** form is sometimes used in place of the conditional.

Yo quisiera visitarte.	*I would like to visit you.*
¿Pudieras ir?	*Would you be able to go?*
Yo se lo diera.	*I would give it to him.*

- **in "if" clauses**

When a clause begins with *if* and states a condition that is contrary to fact, the imperfect subjunctive (**-ra** or **-se** form) follows the *if*. The conditional is usually used in the accompanying clause.

Si yo fuera / fuese tú, iría.	*If I were you, I would go.*
Si él pudiera / pudiese, saldría.	*If he could, he would leave.*

The order can be reversed.

Yo iría si fuera / fuese tú.	*I would go if I were you.*
Él saldría si pudiera / pudiese.	*He would leave if he could.*

- **Imperfect subjunctive for conditional in "if" clauses**

The conditional is normally used in the result clause.

Si fuera rico, viajaría.	*If I were rich, I would travel.*

- **after *como si***

The imperfect subjunctive (or pluperfect subjunctive) always follows **como si** because it always refers to something contrary to fact.

Él corrió como si tuviera alas.
He ran as if he had wings. (But he didn't).

Brilla como si fuera de oro.
It shines as if it were gold. (But it wasn't)

Él habla como si lo supiera.
He talks as if he knew. (But he didn't.)

Laura celebró como si hubiera ganado.
Laura celebrated as if she had won.

Present Perfect Subjunctive

Formation

The present perfect subjunctive is a compound tense that consists of the present subjunctive of **haber** and the past participle.

haya	
hayas	
haya	+ hablado, comido, vivido, dicho, hecho, *etc.*
hayamos	
hayáis	
hayan	

Note:

For more information on the construction of regular and irregular participles, see Section 11, Perfect Tenses in this part.

Meanings

que haya hablado: *have spoken, may have spoken, might have spoken, will have spoken*

Él duda que yo haya hablado.
He doubts that I have spoken.

Él piensa que yo haya hablado.
He thinks I may / might have spoken.

Él espera que yo haya hablado para las dos.
He hopes I will have spoken by two o'clock.

Uses

The present perfect subjunctive is used in situations requiring the subjunctive to express what *has happened* or *will have happened*. It is only used when the verb in the main clause is in the present or future.

Es dudoso que él lo haya hecho.
It's doubtful that he has done it.

¿Será que él haya salido?
Can it be that he has left?

Es probable que hayan ido para entonces.
It's probable that they will have gone by then.

Pluperfect Subjunctive

Formation

The pluperfect subjunctive is a compound tense that consists of the imperfect subjunctive of **haber** and the past participle.

---

hubiera
hubieras
hubiera + hablado, comido, vivido, dicho, hecho, puesto, etc.
hubiéramos
hubierais
hubieran

Meanings

que hubiera hablado: *had spoken, may have spoken, might have spoken, would have spoken*

Ella dudaba que él hubiera hablado.
She doubted he had spoken.

Yo temía que él hubiera hablado.
I feared he may have spoken.

Yo esperaba que él hubiera hablado.
I hoped he might have spoken.

Era probable que yo hubiera hablado.
It was likely I would have spoken.

Uses

The pluperfect subjunctive is used in situations requiring the subjunctive to express what *had happened, may or might have happened,* or *would have happened* in the past. The verb in the main clause is either in the past or the conditional.

> Era dudoso que él lo hubiera hecho.
> *It was doubtful he had done it.*

> ¿Sería que él hubiera salido?
> *Could it be that he had left?*

> Era probable que hubieran ido.
> *It was probable they had gone.*

Additional uses of the pluperfect subjunctive

- **in "if" clauses**

When a clause begins with *if* and states a condition that is contrary to fact, the pluperfect subjunctive (**-ra** or **-se** form) follows the *if*. The conditional perfect is usually used in the accompanying clause. This construction expresses what *would have* happened if something else *had happened.*

> Si hubieras / hubieses ido, yo habría ido.
> *If you had gone, I would have gone.*

> Si él hubiera / hubiese salido, yo lo habría sabido.
> *If he had left, I would have known.*

> Si hubiéramos / hubiésemos reído, él habría llorado.
> *If we had laughed, he would have cried.*

The order can be reversed, with the "if" clause following the main clause.

> Habría ido si hubieras / hubieses ido.
> *I would have gone of you had gone.*

> Lo habría sabido si él hubiera / hubiese salido.
> *I would have known if he had left.*

> Él habría llorado si hubiéramos reído.
> *He would have cried if we had laughed.*

- **pluperfect subjunctive for conditional perfect in "if" clauses**

The conditional perfect is normally used in the result clause.

> Si hubiera / hubiese tenido tiempo, **habría ido**.
> *If I had had time, I would have gone.*

Sometimes, however, the **-iera** form of the pluperfect subjunctive is used in place of the conditional perfect, with no change in meaning.

> Si hubiera / hubiese tenido tiempo, **hubiera ido**.
> *If I had had time, I would have gone.*

De + **haber** may be used in place of **si hubiera / si hubiese.**

> De haber tenido tiempo, **habría ido**.
> *If I had had time I would have gone.*

Thus, the same sentence can be translated in six ways:

> Si **hubiera** tenido tiempo, **habría** ido.
> Si **hubiese** tenido tiempo, **habría** ido.
> Si **hubiera** tenido tiempo, **hubiera** ido.
> Si **hubiese** tenido tiempo, **hubiera** ido.
> De **haber** tenido tiempo, **habría** ido.
> De **haber** tenido tiempo, **hubiera** ido.

Notes:

Remember that there are three types of "if" clauses:

- present indicative + future

  > Si **tengo** tiempo, **iré**.
  > *If I **have** time I **will go**.*

- imperfect subjunctive + conditional / imperfect subjunctive

  > Si **tuviera / tuviese** tiempo, **iría / fuera**.
  > *If I **had** time I **would go**.*

- pluperfect subjunctive + conditional perfect / pluperfect subjunctive (**-iera**)

  > Si **hubiera / hubiese tenido** tiempo, **habría / hubiera ido**.
  > *If I **had had** time I **would have gone**.*

If there is no contrary-to-fact situation after *if*, the subjunctive is <u>not</u> used in that clause.

Si estabas enfermo, ¿por qué viniste a la escuela?	*If you were sick, why did you come to school?*
Si la habías visto, ¿por qué no me lo dijiste?	*If you had seen her, why didn't you tell me?*
Si me equivoqué, lo siento.	*If I made a mistake, I'm sorry.*

In the above examples the situations are not contrary to fact because the subject <u>was</u> sick, <u>had</u> seen her, and <u>did</u> make a mistake.

Notice the difference:

• contrary to fact:

Si estuvieras (subjunctive) enfermo, te quedarías en casa.	*If you were sick, (but you weren't) you would stay home (but you didn't).*

• statement of fact:

Si estabas (indicative) enfermo, ¿por qué viniste a la escuela?	*If you were sick, (and you were) why did you come to school?*

• **after** *como si*

The pluperfect subjunctive is used after **como si** to express *had* + past participle.

Ella lloró como si hubiera perdido.	*She cried as if she had lost.*
Él actuó como si lo hubiera hecho.	*He acted as if he had done it.*
Sonreí como si hubiera oído.	*I smiled as if I had heard.*

In poetic language **cual si** sometimes replaces **como si**.

Brillaba cual si hubiera sido hecho de oro.	*It shone as if it had been made of gold.*

• **with** *ojalá, así, quién*

The pluperfect subjunctive is used after **ojalá, así,** and **quién** to express a contrary-to-fact situation in the past.

Ojalá que le hubiera hablado.	*If only I had talked to him/her.*
Así hubieras sido inteligente.	*If only you had been smart.*
Quién hubiera estado allí.	*If only I had been there.*

Future Subjunctive

Formation

Drop the **-ron** from the third person plural preterite and add the endings **-re, -res, -re, -remos, -reis, -ren.**

> comer: comiere comieres comiere comiéremos comiereis comieren

Note that this form is similar to the imperfect subjunctive with the **e** replacing the **a.**

future subjunctive:	hablar**e**	hablar**es**	hablar**e**, etc.
imperfect subjunctive:	hablar**a**	hablar**as**	hablar**a**, etc.

Meanings

que hablare: *speaks, may speak, might speak, will speak*

No examples will be given here because this tense is not used in modern Spanish. The present subjunctive is used instead.

Uses

The future subjunctive has become obsolete, and is seen only occasionally in literature, in flowery language, in the Bible, in some proverbs, in some set phrases, and in legal documents.

Venga lo que viniere.*	*Come what may.*
Sea lo que fuere.*	*Be that as it may.*
Adonde fueres haz lo que vieres.	*When in Rome do as Romans. (Wherever you may go, do whatever you may see.)*

* **Venga lo que venga** and **sea lo que sea** are more common in present-day Spanish.

Future Perfect Subjunctive

Formation

The future perfect subjunctive is a compound tense that consists of the future subjunctive of **haber** and the past participle.

hubiere	
hubieres	
hubiere	+ hablado, comido, vivido, dicho, puesto, etc.
hubiéremos	
hubiereis	
hubieren	

Meanings

que hubiere hablado: *will / shall have spoken*

No examples will be given here because this tense is not used in modern Spanish. The present perfect subjunctive is used instead.

Uses

Like the future subjunctive, the future perfect has become obsolete. It is only seen occasionally in literature, in the Bible, in proverbs, or in legal documents.

Sequence of Tenses

Sequence of tenses refers to the idea that certain tenses in Spanish are used in combination, while others are not used together. While the rules of tense agreement between the main and subordinate clause are not rigidly fixed, following are the most common combinations of Spanish tenses.

Main clause	Subordinate clause
present	present subjunctive
present perfect	present subjunctive
future	present subjunctive
future perfect	present subjunctive
imperative	present subjunctive
present	imperfect subjunctive
present perfect	imperfect subjunctive
preterite	imperfect subjunctive
imperfect	imperfect subjunctive
pluperfect	imperfect subjunctive
conditional	imperfect subjunctive
conditional perfect	imperfect subjunctive
present	present perfect subjunctive
present perfect	present perfect subjunctive
future	present perfect subjunctive
preterite	pluperfect subjunctive
imperfect	pluperfect subjunctive
pluperfect	pluperfect subjunctive
conditional	pluperfect subjunctive
conditional perfect	pluperfect subjunctive

Examples of sequence of tenses

1. present subjunctive preceded by:

present: Estoy alegre (de) que tú hables español.
            I am glad that you speak Spanish.

present perfect: Me ha dicho que salga.
                    He/She has told me to leave.

future: Él negará que ellos se quejen.
           He will deny that they complain.

future perfect: Habré insistido en que ella vaya.
                   I will have insisted that she go.

imperative: Dile a él que se dé prisa.

               Tell him to hurry.

2. imperfect subjunctive preceded by:

present: Dudo que él cantara.

               I doubt that he sang.

present perfect:

           He dudado a menudo que él estuviera ese día.

           I have often doubted that he was there that day.

preterite: Él negó que perdieran.

               He denied that they lost.

imperfect: Yo no creía que ella dijera la verdad.

               I didn't believe that she told the truth.

pluperfect: Yo había dudado que él saliera.

               I had doubted that he would leave.

conditional: Él iría si pudiera.

               He would go if he could.

conditional perfect: Yo habría preferido que ella lo pintara.

               I would have preferred that she paint it.

3. present perfect subjunctive preceded by:

present: Dudan que haya desaparecido.

               They doubt that he/she has disappeared.

present perfect: Ha sido un milagro que te haya ayudado.

               It's been a miracle that he has helped you.

future: ¿Será posible que haya desaparecido?

               Can it be possible that it has disappeared?

4. pluperfect subjunctive preceded by:

preterite: Me sorprendió que él hubiera salido.

               It surprised me that he had left.

| imperfect: | Ella esperaba que él hubiera ido. |
| | *She hoped he had gone.* |

| pluperfect: | Yo había dudado que él hubiera ganado. |
| | *I had doubted that he had won.* |

| conditional: | ¿Sería que se hubieran perdido? |
| | *Could it be that they had gotten lost?* |

conditional perfect:

Me habría alegrado que él hubiera ganado.

I would have been happy that he had won.

Exercises

A. Give the *yo* form of the subjunctive for the following.

<u>present</u> <u>imperfect</u> <u>present perfect</u> <u>pluperfect</u>

1. hablar
2. ser
3. ir
4. dar
5. hacer
6. venir
7. poner
8. decir
9. romper
10. caer

B. Use the present subjunctive in original examples after the following tenses and translate. Use different verbs in each of your sentences.

1. present
2. future
3. present perfect
4. future perfect
5. imperative

C. Use the imperfect subjunctive in original examples after the following tenses and translate. Use different verbs in each of your sentences.

1. present
2. conditional
3. preterite
4. imperfect
5. pluperfect

D. Translate.

1. Me gusta que el gobierno no me quite demasiado dinero.
2. Dudarán que el jefe sepa dar una buena presentación.
3. ¿Podrías ayudarme si yo quisiera construir un garaje?
4. Habré insistido en que el peluquero me venda peines.
5. Dígales que le presten a usted diez dólares.
6. ¡Así se te rizaran las cejas y se te cayera el pelo!
7. Yo esperaba que Charo no se pusiera el vestido nuevo.
8. ¿Podrías ayudarme a encontrar una revista de deportes?
9. Yo tendría un auto si tuviera dinero.
10. He temido que volvieras a ese lugar.

E. Use the imperfect subjunctive in original examples for each of the following.

1. **querer** to soften the tone
2. **ojalá**
3. **así**
4. **quién**
5. **querer** to replace the conditional
6. **poder** to soften the tone
7. **si** in an "if" clause
8. **deber** to soften the tone
9. **como si**
10. present tense in the main clause

F. Give the past participles for the following verbs.

1. freír
2. imprimir
3. volver
4. cubrir
5. describir

6. decir
7. hacer
8. poner
9. morir
10. abrir

G. Give the *nosotros* form of the subjunctive for the following.

	present	imperfect	present perfect	pluperfect
1. hacer				
2. volver				
3. escribir				
4. cubrir				
5. reír				

H. Translate.

1. She doubts he has cut the grass.
2. Can it be that she has lost her bracelet?
3. It is probable that Graciela has left already.
4. I doubted that they had lost the scissors and combs.
5. Andrés feared that his brother would ask him for more money.
6. If he has time, he will go.
7. If she had time she would use the computer.
8. If I had cut my hair, it would have been pretty.
9. She would have used a dictionary if she had found one.
10. He would go out with that girl if she invited him.

I. Use the subjunctive in 10 different sequences of tenses. Translate your sentences.

REVIEW EXERCISES— Sections 11-15

A. **Section 11: Perfect Tenses**

1. Provide original examples for each of the following tenses using a different verb in each. Translate your sentences.

   a. present perfect

   b. pluperfect

   c. preterite perfect

   d. future perfect

   e. future perfect of probability

   f. conditional perfect

   g. conditional perfect of probability

   h. present perfect subjunctive

   i. pluperfect subjunctive

   j. future perfect subjunctive

   k. future subjunctive

2. Provide the past participles for the following verbs.

a. bailar	f. hacer	k. concluir
b. beber	g. romper	l. reír
c. escribir	h. freír	m. ir
d. creer	i. volver	n. ser
e. huir	j. cubrir	o. deshacer

3. In original examples, use the past participles of the following verbs in two ways:

   • As a verb form in a compound tense (Vary your tenses.)

   • As an adjective

   Modelo: Verb form: *He despertado a mi hermano.*
   Adjective: *Ahora toda la familia está despierta.*

1. absorber	3. elegir
2. confundir	4. imprimir

B. Section 12: Present Subjunctive

1. Contrast the indicative and subjunctive by writing five original sentences using a different verb in each.

2. Conjugate the following in the present subjunctive.

   a. a regular **-ar** verb
   b. a regular **-er** verb
   c. a regular **-ir** verb
   d. an irregular verb
   e. **-ar** stem-changing verb (e→ie)
   f. **-ar** stem-changing verb (o→ue)
   g. **-er** stem-changing verb (e→ie)
   h. **-ir** stem changing verb (e→i)

3. Provide the **yo** form of the subjunctive for the following:

a. delinquir	f. poner	k. huir
b. hacer	g. escoger	l. llegar
c. extinguir	h. averiguar	m. parecer
d. decir	i. ver	n. sacar
e. dirigir	j. empezar	o. haber

C. Section 13: Uses of the Subjunctive

1. In original sentences, give examples of the seven meanings of the present subjunctive.

2. Fill in the blanks.

   a. The subjunctive usually occurs in a _____ clause.
   b. When the subject in each clause is the same, the main clause is usually followed by the _____.
   c. The subjunctive is used in the subordinate clause when _____, _____, _____, etc., are expressed or implied in the main clause.
   d. The verb **creer** takes the subjunctive only when there is _____ in the speaker's mind.

e. **Creer** in the negative interrogative always takes the _____.

f. The _____ is used with expressions of certainty.

g. When expressions of certainty are negative, the _____ is used.

h. Verbs of communication can be used to express a wish that something be done, or to _____.

i. Verbs of persuasion can be followed by the subjunctive or the _____.

j. Verbs of communication require the _____ before the main verb.

3. Give an original example of subjunctive with the following. Use a different subject and verb in each.

a. emotion   d. implied command

b. doubt   e. an indirect command with **que**

c. denial   f. an indirect command without **que**

4. Translate.

a. Cristina wants Rodrigo to visit.

b. We hope she will go to the tennis club.

c. They are afraid that there are not enough courts.

d. My doctor tells me not to play so much soccer.

e. He writes that he will arrive in two weeks.

f. I don't deny that we sleep too much.

g. Let Andrés do it!

h. Sleep well.

D. Section 14: Additional Uses of the Subjunctive

1. Give original and varied examples for use of the subjunctive and indicative with each of the following.

a. incomplete action   d. conjunction

b. indefinite antecedent   e. impersonal expression

c. negative antecedent   f. unknown outcome

2. Fill in the blanks with attention to subjunctive and indicative moods:

   a. Lleva guantes, hijo, en caso de que _____. (nevar)

   b. No conozco al criminal que _____ ante el juez. (aparecer)

   c. Siempre estoy muy preocupado antes de que _____ mis invitados. (llegar)

   d. ¿Has hablado con la muchacha que _____ hablar tres idiomas? (saber)

   e. Quiero comprar un caballo que no _____ más de dos años. (tener)

   f. Antes de _____ hablaré con el jefe. (salir)

   g. Tengo una perrita que siempre _____. (ladrar)

   h. Suelo llorar cuando mi hermano _____ de viaje al exterior. (salir)

   i. Paco, es necesario _____ las manos antes de comer. (lavarse)

   j. Saldré antes de que tú lo _____. (saber)

3. Explain why the subjunctive is called for in the following sentences.

   <u>Modelo</u>: No conozco a ningún hombre que conduzca una moto.

   Indefinite antecedent.

   a. Cuando **venga** la nieve estaremos descansando en casa.

   b. Nunca hemos tenido un vecino que **quiera** limpiar nuestra nieve.

   c. ¿Existe una vaca que no **dé** leche?

   d. No conozco a nadie que **cante** en un coro profesional.

   e. Asistiré a la reunión a condición de que no **dure** mucho tiempo.

   f. Es increíble que nadie **quiera** hablar de ese asunto.

   g. Dice que va a hacer lo que **quiera**.

h. Sea lo que **sea**, es un hombre honesto.

i. Quiero salir sin que nadie me **vea.**

j. Es preciso que **saques** buenas notas.

E. Section 15: Subjunctive Tenses

1. Explain the formation of the following subjunctive tenses:

a. present   c. present perfect   e. future

b. imperfect   d. pluperfect   f. future perfect

2. Use each subjunctive tense in an original sentence and translate.

3. Give original examples of five different sequences of tenses

4. Translate.

a. I hope you like this book.

b. I doubt it will rain this weekend.

c. It's not true that he stole that money!

d. She wanted him to ask her to the dance.

e. I said I would go when the bell rang.

f. It's a shame that she has lost her keys.

g. I don't know anybody who did well on that test.

h. She's afraid the plant has died.

i. I don't think he has brought enough food.

j. She hoped they had not gotten lost.

16. Commands

Types of Commands

Commands—also called *imperatives*—are used to give orders, make suggestions, or tell someone to do something: *go to the board, sit down, walk the dog, let's eat, don't tell me that, let's not argue, don't walk on the grass,* etc. Following are examples of the five different types of commands, in their affirmative and negative forms.

Affirmative commands

	hablar	lavarse	comer	vivir	poner
tú:	habla	lávate	come	vive	**pon**
Ud.:	hable	lávese	coma	viva	ponga
nosotros:	hablemos	lavémonos	comamos	vivamos	pongamos
vosotros:	hablad	lavaos	comed	vivid	poned
Uds.:	hablen	lávense	coman	vivan	pongan

Negative commands

	hablar	lavarse	comer	vivir	poner
tú:	no hables	no te laves	no comas	no vivas	no pongas
Ud.:	no hable	no se lave	no coma	no viva	no ponga
nosotros:	no hablemos	no nos lavemos	no comamos	no vivamos	no pongamos
vosotros:	no habléis	no os lavéis	no comáis	no viváis	no pongáis
Uds.:	no hablen	no se laven	no coman	no vivan	no pongan

Meanings

tú:	vive / no vivas	*live / don't live* (familiar singular)
Ud.:	viva / no viva	*live / don't live* (polite singular)
nosotros:	vivamos / no vivamos	*let's live / let's not live*
vosotros:	vivid / no viváis	*live / don't live* (familiar plural)
Uds.:	vivan / no vivan	*live / don't live* (polite / familiar plural)

Formation of Affirmative Commands

Tú commands

The familiar singular imperative is formed by removing the *s* from the second person singular of the present indicative. (These forms are identical to the third person singular.)

> habla, come, vive, comienza, pierde, duerme, etc.

The eight exceptions to this rule are:

poner:	pon	*put*		decir:	di	*say / tell*
tener:	ten	*have*		hacer:	haz	*do / make*
venir:	ven	*come*		ser:	sé	*be*
salir:	sal	*leave*		ir:	ve	*go*

Ud. commands

The polite singular imperative is the same form as the third person singular of the present subjunctive.

> hable, coma, viva, comience, pierda, duerma, sea, sepa, etc.

Nosotros commands

With one exception, the **nosotros** imperative is the same as the first person plural of the present subjunctive.

> hablemos, comamos, vivamos, comencemos,
> perdamos, durmamos, seamos, sepamos, etc.

- The one exception is **ir** whose **nosotros** command is **vamos** rather than the subjunctive **vayamos**.

- Another way to form a **nosotros** command is to use **vamos a + infinitive.**

  Vamos a hablar.   Vamos a comer.

Vosotros commands

The familiar plural imperative, used only in Spain, is formed by replacing the **-r** on the infinitive with **-d**.

  hablad, comed, vivid, comenzad, perded, dormid, sed, etc.

Uds. commands

The polite plural imperative is the same form as the third person plural of the present subjunctive:

  hablen, coman, vivan, comiencen, pierdan, duerman, sean, etc.

Formation of Negative Commands

All of the negative commands use the corresponding person and number of the present subjunctive:

	<u>hablar</u>	<u>comer</u>	<u>vivir</u>	<u>ser</u>
tú:	no hables	no comas	no vivas	no seas
Ud.:	no hable	no coma	no viva	no sea
nosotros:	no hablemos	no comamos	no vivamos	no seamos
vosotros:	no habléis	no comáis	no viváis	no seáis
Uds.:	no hablen	no coman	no vivan	no sean

Formation of Commands with Reflexive Verbs

Affirmative reflexive commands

In affirmative commands the reflexive pronouns are attached to the verb. When this is done the following changes occur.

- In the **nosotros** form the final **s** is dropped from the command when -**nos** is added:

lavemos	lavémonos	*let's wash ourselves*
sentemos	sentémonos	*let's sit down*
vistamos	vistámonos	*let's get dressed*
vamos	vámonos	*let's go*

- In the **vosotros** form the final **d** is dropped from the command when -**os** is added:

lavad	lavaos	*wash yourselves*
sentad	sentaos	*sit down*
vestid	vestíos	*get dressed*

Exception:

ir retains the **d**:

id	idos	*go away*

Examples of reflexive commands

	lavarse	sentarse	vestirse	irse
tú:	lávate	siéntate	vístete	vete
Ud.:	lávese	siéntese	vístase	váyase
nosotros:	lavémonos	sentémonos	vistámonos	vámonos
vosotros:	lavaos	sentaos	vestíos	idos
Uds.:	lávense	siéntense	vístanse	váyanse

- Accents on reflexive commands

When a pronoun is attached to a command form of more than one syllable, a written accent is needed over the next-to-last vowel of the command itself where the stress was originally.

Siéntate. *Sit down.*   Vámonos. *Let's go.*   Vístase. *Get dressed.*

> **Exception:**
> When **-os** is added to the **vosotros** form of **-ar** and **-er** verbs, no accent is used because the stress falls naturally on the next-to-last syllable. Verbs ending in **-ir** need an accent to stress the weak **i**.
>
> Lavaos. *Wash yourselves.*   Vestíos. *Get dressed.*
> Sentaos. *Sit down.*   Dormíos. *Fall asleep.*

When one pronoun is added to a command form of one syllable, no accent mark is needed.

Vete. *Go away.*   Ponte. *Put on.*   Idos. *Go away.*

When two pronouns are added (a reflexive pronoun plus a direct object pronoun) a written accent is needed on the command itself.

Póntelos. *Put them on.*

Dímelo. *Tell me (it).*

Negative Reflexive Commands

When a reflexive command is negative, the pronouns precede the commands. Only the **vosotros** form carries an accent.

lavarse	sentarse	vestirse	irse
no te laves	no te sientes	no te vistas	no te vayas
no se lave	no se siente	no se vista	no se vaya
no nos lavemos	no nos sentemos	no nos vistamos	no nos vayamos
no os lavéis	no os sentéis	no os vistáis	no os vayáis
no se laven	no se sienten	no se vistan	no se vayan

When a negative reflexive command is used with a direct object pronoun, both pronouns go before the command form with the reflexive pronoun preceding the direct object pronoun.

No te los pongas.	*Don't put them on.*
No se las pruebe.	*Don't try them on.*
No nos lo quitemos.	*Let's not take it off.*

Object Pronouns with Commands

Commands with direct object pronouns

Like reflexive pronouns, the direct object pronouns are attached to affirmative commands. When pronouns are added to a command form of more than one syllable, a written accent is required over the vowel that was stressed before the pronouns were added.

Escúchame.	*Listen to me.*	Escribámoslo.	*Let's write it.*
Véndalo.	*Sell it.*	Háblenlos.	*Talk to them.*

Reminder:

Singular direct object pronouns

me	*me*
te	*you (familiar)*
le*	*him*
lo	*you (formal), him, it (masculine)*
la	*you (formal), her, it (feminine)*

Plural direct object pronouns

nos	*us*
os	*you (familiar in Spain)*
les*	*you (formal masculine), them*
los	*you (formal masculine), them (masculine)*
las	*you (formal feminine), them (feminine)*

*When referring to humans, **le** and **les** may replace **lo**, **la**, **los**, and **las**. While **le** and **lo** are both accepted forms, **los**, is preferred over **les**.

- When the command is negative, the object pronoun precedes the command. Only the **vosotros** form carries an accent.

No me escuches.	*Don't listen to me.*
No lo escribamos.	*Let's not write it.*
No lo vendas.	*Don't sell it.*
No me habléis.	*Don't talk to me.*

- Examples of direct object pronouns with commands:

Visíte**le/lo**, señor.	*Visit **him**, sir.*
Preséntanos, mi hijo.	*Introduce us, my son.*
No lo apunten, señoras.	*Don't write **it** down, ladies.*
No **las** pongamos allí.	*Let's not put **them** there.*

Commands with indirect object pronouns

Like reflexive and direct object pronouns, the indirect object pronouns are also attached to affirmative commands. When pronouns are added to a command form of more than one syllable, a written accent is required over the vowel that was stressed before the pronouns were added.

Cántame.	*Sing to me.*	Escribámosle.	*Let's write to her.*

- Examples of indirect object pronouns with commands

Háblame, mi hijo.	*Talk **to me**, my son.*
Hágale un favor, señor.	*Do a favor **for her**, sir.*
Quitémosles el dinero.	*Let's take the money **from them**.*
Escribidles.	*Write **to them**.*

Note:

For more information on indirect object pronouns, see Part 6, Section 9.

Commands with Double Object Pronouns

Double object pronouns

When two object pronouns are used together, the indirect precedes the direct. A helpful expression to remember is "indirect before direct, reflexive first of all." Double object pronouns are joined together and attached to affirmative commands. Accents are placed over the vowel in the command that had the original stress.

Dámelo, Esteban.	*Tell me (it), Esteban.*
Díganoslo, señor.	*Tell us (it), sir.*
Escríbeselo. Pedro.	*Write it to him/her, Pedro.*
Póntelos, niño.	*Put them on, child.*

- Note that an accent is required on one-syllable commands when two object pronouns are added.

Dímelo.	*Tell me it.*	Póntelos.	*Put them on.*
Dámelos.	*Give me them.*	Démela.	*Give it to me.*

- When both pronouns are third person, the indirect **le** and **les** change to **se**:

le lo → se lo	Envíaselo.	*Send it to him/her.*
le la → se la	Cómpresela.	*Buy it for him/her.*
le los → se los	Dénselos.	*Give them to him/her.*
le las → se las	Escríbeselas.	*Write them to him/her.*
les lo → se lo	Véndeselo.	*Sell it them.*
les la → se la	Dénsela.	*Give it to them.*
les los → se los	Quitádselos.	*Take them from them.*
les las → se las	Cómpreselas.	*Buy them them.*

- When -**selo, -sela, -selos,** or -**selas** are added to the **nosotros** command, the **s** on the command is dropped to avoid having two **s**'s together.

Compremos.	*Let's buy.*
Comprémoselo.	*Let's buy it from him/her/them.*
Escribamos.	*Let's write.*
Escribámosela.	*Let's write it to him/her them.*
Demos.	*Let's give.*
Démoselos.	*Let's give them to him/her/them.*

- When a command is negative, the indirect and direct object pronouns precede the command, with the indirect before the direct.

No se lo envíes (a ella).	*Don't send it to her.*
No me lo digas.	*Don't tell it to me.*
No nos lo den.	*Don't give it to us.*
No se los vendamos (a él).	*Let's not sell them to him.*

Additional pronouns

- To clarify or emphasize the direct and indirect object pronouns, **a** + a prepositional pronoun (**mí, ti, sí, Ud., él, ella, nosotros, vosotros, sí, Uds., ellos, ellas**) may be added. Because these are additional pronouns, they in no way replace the object pronouns, which are mandatory.

- Examples of additional pronouns

Dame (a mí) el libro, Ana.	*Give the book to **me**, Ana.*
Cómprate (a ti) un coche, Raúl.	*Buy **yourself** a car, Raul.*
Escríbale (a él), señor.	*Write to **him**, sir.*
Póngase (a sí) el gorro.	*Put on (**yourself**) your hat.*
Comprémonos (a nosotros) un gato.	*Let's buy **ourselves** a cat.*
Escríbanles (a ellas).	*Write to **them**.*

Exercises

A. Write the five command forms for the following verbs.

<u>andar</u> <u>beber</u> <u>escribir</u> <u>ser</u> <u>ir</u> <u>acostarse</u>

tú:
Ud.:
nosotros:
vosotros:
Uds.:

B. Put the 5 commands for each verb in Part A in the negative.

C. Give the indicated commands for the following.

1. **2.s.:** hablar, comer, abrir, ejercer, cerrar, ser
2. **3.s.:** estudiar, beber, asistir, conducir, mostrar, ir
3. **1.p.:** bailar, aprender, permitir, recoger, freír, dar
4. **2.p.:** andar, correr, cubrir, extinguir, pedir, ver
5. **3.p.:** preparar, creer, subir, obedecer, pensar, hacer

D. Put the commands in Part C in the negative.

E. Give _creative_ orders to the following people using the indicated verbs.

> Modelo: Your teacher: recoger, mostrar, enseñar
>
>> Recoja las pruebas.   _Collect the tests._
>>
>> Muestre el video.   _Show the video._
>>
>> Enséñenos más literatura. _Teach us more literature._

1. Your friend: poner, tener, ser
2. Your principal: saber, ir, decir
3. You and I: resolver, mentir, servir
4. Children in Spain: estar, traer, oír
5. The president: actuar, enviar, creer

F. Change the object noun to a direct object pronoun, and change the statements below to _tú_ commands.

> Modelo: Quiero mirar <u>el programa</u>.   Míra<u>lo</u>.
>
>   Debo estudiar <u>estos verbos</u>. Estúdia<u>los</u>.

1. Quiero escuchar esta frase.
2. Me gustaría visitar este palacio.
3. Necesito terminar mis tareas.
4. Debo comprar ese reloj.
5. Tengo que leer estos poemas.
6. Me parece mejor poner la lámpara aquí.
7. Es importante tener paciencia.
8. Voy a pagar esta cuenta.
9. Sería interesante hacer estos ejercicios.
10. Debo llamar a Mariana.

G. Change your commands in Part F to the negative.

> Modelo: Míralo.   No lo mires.
>
>   Estúdialos.   No los estudies.

H. Put the commands in Part G in the affirmative and negative *Ud.* forms:

Modelo: Míralo. Mírelo. No lo mire.
Estúdialos. Estúdielos. No los estudie.

I. Change the object noun to an indirect object pronoun, and reply to the statements below with an *Ud.* command.

Modelo: Quiero escribir una carta <u>a Juan</u>.
Escríbale.

1. Voy a dar una fruta a mi tía.
2. Quiero pedir un favor a mis maestros.
3. Me gustaría llamar al rector.
4. Necesito enseñar la lección a mis estudiantes.
5. Es importante mostrar el pasaporte a los oficiales de inmigración.

17. Additional Information on Commands

Subject Pronouns with Imperatives

Use of subject pronouns with command forms is optional. If the pronoun is used, its normal position is after the verb.

Espera **tú** un momento.	*Wait a moment.*
Cerremos **nosotros** la puerta.	*Let's close the door.*
Véndaselo **Ud.** a ella.	*Sell it to her.*

If the speaker wishes to emphasize the person to whom the command is given, he/she should use the subject pronoun.

¡Ciérrala **tú**!	*You close it!*
¡Ábralo **Ud.**!	*You open it!*
¡Háganlo **Uds.**!	*You do it!*

Other Command Forms

Alternate *nosotros* command

Vamos a plus the infinitive may be used in place of the first person plural of the subjunctive to express an affirmative **nosotros** command.

Vamos a bailar.	(Bailemos.)	*Let's dance.*
Vamos a comer.	(Comamos.)	*Let's eat.*

It is possible to eliminate **vamos** and simply use **a** plus the infinitive.

¡A bailar!	(Bailemos.)	*Let's dance.*
¡A comer!	(Comamos.)	*Let's eat.*
¡A sentarse!	(Sentémonos.)	*Let's sit down.*

(Note that **se** is used rather than **nos**.)

Alternate *vosotros* command

Some speakers in Spain prefer not to use the standard **vosotros** command where the **r** in the infinitive is replaced by **d**. Instead, they simply use the <u>infinitive</u> as the affirmative **vosotros** command. Notice that both forms sound similar.

Bailar.	(Bailad.)	*Dance.*
Comer.	(Comed.)	*Eat.*
Escribir.	(Escribid.)	*Write.*

If the command is negative the only accepted spoken form is the subjunctive.

No bailéis.	*Don't dance.*
No comáis.	*Don't eat.*
No escribáis.	*Don't write.*

Indirect third person commands

To express the idea of *letting or having someone do something*, **que** + the third person <u>subjunctive</u> is used. The verb agrees with and usually precedes the subject.

Que lo **haga** Rafael.	*Let / Have Rafael do it.*
Que vaya Magdalena.	*Let / Have Magdalena go.*
Que pasen ellos.	*Let / Have them come in.*
Que los manden ellos.	*Let / Have them send them.*

A third person imperative using the subjunctive without the **que** is seen in certain set phrases.

¡**Viva** España!	*Long live Spain!*
Descanse en paz.	*May he rest in peace.*

First and second person commands with *que*

Using **que** before a **tú, nosotros,** or **vosotros** command makes the imperative more emphatic.

¡Que **tengas** un buen día!	*Have a good day!*
¡Que lo **pasemos** bien!	*Let's have a good time!*
¡Que no lo **hagáis**!	*Don't do it!*

Impersonal commands

The third person singular or plural imperative, used with **se**, is used in formal written Spanish to give a command that does not address the reader personally or directly. This construction has no exact equivalent in English and is used in written instructions (signs, recipes, textbooks, etc.) The verb agrees in number with the noun that follows.

Véa**se** el capítulo sexto.	*See the sixth chapter.*
Tradúzcan**se** los verbos.	*Translate the verbs.*
Cuézan**se** las patatas.	*Cook the potatoes.*

The present indicative as a command

The present indicative is sometimes used as an imperative, but only in spoken Spanish. This construction is similar to the one in English where a mother might speak rather forcefully to a child saying, "You are putting on your clean shirt, and washing your face, and going to school right now!" This type of command should not be used in polite company as it may be considered overly familiar, abrupt, or even rude.

Me **haces** dos páginas.	*Do (you are doing) two pages for me now.*
Ahora la **llamas**.	*Call (you are calling) her now.*

The infinitive as a command

The infinitive is sometimes used as a command in the following circumstances:

- To replace the affirmative **vosotros** command in Spain, as described above.

  ¡**Comer, beber y gozar!** *Eat, drink, and enjoy!*

- In written instructions on signs, in recipes, in books, in notices, etc., the infinitive as a command is used mainly in the negative. Although affirmative forms (**Traducir al español**, *Translate into Spanish* or **Cerrar la puerta,** *Close the door*) are becoming more popular, they are not considered acceptable in proper Spanish.

No **estacionar**.	*No parking.*
No **pisar** la hierba.	*Don't step on the grass.*
No **fumar**.	*No smoking.*

a + the infinitive as a command

In informal speech, **a** + the infinitive may be used to give commands. This construction can also include the speaker.

A salir en seguida.	*Leave right away.*
A entrar todos.	*Everybody come in.*
¡A comer!	*Everyone eat!*

Common expressions using the imperative

Certain fixed expressions in Spanish include **tú** imperative forms:

¡Oye!	*Listen!*
¡Mira!	*Look! / Hey!*
¡Fíjate!	*Look! / Imagine!*
¡Imagínate!	*Imagine!*
¡No me digas!	*You don't say!*

Alternatives to Imperatives

Because the imperative can sometimes sound rather harsh and abrupt, many speakers prefer to use an alternative method that would make the command seem more like a friendly request. Following are alternative ways to give a command or ask someone to do something.

querer + infinitive

present:	**¿Quieres** entrar?	*Do you want to enter? / Will you come in?*
conditional:	**¿Querrías** ir?	*Would you like to go?*
imperfect subjunctive:	**¿Quisieras** viajar?	*Would you like to travel?*

poder + infinitive

present:	**¿Puedes** acompañarme?	*Can you accompany me?*
conditional:	**¿Podrías** venir?	*Would you be able to come? / Could you come?*
imperfect subjunctive:	**¿Pudieras** visitar?	*Would you be able to visit? / Could you visit?*

gustar + infinitive

conditional:	¿Te **gustaría** ir?	*Would you like to go?*

a ver si... (let's see if . . . , try, maybe, perhaps, etc.) + present indicative

A ver si vas.	*Let's see if you can go.*
A ver si comes más.	*Try to eat more.*
A ver si lo compras.	*Maybe you can buy it.*

present indicative in question form

¿Me **visitas** hoy?	*Can you visit me today?*
¿Me **llamas** esta noche?	*Will you call me tonight?*
¿Vamos ahora?	*Shall we go now?*

hacer el favor de + infinitive (do ____ the favor of . . .)

command: **Hazme** el favor de esperar.   *Do me the favor of waiting.*

conditional: ¿**Nos haría** el favor de ir?   *Would you do us the favor of going?*

tener la bondad de + infinitive (be so kind as . . .)

command: **Tenga** la bondad de entrar.   *Please come in.*

conditional: ¿**Tendrías** la bondad de ayudarme?   *Would you be so kind to help me?*

Sírvase + infinitive (please . . .)

This construction is very formal and can be a bit impersonal. It is used mainly in business transactions.

Sírvase indicar el precio.   *Please indicate the price.*

Sírvase llamarnos.   *Please call us.*

tag questions, often in the present indicative, added to the command

Vámonos, ¿**quieres**?   *Let's go, want to?*

Escríbeme, ¿**vale**?   *Write to me, okay?*

No grites, ¿**eh**?   *Don't shout, all right?*

Cállate, ¿**está bien**?   *Be quiet, okay?*

the command form with diminutive direct object

Dame un **besito**.   *Give me a (little) kiss.*

Escríbeme una **cartita**.   *Drop me a (little) line.*

Dime un **cuentito**.   *Tell me a (little) story.*

Exercises

A. Write the following commands in Spanish using the indicated methods.

1. the subject pronoun with the imperative:
   a. Wait in the office, Julián.
   b. Go to the library, sir.

2. the alternate **nosotros** command (**vamos a** + infinitive):
   a. Let's visit the bookstore near the theater.
   b. Let's go down to the park.

3. the alternate **vosotros** command (infinitive):
   a. Dance in the gym, children.
   b. Go to your classroom now, boys.

4. the indirect third person commands:
   a. Have Emiliano talk with his father.
   b. Let the girls pass out the paper.

5. the first and second person commands with **que**:
   a. Enjoy your new pencils and pens, Martina.
   b. Let's have fun with the new toys.

6. the impersonal command:
   a. See pages 205–209.
   b. Write the sentences in the notebook.

7. the present indicative as a command:
   a. Copy those words on the board.
   b. Go to the secretary's office.

8. **a** + the infinitive as a command:
   a. Let's find the encyclopedia.
   b. Make your own lunches.

9. the infinitive as a command:

   a. Translate into English.

   b. Fill in the blanks.

10. the negative **vosotros** command:

   a. Don't open your textbooks.

   b. Don't forget your reports.

B. Translate using the indicated methods.

1. **querer** in the present tense:

   a. Will you (do you want to) raise the flag?

   b. Would you (do you want to) put the map on the wall?

2. **querer** in the imperfect:

   a. Did you want to use the yellow chalk?

   b. Did you want to erase the board?

3. **querer** in the conditional:

   a. Would you (would you like to) give me that board eraser?

   b. Would you (would you like to) use this calculator?

4. **querer** in the imperfect subjunctive:

   a. Would you (would you like to) hand me that ruler?

   b. Would you (would you like to) bring me that tape?

5. **poder** in the present:

   a. Can you tell me about your old high school?

   b. Can you take this to the main office?

6. **poder** in the imperfect:

   a. Could you go to the gym with these towels?

   b. Could you take these books to the library?

7. **poder** in the conditional:

   a. Would you be able to visit her class?

   b. Could you stop running in the street?

8. **gustar** in the conditional + the infinitive:

   a. Would you like to go to the movies?

   b. Would you like to sit down?

9. **A ver si** + present tense:

   a. Let's see if you'll make fewer errors.

   b. Try to talk with the principal.

10. present indicative in question form:

    a. Can you talk with the manager about the issue?

    b. Should we meet with the secretary?

11. **hacer el favor de...:**

    a. Do me the favor of asking the nurse for a glass of water.

    b. Do us the favor of turning on the video recorder.

    c. Would you do me the favor of showing me your pictures?

    d. Will you do her the favor of loaning her five dollars?

12. **tener la bondad de** + infinitive:

    a. Would you please be so kind as to put your homework there?

    b. Please use the new schedule.

    c. Would you be kind enough to close the windows?

13. **Sírvase** + infinitive:

    a. Please send the information to our main office.

    b. Please deliver the books to the assistant principal.

14. Adding a tag to the command:

    a. Let's use those pens, okay?

    b. Don't run through the house, all right?

15. Command form with a diminutive direct object:

    a. Give me that chalk, Susana!

    b. Show her that ruler, Javi.

    c. Go to the board, students.

    d. Put it in your jacket, Nicolás.

C. Translate the following commands.

1. Cállense Uds.
2. Vamos a salir.
3. ¡A gozar!
4. Comer, tomar y divertirse.
5. Que lo haga Reinaldo.
6. Que tengan un buen fin de semana.
7. Que vaya Isabela.
8. ¡Viva México!
9. Cúezanse las cebollas.
10. No entrar.

D. Fill in the blanks.

1. **Sírvase** + infinitive is used mainly in _____.
2. Fixed expressions in Spanish that use **tú** imperative forms include: _____, _____, and _____.
3. The infinitive may be used as a command to replace the _____.
4. In informal speech, _____ + infinitive may be used to give commands.
5. The present indicative is sometimes used as an imperative, but only _____.
6. Using **que** before a **tú** command makes the imperative _____.
7. If a subject pronoun is used with a command, its normal position is _____.
8. **Vamos a** + infinitive may be used in place of _____.
9. Some speakers in Spain prefer not to use the _____.
10. To express the idea of letting someone do something, the verb usually _____ the subject.

18. *Ser* and *estar*

Both **ser** and **estar** mean *to be,* but they cannot be interchanged without producing a meaning change. Following are the uses for each verb.

Ser

Uses of ser

- **to express *who* or *what* someone or something is**

¿Qué es eso?	*What is that?*
Es un perro.	*It's a dog.*
Soy maestra.	*I am a teacher.*

- **to express permanent or inherent qualities**

Es negro.	*It is black.*
Son interesantes.	*They are interesting.*
Somos sinceros.	*We are sincere.*

  Included in this category are:

character	Soy sincera.	*I am sincere.*
date	Es el 2 de mayo.	*It is May 2nd.*
material	Son de lino.	*They are (of) linen.*
nationality	Somos panameños.	*We are Panamanian.*
natural traits	Son feroces.	*They are ferocious.*
origin	Es de Colombia.	*He/She is from Colombia.*
possession	Es mío.	*It is mine.*
profession	Son médicos.	*They are doctors.*
purpose	Es para ayudarte ti.	*It is to help you.*
religion	Es católico.	*He is Catholic.*
rich / poor	Son pobres.	*They are poor.*
seasons	Es primavera.	*It is spring.*
the adjective *feliz*	Somos felices.	*We are happy.*
time	Es la una.	*It is 1:00.*
use	Son para escribir.	*They are for writing.*
young / old	Soy joven.	*I am young.*

- **to form the passive voice**

Fue construido por Fabiana.	*It was built by Fabiana.*
Será cantada por el coro.	*It will be sung by the chorus.*
Son presentados por la clase.	*They are presented by the class.*

Note:

When the <u>result</u> of the action is described, **estar** is used. In those cases, the past participle functions as an adjective instead of a verb form.

- Passive voice with **ser** to show action:

  La oficina fue abierta por el director.
  The office was opened by the director.

- Past participle used as adjective with **estar** to describe result:

  Ahora la oficina está abierta.
  Now the office is open.

- **in most impersonal expressions**

Es posible.	*It is possible.*
Es fácil.	*It is likely.*
Es importante.	*It is important.*

- **for functions (when the verb means *to take place* / *to be held*)**

La fiesta será aquí.	*The party will be here.*
La reunión fue en mi casa.	*The meeting was at my house.*
El partido es en Dallas.	*The game is in Dallas.*

- **for objective observations**

El sol es caliente.	*Sun is hot.*
La nieve es blanca.	*Snow is white.*
Así es la vida.	*Life is like that.*

Estar

Uses of estar

- ### for temporary or permanent location (people, places, things)

Estoy en Cancún.	*I am in Cancún.*
Managua está en Nicaragua.	*Managua is in Nicaragua.*
El auto está en el garaje.	*The car is in the garage.*

- ### for distance

Está cerca.	*It is close.*
Está lejos.	*It is far.*

- ### for position

Estoy sentada.	*I am seated.*
Están acostados.	*They are lying down.*
Está parado.	*He is standing.*

- ### for temporary state or condition

Está cansada.	*She is tired.*
Están enfermos.	*They are sick.*
Estás pálida.	*You are pale.*
El té está caliente.	*The tea is hot.*

Note:

Even if the condition appears permanent, **estar** is used if the state or quality resulted from a change.

Está muerto.	*He is dead. (He was not always dead.)*
¡Está tan delgado!	*He is so thin!! (He used to be fat.)*

- ### to form the progressive tenses

Estoy escribiendo.	*I am writing.*
Estaba llorando.	*He/She was crying.*
Estaremos estudiando.	*We will be studying.*

- **for subjective observations**

Este examen está difícil.	*This test is hard (for me).*
Estos guantes están grandes.	*These gloves are big (on me).*
El viaje estuvo largo.	*The trip was long (for me).*

Meaning Changes with *ser* and *estar*

Adjectives and past participles used as adjectives

- **Adjectives that change meaning when used with ser or estar**

  Certain adjectives have one meaning when used with **ser** and another when used with **estar**. Following are some common examples. Note that in every case, **estar** + the adjective refers to a state or condition, while **ser** + the adjective refers to something more inherent or permanent.

	<u>ser</u>	<u>estar</u>
aburrido	*boring*	*bored*
bueno	*good*	*healthy*
callado	*silent / reserved*	*quiet (not noisy)*
decente	*decent / honest*	*presentable / dressed*
despierto	*alert*	*awake*
divertido	*amusing*	*amused*
fresco	*fresh (flippant)*	*fresh (not stale) / cool*
interesado	*selfish*	*interested*
listo	*clever*	*ready*
malo	*bad / mean*	*sick*
seguro	*safe (not dangerous)*	*safe (and sound)*
verde	*green (color)*	*green (unripe)*
vivo	*lively*	*alive*

- **Some adjectives used only with ser**

asombroso	*astonishing*
comprometedor	*compromising*
conocido	*well known, famous*
contemporáneo	*contemporary*
crónico	*chronic*
eterno	*eternal*
ilegítimo	*illegitimate*
ilícito	*illicit*
imposible	*impossible*
improbable	*improbable*
legítimo	*legitimate*
posible	*possible*
probable	*probable*

- **Past participles that are generally used with ser**

considerado	*considerate*
desconfiado	*distrustful*
esforzado	*brave, energetic, strong*
moderado	*moderate*
osado	*bold*
porfiado	*stubborn, opinionated*
precavido	*cautious*

Note:

The participles above are sometimes used with **estar** when a temporary state or way of acting is conveyed, or when a change has occurred. Note the contrast.

Es atrevido.	*He is daring (by nature).*
Está atrevido.	*He is (acting) daring.*
	He is (has become) very daring.

• Some adjectives used only with estar

ausente	*absent*
contento	*contented*
descalzo	*barefoot*
emparentado	*related to someone*
harto	*fed up*
lleno	*full*
muerto	*dead*
perplejo	*perplexed*
presente	*present*
satisfecho	*satisfied*
vinculado	*having good connections*

Impersonal expressions with *ser*

es bueno	*it is good*
es difícil	*it is unlikely*
es dudoso	*it is doubtful*
es fácil	*it is likely*
es un hecho	*it is a fact*
es indispensable	*it is inexcusable*
es necesario	*it is necessary*
es lamentable	*it is regrettable*
es lástima	*it is a shame*
es malo	*it is bad*
es mentira	*it is a lie*
es seguro	*it is certain*
es triste	*it is sad*
es verdad	*it is true*
es una pena	*it is a pity*
es una tontería	*it is nonsense*
es una vergüenza	*it is shameful*

Idiomatic expressions with *estar*

¿A cuánto estamos?	*What's the date?*
Estamos a 23 de agosto.	*It's August 23rd.*
estar a la moda	*to be dressed fashionably*
estar a punto de	*to be about to*
estar de acuerdo	*to be in agreement*
estar de buen humor	*to be in a good mood*
estar de compras	*to be shopping*
estar de guardia	*to be on call / on duty*
estar de mal humor	*to be in a bad mood*
estar de moda	*to be in style / fashionable*
estar de pie	*to be standing*
estar de servicio	*to be on duty*
estar de vacaciones	*to be on vacation*
estar de vuelta	*to be back*
estar en lo cierto	*to be on the right track*
estar listo para	*to be ready for / to*
estar sano y salvo	*to be safe and sound*

Exercises

A. Give 2 original examples of each of the 6 uses for *ser*.

B. Give 2 original examples of each of the 6 uses for *estar*.

C. *Ser* or *estar*? Decide which verb to use, then write a complete sentence that shows the usage indicated.

1. for an objective observation
2. for a temporary state or condition
3. for a temporary location
4. for a function being held
5. for a permanent location
6. for a permanent quality
7. for a subjective observation
8. to form the passive voice
9. in an impersonal expression
10. for position or posture

D. Fill in the blanks with the correct form of *ser* or *estar*.

1. Los pantalones _____ blancos pero _____ muy sucios.
2. Este pollo no _____ muy caliente y ahora la sopa _____ fría.
3. El gazpacho _____ una sopa fría.
4. Adriana _____ muy bonita hoy con su vestido nuevo.
5. Ustedes _____ unos profesores muy inteligentes.
6. Hoy el niño no _____ peinado.
7. Me parece que tú _____ triste esta mañana.
8. Ignacio _____ un niño simpático.
9. —¿Qué hora _____ ?
   — _____ las siete menos cuarto.

10. El clima de Puerto Rico _____ magnífico.

11. _____ cierto; hoy _____ miércoles.

12. _____ la hora para salir y yo _____ listo.

13. Mi papá _____ vendedor de automóviles.

14. Santo Domingo _____ en la República Dominicana.

15. Carlos y Claudio _____ cansados después de jugar tanto.

E. **Choose five of the adjectives that change meaning when used with *ser* and *estar*. Use each adjective in two sentences, one with *ser* and the other with *estar*.**

    Example: Estoy aburrida esta mañana.
               I'm bored this morning.
               Esta clase es aburrida.
               This class is boring.

F. **Translate.**

1. ¡Es asombroso! Está ausente casi siempre.

2. Estoy perplejo. ¿Por qué no soy más conocido?

3. Estamos satisfechos porque estamos muy vinculados.

4. A Ramón le gusta estar descalzo en la nieve. Es valiente.

5. No soy moderado. Así, digo que mi amor es eterno.

6. ¿A cuánto estamos? ¿A 10 de octubre? ¿Puede ser verdad?

7. Está contenta porque está a la moda.

8. Estoy de acuerdo. Es una mentira.

9. Es una pena. Hoy es sábado y mi hermano está trabajando.

G. Fill in the blanks with the correct present tense forms of *ser* or *estar*.

Querida Analía,

Cancún (1) _____ un pueblo increíble. Yo (2) _____ pasando muy buenos momentos aquí. Las playas (3) _____ magníficas y el puerto (4) _____ muy bonito. La tentación de vivir aquí durante todo el año (5) _____ casi irresistible.

Hoy (6) _____ mi último partido de voleibol con mis amigos. No (7) _____ juntos todo el tiempo pero nos vemos cada mañana. Todos (8) _____ muy amables y los partidos con ellos nunca (9) _____ aburridos. Yo (10) _____ muy contenta cuando (11) _____ con ellos.

Ahora nosotros (12) _____ preparándonos para salir para Estados Unidos y (13) _____ una lástima que el verano se termine. Pero así (14) _____ la vida. Anticipo un buen año con mis compañeros de la escuela, que también (15) _____ muy amables, y por eso yo (16) _____ de buen humor. (17) _____ a 24 de agosto y yo (18) _____ lista para empezar la escuela.

Cariños,

Beatriz

19. Reflexive Verbs and Reflexive Usages

For more information on reflexive pronouns, see Part 6, Section 9, Indirect Object Pronouns.

Formation of Reflexive Verbs

A reflexive verb is one whose action refers back to the subject. **Se** is attached to the infinitive of reflexive verbs but the **se** changes to agree with the subject of the verb. The action of the verb is "reflected" back to the subject.

lavarse *to wash oneself*

(yo)	**Me** lavo.	***I*** *wash* ***my****self.*
(tú)	**Te** lavas.	***You*** *(familiar) wash* ***your****self.*
(Ud.)	**Se** lava.	***You*** *(polite) wash* ***your****self.*
(él)	**Se** lava.	***He*** *washes* ***him****self.*
(ella)	**Se** lava.	***She*** *washes* ***her****self.*
(nosotros)	**Nos** lavamos.	***We*** *wash* ***our****selves.*
(vosotros)	**Os** laváis.	***You*** *(familiar) wash* ***your****selves. (Spain)*
(Uds.)	**Se** lavan.	***You*** *(polite / familiar) wash* ***your****selves.*
(ellos)	**Se** lavan.	***They*** *(m.) wash* ***them****selves.*
(ellas)	**Se** lavan.	***They*** *(f.) wash* ***them****selves.*

Placement of reflexive pronouns

1. before a conjugated verb   Me lavo.
   I wash myself.

2. attached to the infinitive   Voy a lavarme.
   (*or* Me voy a lavar.)*
   I am going to wash myself.

3. attached to an affirmative   Lávate.
   command   *Wash yourself.*

4. before a negative command   No te laves.
   Don't wash yourself.

5. attached to the present   Está lavándose.
   participle   (*or* Se está lavando.)*
   *He/She is washing
   himself/herself.*

* Note: In certain cases the reflective pronoun may
precede the auxiliary verb, following the first
placement rule.

Emphatic reflexive pronouns

For emphasis, an extra set of pronouns may be added
after a reflexive verb. These emphatic pronouns, which
are preceded by the preposition **a,** are **mí, ti, sí, nosotros,
vosotros,** and **sí.** A form of **mismo,** which agrees with the
subject, is added for even more emphasis.

Me lavo a **mí** mismo/a.	Nos lavamos a **nosotros** mismos/as.
Te lavas a **ti** mismo/a.	Os laváis a **vosotros** mismos/as.
Se lava a **sí** mismo/a.	Se lavan a **sí** mismos/as.

Uses of Reflexive Verbs and Verbs Used Reflexively

To refer to an action done to oneself

Me lavo.	*I wash myself.*
Te diviertes.	*You amuse yourself.*
Se ve.	*He sees himself.*
Nos vestimos.	*We dress ourselves.*

Many verbs relating to personal grooming involve action done to oneself: **lavarse** (*to wash oneself*), **peinarse** (*to comb one's hair*), **cepillarse** (*to brush one's hair*), **maquillarse** (*to put on makeup*), **vestirse** (*to dress oneself*), **ducharse** (*to shower*), etc.

To express *to get* or *to become*

There are many ways to express the idea of *to get* / *to become*.

- Some verbs, when used reflexively, take on the meaning *to get* or *to become*:

aburrir	*to bore*	aburrirse	to **get** *bored*
alegrar	*to cheer*	alegrarse	to **get** *happy /cheer up*
asustar	*to frighten*	asustarse	to **get** *frightened*
cansar	*to tire*	cansarse	to **get** *tired*
casar	*to marry*	casarse	to **get** *married*
enfermar	*to sicken*	enfermarse	to **get** *sick*
lavar	*to wash*	lavarse	to **get** *washed*
levantar	*to lift*	levantarse	to **get** *up*
mejorar	*to improve*	mejorarse	to **get** *better*
perder	*to lose*	perderse	to **get** *lost*
vestir	*to dress*	vestirse	to **get** *dressed*

Me aburro en su clase.	*I get bored in his/her class.*
Te cansas fácilmente.	*You get tired easily.*
Nos enojamos con él.	*We get angry with him.*

- **Ponerse** is used with adjectives to mean *to get* or *to become*. It is used to indicate a change of mood, physical appearance, or condition.

Me pongo nervioso.	*I get nervous.*
Se está poniendo flaco.	*He's getting skinny.*
Se está poniendo frío.	*It's getting cold.*

- **Volverse** is used with adjectives or nouns to mean *to become*. It is used to indicate involuntary mental or psychological changes.

Se volvió loco.	*He became crazy.*
Se volvieron mentirosos.	*They became liars.*
Se está volviendo complicado.	*It's becoming complicated.*

- The expression **llegar a ser** is used to indicate the result of a slow and possibly difficult change. It means *to become* in the sense of "to manage to become," "to get to be," or "to become eventually."

Llegué a ser jefe.	*I managed to become boss.*
Llegó a ser directora.	*She got to be director.*
Voy a llegar a ser famoso.	*I'm going to become famous.*

- **Pasar a ser** means "to go on to be." Unlike **llegar a ser,** it does not imply difficulty or an extensive lapse of time.

De maestro pasó a ser principal.
From being a teacher he went on to become principal.

De secretaria pasé a ser la jefe.
From being a secretary I went on to become the boss.

- **Convertirse en** means "to become" as in "to turn into."

Su hijo se convirtió en ladrón.	*His son turned into a thief.*
La rana se convirtió en príncipe.	*The frog turned into a prince.*

To change the meaning of the verb

- There are some verbs that take on a slightly different meaning when used with reflexive pronouns. Some of the most common are:

acostar	to put to bed	acostarse	to go to bed
casar	to marry (officiate)	casarse (con)	to get married (to)
despedir	to fire	despedirse (de)	to say good-bye (to)
despertar	to wake (someone)	despertarse	to wake up
dormir	to sleep	dormirse	to fall asleep
levantar	to lift	levantarse	to get up
marchar	to march	marcharse	to walk away
meter	to put in	meterse (en)	to meddle (in)
parecer	to seem / appear	parecerse a	to look like
quedar	to be located	quedarse	to stay / remain
sentar	to seat	sentarse	to sit down

- Sometimes the reflexive verb has a very different meaning from that of the non-reflexive verb. Note the following.

desenvolver	to unwrap	desenvolverse	to get along / do all right
empeñar	to pawn / pledge	empeñarse en	to insist on
gastar	to spend	gastarse	to wear out
llevar	to wear / take / carry	llevarse	to steal / carry off, carry away
negar	to deny	negarse a	to refuse

To make an action seem more intense or total

Verbs of consumption (eating, drinking, etc.), perception, and knowledge can be used reflexively to emphasize the thoroughness of the act. English sometimes uses a preposition to perform this function: to eat *up*, to drink *down*, to read *up on*, etc. This reflexive usage is optional but common when the speaker wishes to emphasize the intensity of the action. Note the contrasts.

Bebió la leche.	He/She drank the milk.
Se bebió la botella entera.	He/She drank (up) the whole bottle.

Leyó por una hora.	*He/She read for an hour.*
Se leyó la obra completa.	*He/She read the complete work.*
Lo aprendí.	*I learned it.*
Me lo aprendí todo.	*I learned it all.*
Conozco Bilbao.	*I know Bilbao.*
Me conozco Bilbao bien.	*I know Bilbao (very) well.*

To express a reciprocal action or state

A verb used reflexively in the plural forms may have a reciprocal meaning, with **nos, os,** and **se** meaning "each other" or "one another."

Nos adoramos.	*We adore each other.*
Os habláis.	*You talk to each other.*
Se odian.	*They hate each other.*

• Because sentences like those above could also mean that the subject is acting upon himself (*we adore ourselves, you talk to yourselves, they hate themselves*), the corresponding form of **el uno al otro** (or **uno a otro**) can be added to show that the reciprocal meaning is intended. Note the difference:

They look at themseleves.

Se miran.

They look at each other.

Se miran el uno al otro.

Se miran uno a otro.
(*two males or one male and one female*)

Se miran la una a la otra.

Se miran una a otra.
(*two females*)

Se miran los unos a los otros.

Se miran unos a otros.
(*three or more males or males and females*)

Se miran las unas a las otras.

Se miran unas a otras.
(*three or more females*)

Notes:

1. If one subject is masculine and the other feminine, the masculine pronouns are used.

    David y Liliana se miran el uno al otro (uno a otro).
    David and Liliana look at each other.

    Luis, Marta, Marcos y Sandra se ven los unos a los otros (unos a otros).
    Luis, Marta, Marcos and Sandra see each other.

2. If a preposition (other than *to*) is involved, the verb is not used reciprocally and the preposition replaces the **a** in the **uno a otro (el uno al otro)** construction.

    No pueden existir el uno sin el otro (uno sin otro).
    They can't exist without each other.

    Nacieron el uno para el otro (uno para otro).
    They were born for each other.

    Peleamos los unos contra los otros (unos contra otros).
    We fight against each other.

Verbs that must always be used reflexively

There are some verbs in Spanish that are reflexive even though their English counterparts are not. These verbs include the following:

abstenerse	*to abstain*
apropiarse (de)	*to take possession of*
apurarse	*to hurry*
arrepentirse	*to repent*
atenerse (a)	*to limit oneself to*
atragantarse	*to choke*
atreverse	*to dare*
comportarse	*to behave*
desmayarse	*to faint*
equivocarse	*to make a mistake*

fijarse (en)	to notice
quejarse (de)	to complain (about)

Exercises

A. Write 10 sentences using a different reflexive verb in each.

B. Translate.
   1. to wash oneself
   2. to go crazy
   3. to dress oneself
   4. to get to be
   5. to amuse oneself
   6. to turn into
   7. to brush one's hair
   8. to insist on
   9. to sit down
   10. to get married

C. Give two original examples for each of the five reflexive uses described in this chapter.

D. List three of each of the following.
   1. emphatic reflexive pronouns
   2. examples of reciprocal actions
   3. reflexive verbs that mean "*to get*"
   4. expressions that mean "*to become*"
   5. verbs that change their meanings when made reflexive

E. Choosing from the categories below, explain why the verbs in sentences 1–15 are used reflexively.

Categories of uses for reflexive verbs:

- for action done to oneself
- to express *to get* or *to become*
- to change the meaning of the verb
- to make an action seem more intense
- to express a reciprocal action or state
- for accidental or unplanned events
- a verb that must always be used reflexively

1. Nos divertimos en la playa.
2. Nunca nos aburrimos durante el verano.
3. Tito siempre se queja del resultado.
4. Nos perdemos fácilmente en Buenos Aires.
5. Alberto y Mónica se buscan el uno al otro.
6. Se me fue la pelota.
7. Pepe se cansa rápidamente.
8. Nacho y Lola se odian.
9. Dolores acuesta a su bebé y luego se acuesta ella.
10. Se durmió después de la cena.
11. Gasté cincuenta dólares por estos zapatos y ya se me gastaron.
12. Se le perdió el bate de béisbol.
13. Me imagino que Antonia se equivoca mucho.
14. Siempre me pierdo.
15. Nos abrazamos uno a otro.

F. Translate.

1. They got married in Lima.
2. We fired him and he said good-bye.
3. It seems that she looks like her mother.
4. He refuses to move to Florida.
5. Manuela marched in the parade **(el desfile)** and I walked away.
6. He seated his guests and then sat down.
7. She always meddled in my affairs **(asuntos)**.
8. He borrows books and then denies it.
9. She got up and lifted (up) the baby.
10. I felt asleep while watching the movie.

20. Additional Uses of the Pronoun *se*

Impersonal Constructions with *se*

The following are additional uses for reflexive verbs, which were introduced in Section 19. These are known as "impersonal constructions with **se**." All three uses are quite similar and have only slight differences in meaning.

Se for an unspecified subject

Se plus the third person singular or plural of the verb is used when the speaker considers it unnecessary or irrelevant to state the subject. This construction is used to express a general situation where the action is carried out by people in general rather than by a specific person. There are several possible translations.

Aquí se puede comer bien.	**You** can eat well here.
	One can eat well here.
	We can eat well here.
	They can eat well here.
	Anyone can eat well here.
	Everyone can eat well here.
	People can eat well here.

This construction is similar to that in English where a teenager says to a parent, "But they're all buying them!" The *they* in question does not refer to anyone specific but rather to people in general. For example:

Se va a las fiestas los viernes.	*"They"* go to parties on Fridays.
Se vuelve a la medianoche.	*"They"* come home at midnight.

Notice that the verbs in the above examples are in the third person singular even though the translation is *they*. If an object is mentioned however, the verb generally agrees with the object.

Se vend**en** discos compactos. (3.p.)   *"They" sell <u>compact discs</u>. (plural)*
Se com**en** tacos. (3.p.)   *"They" eat <u>tacos</u>. (plural)*

Note:

This impersonal construction with **se** is not possible when the verb itself is reflexive because the two **se**'s cannot be placed together. With reflexive verbs **uno** is used in place of the first: **se**.

Uno se levanta tarde.   *One/They/You/etc. get up late.*
Uno se queja mucho.   *One/They/You/etc. complain a lot.*

Se to replace passive voice (with inanimate nouns)

Se plus the third person singular or plural is used with inanimate nouns or pronouns to replace the passive voice. This construction is used only when the agent (the person by whom the action is performed) is <u>not</u> mentioned. It is more impersonal than the passive voice because it is used when the agent is not considered important or relevant. The verb generally agrees with the subject.

Allí se sirven tacos.   *Tacos <u>are</u> served there.*
Aquí se reparan autos.   *Cars <u>are</u> repaired here.*
Eso no se hace.   *That <u>is</u> not done.*
Se dice que...   *It <u>is</u> said that . . .*

- Notice that in the previous examples it is not important <u>who</u> serves the tacos, <u>who</u> repairs the cars, etc. The main point is that the tacos are served, the cars <u>are</u> repaired, etc.

- Sometimes there is no big difference between **se** for an unspecified subject and the passive **se**. The examples below could fit into both categories.

Se comen tacos.	*Tacos are eaten. / They eat tacos.*
Se come tacos.	
Se reparan autos.	*Cars are repaired. / They repair cars.*
Se repara autos.	

- The context of the sentence also determines which type of construction with **se** is being used.

  <u>**impersonal** *se*</u>

Se estudia mucho.	*People/They/You/We/etc. study a lot.*

  <u>**passive** *se*</u>

Se estudian muchos idiomas.	*Many languages are studied.*

Se to replace passive voice (with animate nouns)

In the examples above, it is obvious that the tacos cannot serve themselves, cars cannot repair themselves, etc. If, however, the subject is a person (or possibly an animal), it is conceivable that he could perform the action on himself, in a reflexive usage. Or, two, or more subjects could act on themselves or each other in a reciprocal usage.

El tío se admira.	*The uncle admires himself.*
La maestra se respeta.	*The teacher respects herself.*
Los hombres se pelean.	*The men fight themselves / each other.*

Because of the possibility of the speaker's intended meaning being misunderstood, the passive **se** with people is expressed differently from the passive **se** with things.

things (inanimate nouns)	**people** (animate nouns)
Se bebe limonada.	Se (le) admira al tío.
Lemonade is drunk.	*The uncle is admired.*
Se comen tacos.	Se (las) respeta a las maestras.
Tacos are eaten.	*The teachers are admired.*
Se reparan autos.	Se (les) enseña a los estudiantes.
Cars are repaired.	*Students are taught.*

As you can see, the Spanish language has developed a way of removing the ambiguity that can arise when animate nouns are involved. The **se** is considered the equivalent of *one* and is the subject, the verb is <u>always singular</u>, and the animate noun is marked by a personal **a. Le, les, la,** and **las** may be inserted between the **se** and the verb, but this is optional.

Se (le) ve al niño.	*The boy is seen.*
Se (la) castiga a la niña.	*The girl is punished.*
Se (les) ama a los tíos.	*The uncles are loved.*
Se (las) esconde a las tías.	*The aunts are hidden.*

If there is no animate noun in the sentence, the **le, les, la,** and **las** <u>must</u> be used to indicate the number and gender of the person(s) involved.

Se le admira.	*He is admired.*
Se la respeta.	*She is respected.*
Se les llama.	*They (m./m.and m./f.) are called.*
Se las quiere.	*They (f.) are loved.*

To denote accidental or unplanned occurrences

A construction with **se** is often used when the person does not plan or intentionally carry out an action. **Se** + the third person singular or plural is commonly used when people unintentionally drop, lose, break, forget, etc., things. The verb must agree with the item(s) involved.

Se perdió la llave.	*The key got lost ("lost itself").*
Se perdieron las llaves.	*The keys got lost ("lost themselves").*
Se rompe el vidrio.	*(The) glass breaks ("breaks itself").*
Se rompen las ventanas.	*(The) windows break ('break themselves").*

Use of this construction takes the blame from the person and places it on the item involved. The addition of the indirect object pronouns **(me, te, le, nos, os, les)** indicates that the person is involved and even makes him or her somewhat of a "victim" of the circumstance. The order is **se me, se te, se le, se nos, se os**, and **se les**, and the verb agrees with the item involved rather than with the person. Note the following examples.

Se me perdió la llave.
I lost the key. (The key "lost itself on me.")

Se me perdieron las llaves.
I lost the keys. (The keys "lost themselves on me.")

Siempre se nos rompe el vidrio.
We always break glass. (Glass always "breaks itself on us.")

Se nos rompen siempre las ventanas.
We always break windows. (Windows always "break themselves on us.")

Se les olvidó.
They forgot. (It "forgot itself on them.")

Se les olvidaron los esquís.
They forgot the skis. (The skis "forgot themselves on them.")

Se me fue.
I lost/dropped/forgot/etc. it. (It "went itself from me.")

Se me fueron.
I lost/dropped/forgot/etc. it (They "went themselves from me.")

Exercises

A. Write original sentences with the following.

1. **se** to express passive voice with a plural inanimate noun

2. **se** to express passive voice with an animate noun (m.s.)

3. **se** to mean "one"

4. the impersonal **se**

5. **se** to express passive voice with an animate noun (f.s.)

6. **se** to mean "they" or "people"

7. the passive **se**

8. **se** to express passive voice with a singular inanimate noun

9. **se** to express passive voice with an animate noun (m.p.)

10. **se** to express passive voice with an inanimate noun (f.p.)

B. Fill in the blanks.

1. Se _____ la cena temprano. (cocinar)

2. Se _____ los tigres en ese país. (temer)

3. Se _____ a los generales en ese ejército. (obedecer)

4. Se _____ bien los motores en ese taller. (reparar)

5. Se _____ admira. (a Silvia)

6. Se _____ respeta. (a las enfermeras)

7. Se _____ emplea. (a los trabajadores de esta tienda)

8. Se _____ respeta. (a los ancianos)

9. Se _____ cuida. (a los bebés).

10. Se _____ bien en los Estados Unidos. (vivir)

C. Use the impersonal or passive *se* to translate the following.

1. Tacos are eaten in Mexico.
2. Mineral water is sold in restaurants.
3. People live well in Santiago.
4. Ducks are found near rivers.
5. Bankers are respected.
6. One studies in order to learn.
7. Spanish is spoken here.
8. English and Italian are spoken there.
9. Nurses are employed in hospitals.
10. Flowers are admired in Costa Rica.

D. Translate.

1. Allí se puede nadar.
2. En España se come tarde.
3. Uno se viste bien en nuestra vecindad.
4. Aquí eso no se tolera.
5. Al criminal se le castiga.
6. Se les admira por todo lo que hacen.
7. Se nos perdió la llave.
8. Se hablan muchos idiomas en Europa.
9. Se admira el terno de Raúl.
10. Se estudia después de las clases.

E. Rewrite the following passive-voice sentences using *se*.

1. Con esta cámara la imagen es captada.
2. La mujer es muy admirada en Latinoamérica.
3. Estas comidas son cocinadas a fuego lento.
4. Los perros son amados en los Estados Unidos.
5. El español es hablado en muchos países.

F. **Use the impersonal or passive *se* to translate the following.**

1. How do you say "mother" in Greek?
2. Anyone can visit after 9:00.
3. How do we get out of here?
4. One should respect doctors.
5. Books are sold in bookstores.
6. They dine late in Argentina.
7. Old people are admired in China.
8. You don't do that at Ariel's house.
9. Animals are feared in the jungle.
10. We relax during the summer.

REVIEW EXERCISES— Sections 16–20

A. Section 16: Commands

1. Write the five affirmative and negative commands for:

   a. ejercer   c. lavarse   e. acostarse   g. servir
   b. freír   d. dormirse   f. ser   h. ir

2. Translate.

   a. Give it (m.) to me (**tú**).
   b. Sell it (f.) to her. (**Ud.**)
   c. Let's send them (f.) to her.
   d. Buy it (f.) for me. (**Uds.**)
   e. Let's sing it (f.) to him.

3. Make the commands in #2 negative.

B. Section 17: Additional Information on Commands

1. Give an example of the following:
   a. the subject pronoun with an imperative
   b. the alternate **nosotros** command
   c. the alternate **vosotros** command
   d. an indirect third person command
   e. a second person singular command with **que**
   f. a first person plural command with **que**
   g. an impersonal command
   h. the present indicative as a command
   i. the infinitive as a command
   j. **a** + infinitive as a command

2. Provide original examples of ten ways to soften a command.

C. Section 18: *Ser* and *Estar*

1. List, with original examples, five uses for **ser**.

2. List, with original examples, five uses for **estar**.

3. Fill in the blank with the correct form of **ser** or **estar**.
   a. Debemos salir ahora, Luis. ¿_____ listo?
   b. El viajar por avión no _____ muy seguro.
   c. _____ desconocida con ese peinado, Alicia.
   d. Hoy no te portas bien. _____ muy desobediente.
   e. Siempre _____ de buen humor cuando escribo.
   f. Puebla _____ en México.
   g. El partido _____ en el gimnasio.
   h. Hoy el jugo _____ muy bueno.
   i. Mi coche siempre _____ sucio.
   j. Estas flores _____ para ti, mamá.

4. Translate:

    a. He's always absent. It's astonishing.

    b. She's clever but she's always confused.

    c. My brother is opinionated but he has good connections.

    d. It's a shame, but we're on duty.

    e. I'm not in the mood for jokes, and that's a fact!

D. Section 19: Reflexive Verbs

1. Write original sentences using a different reflexive pronoun in each of the 5 possible positions and translate.

2. Provide original examples for 5 reflexive uses and translate.

3. Use 5 different expressions that mean "to become" in original sentences.

4. Explain, with examples, emphatic reflexive pronouns.

5. Write original sentences contrasting the following.

    a. **negar / negarse**

    b. **volver / volverse**

    c. **gastar / gastarse**

    d. **levantar / levantarse**

    e. **asustar / asustarse**

E. Section 20: Additional Uses of the Pronoun *se* with Verbs

1. Use **se** with the following.
   a. an unspecified subject with a verb in the 3rd person singular
   b. an unspecified subject with a verb in the 3rd person plural
   c. an unspecified subject with a reflexive verb
   d. an inanimate noun to replace passive voice
   e. an animate noun to replace passive voice

2. Fill in the blanks.
   a. Se ____ bien en Quito. (vivir)
   b. A los pintores españoles se ____ admira.
   c. Se ____ enchiladas en México. (comer)
   d. Amanda siempre ____ duerme en la clase de geografía.
   e. Las estrellas se ___ mejor con un telescopio. (ver)
   f. Se ____ para aprender. (estudiar)
   g. Muchos inmigrantes ____ sienten lejos de su patria.
   h. A Nicolás se ____ olvidó comprar leche.
   i. ¡En esta casa se ____ las llaves cada dos por tres! (perder)
   j. Se ____ al público de 9 a 5. (atender)

Grammar

I. Gender

All Spanish nouns are either masculine or feminine.

Masculine

Words that refer to males are masculine.

Words with the following endings are usually masculine:

-o	el pueblo	el escritorio	el libro	el hijo
	town	*desk*	*book*	*son*

Exceptions:

la mano	**la** moto (motocicleta)	**la** foto (fotografía)
hand	*motorcycle*	*photograph*

-aje	el garaje	el oleaje	el equipaje	el paisaje
	garage	*surf*	*luggage*	*landscape*
-án	el refrán	el ademán	el alemán	el haragán
	refrain	*attitude*	*German*	*lazy one*
-ón	el anfitrión	el campeón	el burlón	el patrón
	host	*champion*	*joker*	*patron*
-or	el amor	el calor	el color	el valor
	love	*heat*	*color*	*value*
-ambre	el alambre	el calambre	el fiambre	el enjambre
	wire	*cramp*	*cold cut*	*swarm*
stressed vowels:		el sofá	el rubí	el champú
		sofa	*ruby*	*shampoo*
-ma	el sistema	el programa	el problema	el tema
	system	*program*	*problem*	*theme*

Note:

Many nouns that are derived from Greek and end in **–ma** are masculine. Almost all are very close to their English counterparts. The following are some of the most common:

el anagrama	el dilema	el emblema	el poeta
el aroma	el diploma	el idioma	el problema
el clima	el dogma	el pijama	el síntoma
el coma	el drama	el poema	el telegrama
el diagrama			

- Some other nouns that end in **a** are also masculine. These include:

el cometa	el insecticida	el tranvía
el día	el mapa	el yoga
el extra	el planeta	

Words in the following categories are usually masculine:

days, months, years	el viernes *(on) Friday*	el mes pasado *last month*	el 99 *99*
numbers	el dos *two*	el veintitrés *twenty-three*	el seis *six*
oceans, seas, canals	el Atlántico *Atlantic*	el Caribe *Caribbean*	el Suez *Suez*
rivers, lakes	el Amazonas *Amazon*	el Sena *Seine*	el Titicaca *Titicaca*
cardinal points	el norte *north*	el sur *south*	el este *east*
mountains	el Aconcagua *Mt. Aconcagua*	el Everest *Mt. Everest*	el Etna *Mt. Etna*
trees	el abedul *birch*	el manzano *apple*	el arce *maple*
compound nouns	el abrelatas *can-opener*	el rascacielos *skyscraper*	el cumpleaños *birthday*
infinitives as nouns	el cantar *singing*	el bailar *dancing*	el correr *running*
artists' works	el Rembrandt	el Picasso	el Wyeth
colors	el anaranjado *orange*	el verde *green*	el azul *blue*

Feminine

Words that refer to females are feminine.

Words with the following endings are usually feminine:

-a	la esperanza	la presencia	la pereza	la yegua
	hope	*presence*	*laziness*	*mare*

Exceptions:	**el** día	**el** mapa	**el** planeta
	day	*map*	*planet*

-ción	la lección	la nación	la educación	la acción
	lesson	*nation*	*education*	*action*
-sión	la procesión	la misión	la versión	la tensión
	procession	*mission*	*version*	*tension*
-xión	la inflexión	la conexión	la reflexión	la deflexión
	inflection	*connection*	*reflection*	*deflection*
-ie	la especie	la serie	la superficie	la planicie
	species	*series*	*surface*	*plain*
-dad	la ciudad	la caridad	la universidad	la felicidad
	city	*charity*	*university*	*happiness*
-tad	la libertad	la amistad	la voluntad	la ciudad
	liberty	*friendship*	*will / willpower*	*city*
-tud	la aptitud	la virtud	la juventud	la actitud
	aptitude	*virtue*	*youth*	*attitude*
-umbre	la legumbre	la costumbre	la muchedumbre	
	vegetable	*custom*	*crowd / multitude*	
-itis	la artritis	la bronquitis	la tendinitis	la bursitis
	arthritis	*bronchitis*	*tendinitis*	*bursitis*
-sis	la crisis	la tesis	la diagnosis	la prognosis
	crisis	*thesis*	*diagnosis*	*prognosis*

Exceptions:	**el** paréntesis	**el** énfasis	**el** análisis
	parenthesis	*emphasis*	*analysis*

Words in the following categories are usually feminine:

letters	la a	la be	la ene	la hache
	a	*b*	*n*	*h*
islands	las Malvinas	las Canarias	las Galápagos	las Antillas
time	la una	las tres	las dos y dos	la medianoche
	1:00	*3:00*	*2:02*	*midnight*

Helpful hint:

Notice that the titles of the above categories of feminine words are feminine themselves: **la** letra, **la** isla, **la** hora.

Most of the titles of the masculine categories are masculine: **el** día, **el** mes, **el** año, **el** océano, etc. This information may help you to remember the gender of the words in question.

Special cases with noun gender

Nouns with different forms for each gender

masculine		feminine	
actor	*actor*	actriz	*actress*
caballo	*horse*	yegua	*mare*
duque	*duke*	duquesa	*duchess*
emperador	*emperor*	emperatriz / emperadora	*empress*
gallo	*rooster*	gallina	*hen*
héroe	*hero*	heroína	*heroine*
hombre	*man*	mujer	*woman*
marido	*husband*	esposa	*wife*
poeta	*poet*	poetisa	*poetess*
rey	*king*	reina	*queen*
toro	*bull*	vaca	*cow*
varón	*male*	hembra	*female*
yerno	*son-in-law*	nuera	*daughter-in-law*

Nouns with the same form for each gender

el / la		el / la	
acróbata	acrobat	dentista	dentist
adolescente	adolescent	espía	spy
agente	agent	futbolista	soccer player
artista	artist	guía	guide
astronauta	astronaut	modelo	model
atleta	athlete	nómada	nomad
camarada	comrade	piloto	pilot
cantante	singer	soldado	soldier
colega	colleague	soprano	soprano
creyente	believer	tenista	tennis player
		testigo	witness

Nouns used for both males and females

el ángel	angel
la celebridad	celebrity
la estrella	movie star
la gente	people
la persona	person
el personaje	character
la víctima	victim

Nouns with different meanings for each gender

el capital	capital (money)	la capital	capital (city)
el cólera	cholera (disease)	la cólera	anger
el corte	cut	la corte	court (judicial)
el cura	priest	la cura	cure
el frente	front	la frente	forehead
el guardia	guard (male)	la guardia	guard (female) / group
el guía	guide (male)	la guía	guide (female) / guidebook
el orden	order (arrangement)	la orden	order (group / command)
el papa	pope	la papa	potato
el policía	policeman	la policía	police (force / woman)
el pez	fish	la pez	tar / tar pitch

Masculine article with feminine nouns

The masculine articles **el** and **un** are used immediately before any feminine singular noun that begins with a stressed **a** or **ha**. The gender of the noun remains feminine.

el / un águila	*the / an eagle*	**el / un ha**cha	*the / a hatchet*
el / un alma	*the / a soul*	**el / un ha**da	*the / a fairy*
el / un ama	*the / a housekeeper*	**el / un ha**mbre	*the / a hunger*

> **Exceptions:** **la / una** a *(letter a)*   **la / una** hache *(letter h)*

The feminine article is retained:

- before an <u>un</u>stressed **a** or **ha**:

    la / una ab<u>e</u>ja   *the / a bee*

    la / una haci<u>e</u>nda   *the / a farm*

- when the article is separated from the noun:

    la / una gran alma   *the / a great soul*

- in the plural:

    las / unas águilas   *the / some eagles*

Exercises

A. Provide the definite article and translate the noun.

1. charity
2. town
3. youth
4. surf
5. maple
6. birch
7. vegetable
8. theme
9. lazy one
10. patron
11. shampoo
12. cold cut
13. surface
14. virtue
15. arthritis
16. can-opener
17. ruby
18. species
19. crowd
20. happiness

B. *¿El* or *la*?

1. _____ autopista
2. _____ mediodía
3. _____ clima
4. _____ costumbre
5. _____ amistad

6. _____ esperanza
7. _____ Caribe
8. _____ miércoles
9. _____ siete
10. _____ oeste

C. Label "masculine" or "feminine" and give an example of each.

1. trees
2. artist's works
3. letters
4. musical notes
5. days

6. numbers
7. seas
8. time of day
9. islands
10. cardinal points

11. months
12. years
13. infinitives
14. colors
15. lakes

D. Separate according to gender and translate.

1. mediodía
2. ademán
3. felicidad
4. caridad
5. azul
6. hache
7. medianoche
8. foto

9. legumbre
10. cantar
11. arce
12. norte
13. equipaje
14. valor
15. tema
16. tesis

17. serie
18. poema
19. escritorio
20. alambre
21. jueves
22. salud
23. nación

E. Label "masculine" or "feminine" and translate.

1. águila
2. hache
3. hacha
4. hacienda
5. poeta

6. gente
7. mujer
8. abeja
9. manzano
10. toro

11. emperatriz
12. personaje
13. muchedumbre
14. juventud
15. ángel

F. Provide the appropriate definite article and translate.

1. libro	11. prognosis
2. clima	12. dentista
3. sistema	13. testigo
4. gente	14. modelo
5. garaje	15. gente
6. día	16. persona
7. atleta	17. rascacielos
8. comisión	18. mano
9. boletín	19. voluntad
10. legumbre	20. alma

G. Translate (include the definite article).

1. emperor	6. court (judicial)
2. hero	7. forehead
3. male	8. potato
4. husband	9. priest
5. king	10. housekeeper

H. Provide the corresponding feminine form.

1. duque	5. toro	9. hombre
2. gallo	6. emperador	10. actor
3. varón	7. yerno	11. marido
4. poeta	8. caballo	12. héroe

2. Plurals

Plural forms of nouns and adjectives indicate that there are two or more of the person, place or thing specified. **Number** is the term that is used to refer to whether a noun is singular or plural. To form the plural of a noun in Spanish, some words add **-s,** some add **-es,** and some have no change. Following are the basic rules for the formation of plurals:

Add *-s* in the following cases:

- Words ending in an unaccented vowel:

mesa	mesa**s**	(*tables*)
serie	serie**s**	(*series*)
perro	perro**s**	(*dogs*)
tribu	tribu**s**	(*tribes*)

- Words ending in **é** and one-syllable words ending in **e:**

café	café**s**	(*cafés / coffees*)
té	té**s**	(*teas*)
pie	pie**s**	(*feet*)
be	be**s**	(*b's*)

- Words of more than one syllable ending in **ó:**

dominó	dominó**s**	(*dominos*)
buró	buró**s**	(*rolltop desks*)

Add *-es* in the following cases:

- Words ending in a consonant other than **s** or **x:**

flor	flor**es**	(*flowers*)
papel	papel**es**	(*papers*)

  If the word ends in **-z,** change the **z** to **c** and add **-es:**

luz	lu**ces**	(*lights*)
nuez	nue**ces**	(*nuts*)

- Words ending in an accented vowel + **s**:

francés	frances**es**	(French)
país	país**es**	(countries)
autobús	autobus**es**	(buses)

- Words of one syllable that do not end in **e**:

tos	tos**es**	(coughs)
mes	mes**es**	(months)
sol	sol**es**	(suns)

- Words ending in **á, í,** and **ú**:

jacarandá	jacaranda**es**	(jacaranda trees)
bisturí	bisturí**es**	(scalpels)
ñandú	ñandú**es**	(South American ostriches)

Exceptions:

mamá	mamá**s**	(mothers / moms)
papá	papá**s**	(fathers / dads)
sofá	sofá**s**	(sofas)
menú	menú**s**	(menus)

Note:

In popular speech, the plural of words ending in **á, í,** and **ú** is formed by adding -s rather than -es:

jacarandá**s**	bisturí**s**	ñandú**s**

- Words ending in **y**:

buey	buey**es**	(oxen)
ley	ley**es**	(laws)
rey	rey**es**	(kings)

Accents

When **-es** is added to form the plural, accents may have to be removed, retained or moved according to the following rules. These changes keep the stress uniform in both the singular and plural forms.

- Words ending in **-és, ús, ás, án, ón, ín,** and **ión,** drop the accent in the plural:

francés	franceses	*(French)*	alacrán	alacranes	*(scorpions)*
autobús	autobuses	*(buses)*	burlón	burlones	*(jokers)*
avión	aviones	*(planes)*	nación	naciones	*(nations)*

- Words ending in **í** or **ú** and words with **í** or **ú** in the last syllable keep the accent in the plural. The accent shows that these vowels are pronounced separately and do not form a dipthong when the **-es** is added:

rubí	rubíes	*(rubies)*	laúd	laúdes	*(lutes)*
bisturí	bisturíes	*(scalpels)*	zulú	zulúes	*(Zulus)*
país	países	*(countries)*	baúl	baúles	*(trunks)*
raíz	raíces	*(roots)*	ñandú	ñandúes	*(South American ostriches)*

- Words ending in **-en** <u>add</u> an accent in the plural to keep the stress where it was originally in the singular form:

crimen	crímenes	*(crimes)*	origen	orígenes	*(origins)*
imagen	imágenes	*(images)*	margen	márgenes	*(edges)*

- Three words completely change their stress in the plural:

carácter	caracteres	*(characters)*
espécimen	especímenes	*(specimens)*
régimen	regímenes	*(regimens / diets)*

Words that have no change

- Words of more than one syllable ending in an unstressed vowel + **-s**:

el atlas	los atlas	(*atlases*)
el martes	los martes	(*Tuesdays*)
la crisis	las crisis	(*crises*)
el virus	los virus	(*viruses*)

> **Note:**
>
> In one syllable words ending in **-s** the vowel is automatically stressed. The plural, therefore, is formed by adding **-es**:
>
> | | | |
> |---|---|---|
> | mes | mes**es** | (*months*) |
> | tos | tos**es** | (*coughs*) |

- Words ending in **x**:

el fax	los fax	(*faxes*)
el dúplex	los dúplex	(*duplexes*)
el fénix	los fénix	(*phoenixes*)

- Compound nouns made up of a verb + a plural noun:

el cumpleaños	los cumpleaños	(*birthdays*)
el lavaplatos	los lavaplatos	(*dishwashers*)
el abrelatas	los abrelatas	(*can-openers*)

Family names

- Proper names referring to families have no plural form, but are preceded by **los**.

los García	*the Garcías / García family*
los Rivera	*the Riveras / Rivera family*
los Elizalde	*the Elizaldes / Elizalde family*

Exercises

A. Explain how to form the plurals of the following and give an example for each.

1. compound nouns
2. words of more than one syllable ending in **ó**
3. words ending in **en**
4. words ending in an unaccented vowel
5. words ending in **í**
6. words ending in **x**
7. one-syllable words ending in **e**
8. words ending in **é**
9. words ending in a consonant other than **s** or **x**
10. words ending in **y**

B. Change to the plural.

1. rubí	6. té	11. sol
2. luz	7. lápiz	12. dominó
3. tribu	8. lunes	13. autobús
4. verdad	9. rascacielos	14. lavaplatos
5. fénix	10. café	15. mes

C. Choose from *a, b* or *c* to explain the formation of the plural of the following words.

a. add-*s*
b. add -*es*
c. no change

1. clima	6. martes	11. ciudad
2. ñandú	7. japonés	12. reloj
3. dúplex	8. papel	13. hindú
4. metal	9. miércoles	14. jacarandá
5. ley	10. tos	15. portamonedas

D. Change to the singular.

1. lápices
2. lunes
3. rubíes
4. verdades
5. menús

6. cumpleaños
7. hindúes
8. lecciones
9. fénix
10. meses

11. tesis
12. misiones
13. exámenes
14. jóvenes
15. rascacielos

3. Stress and Accents

Stress indicates which syllable of a word is more pronounced. **Accents** appear on words that do not follow normal stress rules. In order to know how to pronounce a Spanish word and whether it carries a written accent, there are two rules to follow.

Stress Rules

1. Words ending in a **vowel, n,** or **s** stress the next-to-last vowel:

   h**a**bla   import**a**nte   n**i**ño   l**i**bre   t**e**sis   sobresali**e**nte

2. Words ending in a **consonant** other than **n** or **s** stress the last vowel:

   rel**o**j   am**o**r   pap**e**l   fel**i**z   libert**a**d   ciud**a**d   clav**e**l

Note:

Words that are not pronounced according to these rules have a written accent over the vowel that is stressed:

cárcel   miércoles   corazón   Víctor   jóvenes   página

Diphthongs

- A dipthong is a weak vowel (**i, u, y**) combined with a strong vowel (**a, e, o**). The strong vowel dominates the weak one and both are pronounced as one syllable.

   tr**ai**go   r**ei**na   p**ie**l   P**au**la   d**ue**ño   c**uo**ta   histor**ia**

- In words that include dipthongs, the same stress rules apply. The only difference is that the stress falls on a syllable composed of two vowels rather than on a single vowel. In the examples below, the heavy rule (___)

indicates the dipthong and the lighter rule (____) indicates the stressed syllable.

hist<u>o</u>r<u>ia</u> <u>a</u>rd<u>uo</u> cont<u>i</u>n<u>uo</u> Alem<u>a</u>n<u>ia</u> trabaj<u>ab</u><u>ais</u>

Note:

When a weak vowel and a strong vowel appear together but are pronounced separately, a written accent is needed to show which vowel receives the stress. This vowel combination is not a dipthong:

mío baúl aún río fríen oír sonreír país

Accents in Verb Tenses

Present: The *vosotros* form is accented:

habláis coméis vivís

Exceptions:

- *Vosotros* forms of one syllable have no accents:

  sois (ser) dais (dar) vais (ir) veis (ver)

- Verbs ending in **-iar** and **-uar** (but not **-guar**) accent the **i** and **u** in all forms but the first and second plural. The *vosotros* form retains the accent in the usual position (**áis, éis, ís**):

  envío envías envía enviamos enviáis envían
  actúo actúas actúa actuamos actuáis actúan

- **Reír, sonreír,** and **freír** accent the **i** in all forms:

  río ríes ríe reímos reís ríen

Preterite: **Regular** verbs have accents in the first and third person singular:

hablé/habló comí/comió viví/vivió

Irregular verbs have no accents:

fui/fue dije/dijo vine/vino supe/supo

Imperfect:	**-ar** verbs accent the **a** in the first person plural (**-ábamos**):
	hablábamos trabajábamos comprábamos
	-er and **-ir** verbs accent the **i** in all forms:
	comía comías comía comíamos comíais comían
	vivía vivías vivía vivíamos vivíais vivían
	The verbs **ir** and **ser** accent the first syllable in the first person plural:
	íbamos éramos
Future:	All forms but the first person plural carry accents on the endings.
	hablaré hablarás hablará hablaremos hablaréis hablarán
Conditional:	All forms accent the **i**:
	daría darías daría daríamos daríais darían
Imperfect subjunctive:	The vowel before **-ramos** in the first person plural is accented:
	habláramos fuéramos diéramos dijéramos

Accents on Plurals

When a syllable is added to make a word plural, an accent may need to be added or removed in order to keep the stress where it was originally. Note the following cases.

• Words that have an accented vowel in the last syllable generally drop the accent in the plural:

lección / lecciones   inglés / ingleses   burlón / burlones

- Words ending in an accented **é, ó,** or **ú** keep the accent in the plural:

  café / cafés   dominó / dominós   menú / menús

- Words with accented weak vowels keep the accent in the plural:

  país / países   baúl / baúles   dúo / dúos

- Words of more than one syllable that end in **n** and whose last syllable <u>is not</u> stressed add an accent in the plural:

  crimen / crímenes   examen / exámenes

  joven / jóvenes   orden / órdenes

- Three words change their stress in the plural:

  carácter / caracteres   espécimen / especímenes

  régimen / regímenes

- Accented words that are not included in the categories above have the accent in the same place in the singular and plural:

  fácil / fáciles   difícil / difíciles   dólar / dólares   lápiz / lápices

Words with two pronunciations

The following words have two correct pronunciations, one with a written accent and one without.

    cardíaco / cardiaco   dominó / domino   período / periodo

    chófer / chofer   océano / oceano   utopía / utopia

Interrogative words

All interrogative words have written accents in both direct and indirect questions:

Direct questions	Indirect questions
¿Cuándo salen?	No sé cuándo salen.
When do they leave?	*I don't know when they leave.*
¿Dónde está?	Me pregunto dónde está.
Where is he?	*I wonder where he is.*
¿Quién es?	No tengo la menor idea de quién es.
Who is it?	*I haven't the slightest idea of who it is.*

Accented and unaccented words with different meanings

Some words carry a written accent to distinguish them from an identical word that has a different meaning. They are pronounced the same way.

aún	*still / yet*	aun	*even*
cómo	*how*	como	*as / like*
dé	*give*	de	*of / from / about*
él	*he / him*	el	*the*
más	*more*	mas	*but*
mí	*me*	mi	*my*
porqué	*reason why*	porque	*because*
préstamos	*loans*	prestamos	*we loan / lend*
qué	*what*	que	*that / which*
sé	*I know*	se	*himself, herself, etc.*
sólo	*only / solely / just*	solo	*alone / lonely / lone*
té	*tea*	te	*you / yourself*
tú	*you*	tu	*your*

Exercises

A. Answer the following questions.

1. What is a dipthong? Give three examples.
2. What are the three weak vowels?
3. What are the three strong vowels?
4. What syllable is stressed on words ending in **n** or **s**?
5. What syllable is stressed on words ending in other consonants?
6. What syllable is stressed on words ending in vowels?
7. When and why are written accents needed?
8. Why is there no accent on **examen**?
9. Why is there an accent on **exámenes**?
10. Why is the **i** in **reina** not accented?

B. Write the accent if necessary. If there is no written accent, underline the vowel or dipthong that is stressed:

Examples: interés   jóvenes   ni̲ño   ha̲blan
          coméis   me̲sa

1. sobresaliente	6. bailais	11. amor
2. extraordinario	7. sois	12. alfabetico
3. ventana	8. reis	13. reina
4. angel	9. esquias	14. frien
5. traigo	10. actuamos	15. examenes

C. Answer.

1. Why is the **i** in **ríen** accented?
2. Why is a dipthong considered one syllable?
3. Why is **ío** in **mío** not pronounced as one syllable?
4. Why does **francés** have an accent?
5. Why does **franceses** not have an accent?

6. Give an original example of a direct question.

7. Give an original example of an indirect question.

8. What six words have two correct pronunciations?

9. What three words change their stress in the plural?

10. Why are accents important on words such as **dé, él,** and **tú**?

D. Change to the plural with attention to placement or omission of accents.

1. feliz	6. caracter	11. espécimen	16. baúl
2. ciprés	7. régimen	12. corazón	17. país
3. haragán	8. jardín	13. tabú	18. joven
4. pie	9. página	14. crimen	19. papel
5. cárcel	10. reloj	15. interés	20. burlón

E. Translate.

1. lonely, only, alone

2. owner, watch, tribe

3. to fry, to ski, to act

4. I fry, I ski, I act

5. queen, thesis, continuous

6. cardiac, domino, driver

7. how, when, where

8. ocean, period, as

9. skin, interest, quota

10. I bring, I know, I smile

F. Translate.

1. diet / diets

2. specimen / specimens

3. character / characters

4. lesson / lessons

5. exam / exams

4. Definite Articles

The definite articles are **el, la, los,** and **las**. They generally mean *the,* but are used in many other situations. Following are some of the special uses for the definite articles: Additional uses are covered in Section 5.

Uses of definite articles

- With generalities:

El amor es magnífico.	*Love (in general) is magnificent.*
Así son los perros.	*Dogs (as a rule) are like that.*

- With titles:

El doctor García viene.	*Doctor García is coming.*
La señora Palma es maestra.	*Mrs. Palma is a teacher.*

Exceptions:

- The definite article is omitted before titles in direct address:

"Hola, doctor García."	*"Hi, Doctor García."*
"¿Qué pasa, señora Palma?"	*"What's happening, Mrs. Palma?"*

- The definite article is omitted before the titles **don, doña, fray** (*Friar*), **sor** (*Sister*), **San, Santo,** and **Santa** (*Saint*):

Don Quijote es mi héroe.	*Don Quixote is my hero.*
Estudio la historia de Santo Tomás.	*I am studying the history of Saint Thomas.*

- To tell time:

Es la una y media.	*It is 1:30.*
Son las dos y cuarto.	*It is 2:15.*

Exceptions:

- The article is often omitted with **mediodía** (*noon*) and **medianoche** (*midnight*). It is almost always omitted when these words follow the preposition **a**:

  Es medianoche en España.   *It is midnight in Spain.*
  Comemos a mediodía.   *We eat at noon.*

- The article is generally omitted when stating the times between which an event takes place:

  La reunión es de cinco a siete.
  The meeting is from 5:00 to 7:00.
  La clase es desde dos a tres.
  The class meets from 2:00 to 3:00.

- With dates:

  The definite article is generally used when speaking in full sentences of dates of the month:

  Ocurrió el nueve de junio.   *It happened June 9th.*
  Salimos el dos de mayo.   *We leave May 2nd.*

Exceptions:

- The article is omitted in the expression **estamos a**:

  Estamos a 21 de mayo.   *It is (We are at) May 21st.*

- The article may be omitted in the following cases, but its omission is optional:

  — after the verb *ser*:

  Es (el) 17 de junio.   *It is June 17th.*

  The article is omitted in the following cases:

  — when the date follows the day:

  Hoy es martes, 6 de mayo.   *Today is Tuesday, May 6th.*

  — in letter headings or on school papers:

  Ana Báez / INGLÉS / 2 de mayo
  Ana Báez / ENGLISH / May 2nd

- With days of the week:

  The article is used to express *on* or *the*:

Salimos el lunes.	We leave on Monday.
Viene los jueves.	He comes on Thursdays.

Hoy es el viernes
   de que hablamos.
	Today is the Friday
	   of which we spoke.

  ### Exception:

  The article is omitted after the verb **ser** when stating what day it is:

Hoy es lunes.	Today is Monday.

- With seasons and modified months:

  The article is used when speaking of seasons in general and with modified names of months:

El otoño es magnífico.	Autumn is great.
Adoro la primavera.	I adore spring.
El lluvioso abril está aquí.	Rainy April is here.

  ### Exception:

  The article is omitted after the verb **ser** when stating what season it is:

Es otoño en Chile.	It is autumn in Chile.
Aquí es primavera.	It is spring here.

- With years:

  The article is used with the words *next* and *last*, and also when only the last two numbers of the year are mentioned:

El año próximo iré.	Next year I will go.
El año pasado fue bueno.	Last year was good.
Nació en el 31.*	He was born in '31.

  * Notice that the apostrophe is omitted in Spanish.

Use of the article is optional when the full year is named:

Nací en (el) 1948.	*I was born in 1948.*
Se casó en (el) 1995.	*He got married in 1995.*

• With parts of the body, clothing and personal effects:

When the possessor is obvious, the definite article is used in place of **mi, tu,** etc.:

Me lavo la cara.	*I wash my face.*
Se pone la camisa.	*He puts on his shirt.*
Ana saca la cartera.	*Ana takes out her (own) wallet.*

If the part of the body is modified, or if it is the subject of the sentence, the possessive adjective is used instead of the definite article:

Cierra tus bonitos ojos.	*Close your pretty eyes.*
Tu cara es tan preciosa.	*Your face is so precious.*

Exercises

A. Provide *original* sentences for the following categories. Pay special attention to the use or omission of the definite article.

1. Generalities
2. Titles
3. Time
4. Dates
5. Days
6. Seasons
7. Years
8. Body

B. Fill in the blanks using the definite article when appropriate. Use parentheses if the article is optional.

1. _____ odio es terrible.

2. Me encantan _____ perros.

3. _____ sargento Ruiz salió.

4. _____ don Juan es romántico.

5. Es _____ una y media.

6. Leí sobre _____ sor Juana.

7. Son _____ dos de _____ tarde.

8. Adiós, _____ doctor Díaz.

9. Almuerzo a _____ mediodía.

10. _____ San Francisco de Asís es famoso.

11. Odio _____ muerte.

12. Nací en _____ 1948.

13. Hoy es _____ lunes.

14. Siempre baja _____ ojos.

15. Se lava _____ pelo.

16. Es de _____ 8:00 a _____ 11:00.

17. Son _____ tres menos cinco.

18. Amo _____ frío invierno.

19. Es lunes, _____ dos de junio.

20. Estamos a _____ tres de mayo.

21. Nunca voy _____ sábados.

22. Mañana es _____ martes.

23. Esta semana voy _____ jueves.

24. Es _____ lunes que mencionó.

25. Es _____ verano en México.

26. _____ primavera es bonita.

27. Se casó en _____ 85.

28. Tiene _____ ojos negros.

29. Se peina _____ pelo.

30. _____ español es fácil.

C. Translate (with attention to use or omission of the article).

1. Love is important.
2. Professor Echevarría comes on Saturdays.
3. Hate is bad, General Rivas.
4. My eyes always hurt on Mondays.
5. President Kennedy said that respect is important.
6. She covers her head in winter.
7. Today is Friday the thirteenth.
8. He broke his leg last year.
9. Summer is the best season.
10. Sebastián never washes his hands.
11. Autumns are bad for don Reynaldo.
12. Her throat hurts in winter.
13. We leave in December of next year.
14. Beautiful September is my favorite month.
15. I love dogs.

5. Additional Information on Definite Articles

The following are additional uses for the definite articles, which were introduced in Section 4 of this part.

Additional uses of definite articles

- With fields of knowledge:

  The definite article is used when the field of knowledge is:

  — spoken of as a generality.

Adoro las matemáticas.	*I love math.*

  — the subject of the sentence.

El español es interesante.	*Spanish is interesting.*

  — modified.

Lee el griego antiguo.	*He reads ancient Greek.*

Exception:

Use of the article is optional, but it is commonly omitted when a definition is asked or given.

¿Qué es (la) química?	*What is chemistry?*
(La) química es una ciencia.	*Chemistry is a science.*

With languages, use of the definite article is optional, but it is commonly omitted after the following verbs, all of which can be related to learning:

aprender	(*to learn*)	comprender	(*to understand*)
enseñar	(*to teach*)	entender	(*to understand*)
escribir	(*to write*)	estudiar	(*to study*)
hablar	(*to speak*)	leer	(*to read*)
saber	(*to know*)	conocer	(*to be familiar with*)

Hablo (el) español.	*I speak Spanish.*
Estudia (el) griego.	*He/She studies Greek.*

- With countries and geographical areas:

The definite article is commonly used with the following countries:

la Argentina	el Ecuador	el Paraguay
el Brasil	los Estados Unidos	el Perú
el Canadá	la India	la República Dominicana
la China	el Japón	el Uruguay

- As a noun replacement:

The definite article + adjective / adjective phrase may be used to replace a noun that has been omitted.

el azul	*the blue one (m.)*
los grandes	*the big ones (m.)*
el que estudia	*he who studies / the one who studies*

la que canta	*she who sings / the one who sings*
los que aprenden	*those who learn / the ones who learn*
el de seda*	*the silk one (m.) / the one of silk*
la de madera*	*the wooden one (f.) / the one of wood*
el de Pedro*	*Pedro's / the one of Pedro*

* Note that **de** is used with materials (silk, wood, cotton, etc.) and for possession or ownership (Pedro's, my sister's, etc.).

- With streets:

  The definite article is used with words that denote streets:

La Avenida Torres es bonita.	*Torres Avenue is pretty.*
Vive en la calle San José.	*He/She lives on San José Street.*

  Exception:

  No article is used when the street name is used alone:

La escuela está en Torres.	*The school is on Torres.*
Vivimos en San José y Libertad.	*We live at the intersection of San José and Libertad.*

- With weights, measures and rates:

  The definite article is used to express *a* or *per*:

ochenta centavos la libra	*eighty cents a/per pound*
seis dólares la docena	*six dollars a/per dozen*

- With places:

  The definite article is commonly used with the following places, even when the word *the* is not expressed in English:

la cárcel	*prison*	el mercado	*market*
el trabajo	*work*	la iglesia	*church*
el pueblo	*town*	la escuela	*school*

- With meals:

  The definite article is used with meals:

el desayuno	*breakfast*	la cena	*dinner*
el almuerzo	*lunch*	el té	*tea*

- With names:

  The article is used with proper names in the following circumstances:

  —when the name is used as a common noun to describe someone:

Era el Babe Ruth del 2004.	*He was the Babe Ruth of 2004.*
Es el Martin Luther King del siglo.	*He's the Martin Luther King of the century.*

  —when the name denotes a well-known work:

Necesito el Larousse.	*I need the Larousse (dictionary).*
Tiene el Roget.	*He/She is using the Roget (thesaurus).*

  —in informal, colloquial speech, generally to denote contempt (first names or last names may be used):

Llama el Raúl.	*"That" Raúl is calling.*
No me gusta el Ruiz.	*I don't like "that" Ruiz.*

  —to refer to famous female individuals (first names or last names may be used):

La Jennifer es bonita.	*Jennifer (López) is pretty.*
La Cruz es elegante.	*(Penélope) Cruz is elegant.*

  —with modified proper names:

la pequeña Carmen	*little Carmen*
el pobre Mario	*poor Mario*

Note:

The article is often omitted in exclamations even when the name is modified:

¡Pobre Susana!	*Poor Susana!*
¡Afortunado Roberto!	*Lucky Roberto!*

—in epithets or nicknames:

Iván, el Terrible	*Ivan, the Terrible*
Alfonso, el Sabio	*Alfonso, the Wise*
Beatriz, la traviesa	*Beatriz, the rascal*

Note:

The article is omitted in royal or religious titles before a cardinal or ordinal number:

Carlos Quinto	*Charles the Fifth*
Enrique Octavo	*Henry the Eighth*
el Papa Pío Nono	*Pope Pius the Ninth*

Contractions of the definite article

The masculine singular definite article **el** contracts with the preposition **a** to become **al**, and with the preposition **de** to become **del**.

al pueblo	*to/at the town*
del niño	*from/of/about the boy*

Exceptions:

There is no contraction with names of books, stores, businesses, etc., or when the article is part of a person's name.

¿A qué café vas?	*To what café are you going?*
A El Coquí.	*To El Coquí.*
¿De qué libro habla?	*About what book is he speaking?*
De El Quijote.	*About El Quijote.*
¿Qué estás mirando?	*What are you seeing?*
Un cuadro **de El Greco**.	*A painting by El Greco.*

Exercises

A. Provide original sentences for the following categories using the definite article.

1. Meals
2. Weights and measures
3. Fields of knowledge
4. Places
5. Countries
6. Names
7. Noun Replacement
8. Streets

B. Write the definite article (if necessary). Use parentheses if the article is optional.

1. Aprendo _____ japonés.
2. _____ África es grande.
3. Está en _____ cárcel.
4. ¿Qué es _____ química?
5. Come _____ almuerzo.
6. Es _____ Cervantes de 1997.
7. _____ Madonna es famosa.
8. Enrique _____ Octavo.
9. Sirven _____ cena ahora.
10. Enseño _____ español.
11. Está en _____ calle Central.
12. Odio _____ ciencia.
13. _____ griego es fascinante.
14. Veo el libro rojo y _____ azul.

15. Amo la flor amarilla y _____ rosada.
16. Cuesta dos dólares _____ docena.
17. Estudiamos _____ inglés.
18. _____ que estudia aprende.
19. _____ biología es una ciencia.
20. _____ que tratan tienen éxito.
21. Habla bien _____ francés.
22. Vivo en _____ Main. (*Main Street*)
23. Pago 60 centavos _____ libra.
24. Me gusta _____ historia antigua.

C. Translate.
   1. We call her "Alicia, the proud." (*orgullosa*)
   2. It costs six cents an ounce. (*onza*)
   3. He goes into town often.
   4. Pope Paul the Sixth visited Worcester.
   5. She believes that there are dogs in heaven.
   6. That Díaz robbed the bank.
   7. His mother calls him "Guillermo, the terrible."
   8. Oprah has her own (*propio*) program.
   9. We are studying the art of El Greco.
   10. He is the Andy Roddick of Argentina.
   11. "That" Julia is too serious. (*demasiado seria*)
   12. Greek is a beautiful language.
   13. Those who live well, sleep well.
   14. Housekeepers in Africa put the water in bottles. (*botellas*)
   15. The big dog is with Pedro's.

D. **In original sentences, and according to the information in this section, use the following *without* the article.**

1. a language
2. a country
3. a place
4. a street
5. a field of knowledge
6. an exclamation with a modified name
7. weight, measure, or rate
8. a definition

Review Exercises—
Sections 1-5

A. Section 1: Gender

1. List 5 words with different masculine endings and 5 words with different feminine endings.

2. List, with examples, 5 different categories for masculine words and 5 different categories for feminine words.

3. List 5 nouns that change their meanings according to gender and translate both meanings.

4. List and translate 5 nouns with the same form for each gender.

5. Fill in the blanks with the correct definite article:

    a. _____ hadas   d. _____ amistad

    b. _____ alma   e. _____ agua

    c. _____ gran hacienda

B. Section 2: Plurals

1. Give examples (singular and plural) of:

    a. 3 types of words that add **-s** in the plural

    b. 3 types of words that add **-es** in the plural

    c. 3 types of words with no change in the plural

    d. 5 types of words that drop the accent in the plural

    e. 4 types of words that retain the accent in the plural

    f. 3 words that change their stress in the plural

2. Change to the plural.

a. serie	h. flor
b. café	i. autobús
c. dominó	j. luz
d. menú	k. país
e. francés	l. fax
f. buey	m. lavaplatos
g. crimen	n. mes

3. Change to the singular.

a. exámenes	f. ingleses	k. canciones
b. jóvenes	g. aviones	l. burlones
c. jardines	h. flores	m. crisis
d. alacranes	i. atlas	n. soles
e. baúles	j. cruces	o. orígenes

C. Section 3: Stress and Accents

1. List 5 stress and accent rules with 2 examples for each.
2. List 5 words whose meaning change when accents are added.
3. Write the accent on the following words if necessary. If there is no written accent, underline the vowel or dipthong that receives the stress.

a. amor	k. traigo
b. tabu	l. pais
c. clavel	m. calcetin
d. ciudad	n. freir
e. carcel	o. interes
f. feliz	p. sonreir
g. facil	q. pantalon
h. libertad	r. actuar
i. piel	s. cipres
j. pagina	t. alfabetico

D. Section 4: Definite Articles

1. Write 8 examples where the definite article must be used.
2. Write 5 examples where the definite article must be omitted.

3. Fill in the blanks with the definite article when appropriate. Use parentheses if the article is optional.

   a. _____ amor es magnífico.

   b. Nos encantan _____ caballos.

   c. _____ general García llegó.

   d. _____ don Carlos es su hermano.

   e. _____ la una y cuarto.

   f. Son _____ cuatro de la tarde.

   g. Buenos días _____ senor Molina.

   h. Salimos a _____ mediodía.

   i. No me gustan _____ insectos.

   j. Nací en _____ 1988.

E. Section 5: Additional Information on Definite Articles

Give examples of the uses and/or omission of the definite article.

   a. well-known works   f. adjectives to replace nouns

   b. fields of knowledge   g. streets

   c. languages   h. meals

   d. countries   i. weights and measures

   e. places   j. names

6. Indefinite Articles

The indefinite articles are **un, una, unos,** and **unas**. They mean *a* or *one* in the singular and *some, any,* or *approximately* in the plural. Just as the definite article denotes a definite noun, the indefinite article denotes an indefinite noun; *a* man (**un** hombre) is much less definite than *the* man (**el** hombre). Indefinite articles are used less frequently in Spanish than in English.

Uses of the indefinite article

- To express *a* or *one*:

Un muchacho llamó.	*A/One boy called.*
Una mujer salió.	*A/One woman left.*

- To form a noun:

  The indefinite article is used with an adjective or **de** + a noun to mean *a __ one* or *some __ ones*.

uno grande	*a big one (m.)*
una blanca	*a white one (f.)*
unos rojos	*some red ones (m.)*
uno de algodón*	*a cotton one (m.)*
una de seda*	*a silk one (f.)*
unas de madera*	*some wooden ones (f.)*

* Notice that **de** is used with materials.

Note:

For masculine singular, **uno** is used for things, and **un** for people:

Vi **uno** grande.	*I saw a big one (hat, car, etc.).*
Es **un** grande.	*He's a big one (man, boy, etc.).*
Vio **uno** italiano.	*He saw an Italian one (book, bag, etc.).*
Es **un** italiano alto.	*He's a tall Italian (man, boy, etc.).*

- To emphasize:

  The "emphatic" indefinite article is used in exclamations to mean *such* (or *some* in colloquial English).

¡Es un muchacho!	*He's such a boy (some boy)!*
¡Necesito una paciencia!	*I need such patience!*
¡Son unos mentirosos!	*They are such liars!*

- To express *some* or *any*:

  The plural forms **unos** and **unas** mean *some* (and *any* in the negative or interrogative) when the idea of "several" is implied.

Conocí a unos actores.	*I met some actors.*
Vi unas cebras.	*I saw some zebras.*
¿Visitaste a unas amigas?	*Did you visit any friends?*

Notes:

1. In the negative, **ningún/ninguna** is generally used in place of **unos/unas**. The singular is used even when plurals are implied in English.

No conocí a ningún actor.	*I didn't meet any actor(s).*
No vi ninguna cebra.	*I didn't see any zebra(s).*

2. When *some* or *any* is not the equivalent of *several*, and no idea of quantity is implied, the indefinite article is omitted.

¿Tienes fósforos?	*Do you have any matches?*
No tengo bolígrafos.	*I don't have any pens.*

   This is true in the singular as well as the plural.

¿Quieres té?	*Do you want some tea?*
¿Hay mantequilla?	*Is there any butter?*
No quiero agua.	*I don't want any water.*
No hay pan.	*There isn't any bread.*

- To express *approximately:*

  Unos is used with numbers to mean *approximately, around* or *about.*

Usé unos treinta bolígrafos.	*I used approximately 30 pens.*
Tiene unos sesenta años.	*He's around 60 years old.*
Compró unos veinte lápices.	*He bought about 20 pencils.*

Omission of the indefinite article

The indefinite article is generally omitted when the speaker only wishes to identify or point out a noun, rather than emphasize it, individualize it, or make it stand out. The following are the most common situations in which the indefinite article is used in English but generally omitted in Spanish.

1. After verbs of identification with unmodified nouns of classification:

Es profesor.	*He is a professor.*
Se considera experto.	*He considers himself an expert.*
Se llama banquero.	*He calls himself a banker.*

   Some common verbs of identification are:

ser	*to be*
considerarse	*to consider oneself*
llamarse	*to call oneself*
convertirse (en)	*to become (turn into)*
hacerse	*to become (with professions)*

   Some common nouns of classification:

maestro, banquero, etc.	*(professions)*
americano, chino, griego, etc.	*(nationalities)*
republicano, demócrata, etc.	*(political affiliations)*
miembro, secretario, etc.	*(group affiliations)*

Exceptions:

The indefinite article is used in the following circumstances:

- To individualize rather than to simply identify

¡Es un maestro!	He's quite a teacher!
¡Es una artista!	She's a real artist!
¡Soy una autora!	I'm a veritable author!

Note the contrast:

Es médico.	He's a doctor.
¡Es un médico!	He's quite a doctor!

- To tell who someone is rather than what

¿Quién está aquí? Es un médico.	Who is here? It's a doctor.
¿Quién llamó? Fue un banquero.	Who called? It was a banker.
¿Quién entró? Fue un maestro.	Who entered? It was a teacher.

Note the contrast:

¿Qué hace? Es médico.	What does he do? He's a doctor.
¿Quién es? Es un médico.	Who is it? It's a doctor.

- To individualize by modifying the noun

When the profession, nationality, etc., is modified, the indefinite article is used.

Soy una maestra ocupada.	I am a busy teacher.
Es un escritor increíble.	He's an incredible writer.
Eres una mexicana divertida.	You are a funny Mexican.

Note the contrast:

Soy maestra.	I'm a teacher.
Soy una maestra exigente.	I'm a demanding teacher.

2. With certain words that precede the noun:

The indefinite article is omitted with the following:

- **cien / ciento** (*one hundred, a hundred*)

Cien hombres asistieron.	One hundred men attended.
Pagué ciento dos dólares.	I paid one hundred two dollars.

- **mil** (*one thousand, a thousand*)

  | Perdió mil dólares. | *He lost one thousand dollars.* |
  | Te lo dije mil veces. | *I told you a thousand times.* |

> **Note:**
>
> The word **millón** uses the indefinite article + **de** before a noun.
>
> **un** millón **de** dólares   *a million dollars*

- **medio** (*half, one half, a half*)

  | Pasé media hora allí. | *I spent half an hour there.* |
  | Me dio media naranja. | *He gave me half an orange.* |

- **cierto** (*certain, a certain*)

  | Cierto hombre vino. | *A certain man came.* |
  | Cierta mujer visitó la casa. | *A certain woman visited the house.* |

- **otro** (*another*)

  | Necesito otra pelota. | *I need another ball.* |
  | Perdí otro anillo. | *I lost another ring.* |

- **¡Qué... !** *What (a) . . .!*

¡Qué belleza!	*What beauty!*
¡Qué hombre tan guapo!	*What a handsome man!*
¡Qué niña más dulce!	*What a sweet girl!*

- **semejante** *such (a)* – often in a derrogatory sense

  | Nunca vi semejantes tipos. | *I never saw such guys.* |
  | No entiendo semejante cosa. | *I don't understand such a thing.* |

- **tal** *such (a)*

  | ¿Conoces tal ave? | *Are you familiar with such a bird?* |
  | ¿Has visto alguna vez tal cosa? | *Have you ever seen such a thing?* |

Exceptions:

Cien, ciento, mil, otro, and **que** are <u>never</u> used with an indefinite article, but **cierto, medio,** and **tal** sometimes are. Note the following contrasts:

- **cierto**

| En cierto tiempo... | *In the past ...* |
| Tardó <u>un</u> cierto tiempo. | *It took some time.* |

- **medio**

| Voy en media hora. | *I'll go in a half hour.* |
| Voy en <u>una</u> media hora. | *I'll go in <u>one</u> half hour (approximately).* |

- **tal**

| Tal médico entró. | *Such a doctor entered.* |
| <u>Un</u> tal médico entró. | *A "so-called" doctor entered.** |

* Note the derogatory sense.

Notes:

- **Un tal** preceding a name means *"someone by the name of"* or *"some"* in colloquial English.

| Un tal Enrique llamó. | *Someone by the name of Enrique called.* |
| Un tal Ruiz lo vio. | *Someone by the name of Ruiz saw it.* |

- When **cierto, medio,** and **semejante** follow the noun, the indefinite article is used and the meaning changes. Note the following contrasts:

cierto éxito	*a certain (indefinite) success*
<u>un</u> éxito cierto	*a sure success*
media clase	*half a class*
<u>una</u> clase media	*a middle class*
semejante animal	*such an animal*
<u>un</u> animal semejante	*a similar animal*

3. With unmodified nouns after verbs that point out existence or possession of things a person would have only one of at a time:

- The indefinite article is generally omitted—especially in the negative and the interrogative, after the following verbs.

buscar	to look for
haber	to be (with "there": there is / are / were / will be, etc.)
llevar	to wear, bring, carry
poseer	to possess
tener	to have

¿Usa corbata hoy?	Is he wearing a tie today?
No hay fiesta esta noche.	There is no party tonight.
No busco problemas.	I'm not looking for problems.

- When the noun is modified or when the idea of "one" is intended, the indefinite article is used.

¿Tienes un lápiz o dos?	Do you have one pencil or two?
¿Hay una fiesta elegante?	Is there an elegant party?
No busco un problema grande.	I'm not looking for a big problem.

4. After **con** and **sin**:

- The indefinite article is omitted after **con** and **sin** with personal belongings unless there is emphasis on the concept of "one."

Ven con traje de baño.	Come with a bathing suit.
Salió sin gorro.	He went out without a hat.

Exceptions:

- If the concept of number is stressed, the article is used.

Ven con <u>un</u> traje de baño y <u>una</u> toalla.	Come with <u>one</u> bathing suit and <u>one</u> towel.
Vine sin <u>un</u> (solo) lápiz.	I came without <u>a</u> (single) pencil.

- If the noun is modified, the article is used.

Vino con <u>un</u> lápiz roto.	She came with a broken pencil.

5. In proverbs:

- The article is omitted in many proverbs and sayings.

Perro que ladra no muerde.	*His bark is worse than his bite.*
	(A dog that barks doesn't bite.)
Hay gato encerrado.	*There's something fishy.*
	(There is a cat locked in.)

6. With **tener, llevar,** and **vestirse** with clothing and personal items:

Tiene falda y blusa.	*She has a skirt and a blouse.*
Se viste de chaleco.	*He wears / dresses in a vest.*
Lleva mochila.	*She carries a backpack.*

When the noun is modified, or when the idea of "one" is intended, the indefinite article is used.

Tiene <u>una</u> media sola.	*She has <u>one</u> sock only.*
Se viste con <u>un</u> chaleco gris.	*He dresses in a gray vest.*
Tiene (sólo) <u>una</u> cartera.	*She has (only) <u>one</u> wallet.*

7. In negative constructions when quantity is down-played:

No tengo bolígrafo.	*I don't have a pen.*
No dijo palabra.	*He didn't say a word.*

The indefinite article is used to stress the concept of "one."

No dije (ni) <u>una</u> palabra.	*I didn't say (even) <u>one</u> word.*
No hice (ni) <u>un</u> error.	*I didn't make <u>one</u> (single) error.*

8. After the following words when they mean *as*:
como, de, por, a modo de, a manera de

Como resultado de eso...	*As a result of that . . .*
Sirve de guía.	*He serves as a guide.*
Lo usa por manta.	*She uses it as a blanket.*
Lo usa a modo de taza.	*He uses it as a cup.*

9. In titles of works:

Tratado de Ciencias	*A Treatise of Sciences*
Diccionario Internacional	*An International Dictionary*

10. In appositions:

The indefinite article is normally omitted in appositive phrases, especially in written language and if the information is not generally well known. (An appositive is a construction in which a noun is placed with another, between commas, to provide further information.)

> El guaraní, idioma indígena, se habla en varios países de Sudamérica.
>
> *Guaraní, an indigenous language, is spoken in various countries in South America.*

> La Isla Padre, sitio de recreo en Tejas, atrae a muchos turistas cada año.
>
> *Padre Island, a recreational spot in Texas, attracts many tourists every year.*

The indefinite article may be optionally retained in the following circumstances:

- in informal speech

Mi tío, <u>un</u> buen hombre,...	*My uncle, <u>a</u> good man, . . .*
Su casa, <u>una</u> blanca,...	*His house, <u>a</u> white one, . . .*

- if the noun is modified

Marcos, <u>un</u> tipo alto,...	*Marcos, <u>a</u> tall guy, . . .*
El Prado, <u>un</u> museo famoso,...	*The Prado, <u>a</u> famous museum, . . .*

- to add a personal flavor or opinion

Coco, <u>un</u> adorable perro,...	*Coco, <u>an</u> adorable dog, . . .*
Jaime, <u>un</u> amigo mío,...	*Jaime, <u>a</u> friend of mine, . . .*

- to stress the information

Oaxaca, <u>una</u> ciudad bella,...	*Oaxaca, <u>a</u> beautiful city, . . .*
Jésica, <u>una</u> dulce niña,...	*Jésica, <u>a</u> sweet girl, . . .*

Exercises

A. List 5 uses for the indefinite article with original examples.

B. List 5 omissions of the indefinite article with original examples.

C. Translate:
1. One man and two women arrived.
2. The building is a magnificent one.
3. Some teachers work late.
4. That doctor is a smart one.
5. We met some friends.
6. Did you visit any museums?
7. Does the manager have any matches?
8. Doesn't the plumber want any coffee?
9. The photographer is around 30 years old.
10. I saw an eagle.

D. State whether the article is used or omitted and give original examples.
1. in titles of works beginning with "a" or "an"
2. to stress the numerical quantity of "one" or "some"
3. after **a manera de** to mean "as"
4. with verbs like **ser** and a modified noun
5. with **no existe** and an unmodified noun
6. with **haber** in the negative or interrogative
7. to say "a so-called"
8. with **convertirse** and a modified profession
9. with **millón**
10. with **otro**

E. Write the correct indefinite article when necessary.

1. _____ camarera nos atendió.
2. Sólo _____ jefe, el señor Oliveros, entró.
3. El cocinero quiere _____ cuchara pequeña y _____ grande.
4. Tengo _____ dentista en Seattle y _____ en Worcester.
5. Fue a _____ escuela inglesa y a _____ alemana.
6. El chofer es _____ estadounidense.
7. La maestra tiene _____ mesa de madera y _____ de metal.
8. ¡Estoy impresionado! ¡Patricio es _____ muchacho!
9. ¡Caramba! ¡_____ médico necesita _____ paciencia!
10. Conocí a _____ actores.

F. Translate the underlined with attention to use or omission of the article.

1. He's looking for <u>a pencil</u>.
2. There is <u>a big party</u> this weekend.
3. He left without <u>a coat</u>.
4. We didn't tell <u>one single lie</u>. (*mentira*)
5. She works as <u>a waitress</u>.
6. This section of the book serves as <u>a dictionary</u>.
7. We use this cup as <u>a coffee cup</u>. (*taza para el café*)
8. As <u>a result</u> of your work you will pass.
9. Spain has <u>a middle class</u> that is prosperous.
10. <u>A so-called actor</u> called.

7. Subject Pronouns

The subject pronouns, labeled according to person and number, are:

Singular (s.)		Plural (p.)	
first person (1)			
yo	I	nosotros/as	we
second person (2)			
tú	you (informal)	vosotros/as	you (informal) (Spain)
usted	you (formal)	ustedes	you
third person (3)			
él	he	ellos	they (masculine)
ella	she	ellas	they (feminine)

- Although **usted** and **ustedes** are second person subject pronouns, they always take the third person verb conjugations.

- The informal **vosotros/as** is used only in Spain.

- **Ustedes** is the formal *you* in Spain, and the formal and informal *you* in other Spanish-speaking countries.

- Derived from **vuestra merced** ("His Honor" or "Her Grace"), **usted** is often abbreviated to **Ud.,** and less frequently to **Vd.** or **V. Ustedes** is abbreviated to **Uds., Vds.,** or **VV.**

Omission of the subject pronouns

- Because the verb ending usually indicates who the subject is, the subject pronouns are normally omitted. It is even considered incorrect to use or repeat them unnecessarily. Excessive use can seem overly formal or even rude. Notice in the examples below that the subject pronouns are omitted, but the verb endings clearly indicate who the subjects are.

Com**o** mucho.	*I eat a lot.*
Habl**as** español.	*You speak Spanish.*
Bail**amos** bien.	*We dance well.*

• **Usted** and **ustedes** are the only subject pronouns that are usually expressed. They are needed for clarification because they have the same endings as **él/ella** and **ellos/ellas.** **Usted** and **ustedes** are also used to show respect or courtesy. Notice the use and omission of the pronoun in the examples.

Ud. habla.	*You speak.*	(pronoun is used)
Habla.	*He/She speaks.*	(pronoun is omitted)
Uds. comen.	*You eat.*	(pronoun is used)
Comen.	*They eat.*	(pronoun is omitted)

It is up to the speaker to decide whether or not to use **usted** and **ustedes.** These subject pronouns should be used only for clarification, emphasis, or to show respect. Excessive repetition should be avoided once it is clear who the subject is. A good rule of thumb is that the pronoun should not be used more than once in a sentence.

correct:	Ud. ve y ve bien.	*You see and you see well.*
incorrect:	Ud. ve y Ud. ve bien.	*You see and you see well.*

• Subject pronouns refer to people rather than things. If the subject of the verb is *it* in English, no subject pronoun is used in Spanish.

Nieva.	*It snows.*
Me parece...	*It seems to me . . .*
Es bueno que...	*It's good that . . .*

If the subject is *they*, and does not refer to people, no subject pronoun is used.

| Están allí. | (libros) | *They are there.* | *(books)* |
| Son bonitas. | (flores) | *They are pretty.* | *(flowers)* |

Note:

Even though the general rule is that subject pronouns do not replace inanimate nouns (things) or animate non-humans (animals, bugs, trees, etc.), exceptions can be made. If the speaker wishes to personify the inanimate noun, it may be replaced by a subject pronoun, but this practice is rare.

¿Este libro? Él es mi mejor amigo.
This book? It is my best friend.

¿La música? Ella es mi vida.
Music? It is my life.

Likewise, if the speaker wishes to personify an animate non-human noun, the subject pronoun may be expressed. This is common when the speaker has a close relationship with an animal.

¿Este gato? Él es mi amor.　　*This cat? He's my love.*

To say "it is I," "it was she," etc., **ser** is used with the corresponding subject pronoun.

Soy yo.	*It is I.*
Fue ella.	*It was she.*
Son ellos.	*It is they.*

Use of the subject pronouns

• To avoid ambiguity and confusion:

In the imperfect, conditional, pluperfect, and all subjunctive tenses the endings for the first and third person singular are the same. The subject pronoun may be needed to clarify and avoid confusion as to who the subject is.

| Yo dormía y él comía. | *I was sleeping and he was eating.* |
| Él iría y yo me quedaría. | *He would go and I would stay.* |

- To emphasize:

Yo hablo bien.	*I speak well.*
¿Lees tú griego?	Do *you* read Greek?

- To contrast:

Fue él, no ella.	*It was he, not she.*
Tú puedes ir, yo no.	*You can go, not I*

- To add a tone of courtesy **usted** and **ustedes** are used, but not more than once per sentence:

Entren Uds.	*Come in.*
Siéntese Ud.	*Sit down.*
Entren Uds. y siéntense.	*Come in and sit down.*

- To emphasize the speaker's stand with verbs of opinion or knowledge (**pensar, creer, suponer, dudar, saber,** etc.):

Yo lo dudo.	*I doubt it.*
Ella lo sabe.	*She knows (it).*

- To stand alone when answering a question:

¿Quién lo hizo? Yo.	*Who did it? I (did).*
¿Quiénes salieron? Ellos.	*Who left? They (did).*

- To emphasize *we* or *you* followed by a noun:

Nosotros los tíos roncamos.	*We uncles snore.*
Ustedes los hijos mienten.	*You children lie.*

Further notes on subject pronouns

Yo

- **Yo** is almost never expressed because the verb ending clearly indicates the subject. It is used for emphasis, particularly with verbs of opinion or knowledge. The **yo** may follow the verb to add even greater force.

Yo no lo creo.	*I don't believe it.*
¡No lo creo yo!	*I don't believe it!*

Tú

- Like **yo, tú** never needs to be expressed because the verb ending indicates the subject. The **tú** form of the verb (second person singular) is used when the speaker is familiar or intimate with the person being addressed. A good rule of thumb is that if the person would be addressed on a first-name basis the **tú** form would be appropriate.

- The **tú** form is generally used with siblings, classmates, children, pets, and close friends of any age. Teenagers and college students use the **tú** form with their peers even when they don't know each other. (However, if one has a friend who is much older, it is courteous to use the **usted** form.)

- If one switches from the **usted** form to the **tú** form it may be considered patronizing or condescending. During arguments or emotional exchanges, speakers may switch from **tú** to **usted** to stress the emotion they feel at the time.

Usted

- **Usted** is a formal, polite, respectful manner of address that is used as a courtesy with superiors, religious leaders, business associates, older people, casual acquaintances, strangers, and subordinates such as servants. It is used in formal exchanges during meetings, court sessions and business transactions, even if the people conversing are close associates who are normally on a first-name basis.

- Although in some families **tú** is used to address an older relative with whom one is very close, other families use **usted/ustedes** with parents, grandparents, aunts, uncles, and in-laws.

- With regard to using **usted** or the less formal **tú**, customs vary from country to country, region to region, and even family to family. The choice between these two subject pronouns depends mainly on the relationship one has with the person he or she is addressing. Even though the rules may fluctuate under special circumstances, **usted** is considered the universal respectful form in all Spanish-speaking countries. Visitors to these countries, and Spanish students who are unsure of which pronoun to use, should use **usted** until invited to switch to the **tú** form. (The verb **tutear** means to use the **tú** form.)

Vos

- **Vos** is a subject pronoun that is used in place of **tú** in many parts of Latin America. (The noun **voseo** means the use of **vos** to replace **tú**.) Like **tú**, **vos** is an informal manner of address. Its use is accepted as standard only in Argentina, but it is also used in Uruguay, Paraguay, Colombia and in many areas of Central America.

- The **vos** verb forms vary from country to country. **Vos** has its own set of endings for the present tense and the commands, which seem to be a combination of the endings for **tú** and **vosotros**.

Examples:

¿Los tenés vos?	*Do you have them?*
Sentate.	*Sit down.*
Vení cuando podás.	*Come when you can.*
Vení cuando *puedas.*	(The subjunctive may replace the *podás*)

- Anyone visiting a country where **vos** is used should not attempt to use this verb form unless he is sure that he has learned the endings and is sufficiently intimate with the person he is addressing. Because the verb form is so close to the verb form for **tú,** visitors will be understood if they replace **vos** with **tú.**

Nosotros

• **Nosotros** is normally omitted because the verb ending
clearly indicates that the subject is *we*. It is used only
for emphasis (with **nosotras** for females and **nosotros**
for males and mixed company). Even in phrases such
as *we, the people; we, the students*, etc., the **nosotros** may
be omitted.

Vosotros

• **Vosotros** (**vosotras** for females) is the plural of **tú**. It is
used only in Spain, although in Andalucía, a province
in Spain, it has been generally replaced by *ustedes*.
Most Spaniards consider it silly to address children
and pets with the formal **ustedes** form. They therefore
use **vosotros** for any two or more people (or animals)
that would be addressed as **tú** individually.

- Outside of Spain the familiar **vosotros** form is replaced by **ustedes**, even when children and pets are being addressed. For example, one child would be addressed as **tú** and two children would be addressed as **ustedes**.

Compound subjects

Compound subjects are a combination of two or more subjects: *you and I, he and I, we and you*, etc. When dealing with compound subjects, the following rules apply:

- If one of the subjects is first person singular or plural, the verb is first person plural.

Tú y yo cantamos.	*You and I sing.*
Pablo y nosotros vamos.	*We and Pablo are going.*

- In Latin America, if one of the subjects is second or third person singular or plural, the verb is third person plural.

Tú y él cantan.	*You and he sing.*
Ud. y él cantan.	*You and he sing.*
Uds. y él van.	*You and he are going.*

- In Spain, if one of the subjects is second person singular or plural, the verb is second person plural.

Tú y él cantáis.	*You and he sing.*
Vosotros y ellas vais.	*You and they are going.*

- If one of the subjects is third person singular or plural, the verb is third person plural.

Ud. y él cantan.	*You and he sing.*
Uds. y Julia van.	*You and Julia are going.*

- When one subject is familiar and one is polite, the polite plural is used.

Tú y Ud. bailan.	*You dance.*
Vosotros y Uds. van.	*You are going.*

Exercises

A. Write the corresponding subject pronoun.

1. 1.p. (f)
2. 3.s. (f)
3. 3.p. (you)
4. 2.s.
5. 3.p. (f)
6. 1.s.
7. 3.p. (m)
8. 3.s. (you)
9. 2.p. (f)
10. 3.s. (m)

B. True or false? (Correct any false statements.)

1. *Él/Ella* are usually expressed to distinguish them from *Ud.*
2. *Vosotros/as* is used in Spain to show respect.
3. When "we" is followed by a noun, the *nosotros* is optional.
4. *Él* is used to express "he," "she," or "it."
5. *Ustedes* may be abbreviated to *Uds.*, *Vds.*, or *V.*
6. *Es yo* means "It is I."
7. *Ellos* means "they" for people, places and things.
8. *Uds.* is the informal plural "you" outside Spain.
9. Because *Ud.* is needed for clarification, it should be used as often as possible in a sentence.
10. *Vosotros* is derived from *Vuestra merced.*

C. Write the corresponding subject pronoun to the underlined words, if possible.

1. <u>It</u> is snowing.
2. <u>Alberto</u> went to the store.
3. <u>My sweet dog, Pepe,</u> is here.
4. <u>Yolanda and Pablo</u> own the club.
5. <u>Benjamín and I (Isabel)</u> played a match.

6. <u>You, Dr. Pérez, and Walter</u> are invited to the concert.

7. <u>History</u> is important, but boring.

8. <u>You, Tomás, and Cristina,</u> have six cats?

9. <u>The ferocious tigers</u> are out of the cage!

10. <u>You, María, and Dinorah</u> *(Spain)* are excellent singers.

D. List 2 facts about *tú* and 5 about *Ud.* and give original examples for each one.

E. List 2 facts about *voseo* and 5 about *vosotros* and give original examples for each one.

F. List 3 different people or pairs/groups of people that would be addressed by the following subject pronouns:

1. tú

2. Ud.

3. vosotras

4. Uds.

5. vosotros

G. Which subject pronoun would you use to address the following individuals, pairs, or groups?

1. a kitten

2. Girl Scouts in Spain

3. two former teachers

4. your friend and a principal

5. 30 girls and one boy in Spain

6. a female puppy and its mother in Cuba

7. your sister and a college professor

8. your brother and an elected official

9. a second-grade class in Spain

10. your doctor and your niece

H. Translate using the appropriate subject pronoun.

1. Joaquín and I will play while you and Karina watch, sir.
2. You and I study well together, Elena.
3. You and Captain Ruiz have a nice boat, Beatriz.
4. You boys and those girls read a lot. *(Spain)*
5. You boys and those girls read a lot. *(U.S.)*

8. Direct Object Pronouns

The direct object pronoun receives the action of the verb and answers the questions "who?" or "what?".

Nosotros **la** amamos.   *We love **her**.*

Whom do we love? **Her. Her** is the direct object.

Juan **lo** tiene.   *Juan has **it**.*

What does Juan have? **It. It** is the direct object.

The direct object pronouns are:

me	*me*
te	*you (familiar)*
le	*you (polite masculine), him (<u>NOT</u> it!), used mostly in Spain and Mexico*
lo	*you (polite masculine), him, it (masculine), used in Latin America in general*
la	*you (polite feminine), her, it (feminine), used in Latin America in general*
nos	*us*
os	*you (familiar in Spain)*
les	*you (masculine), them (masculine), used mostly in Spain and Mexico*
los	*you (masculine), them (masculine), used in Latin America in general*
las	*you (feminine), them (feminine), used in Latin America in general*

Note:

In Spain as well as in some parts of Mexico and Latin America, le is often used instead of lo, and les instead of los. This is allowed only when the direct object is <u>masculine</u> and <u>human</u>. The use of le is considered correct in both spoken and written Spanish, but les is accepted primarily in spoken Spanish.

Lo and los may be used for all masculine direct objects whether they represent people or things. Those that use lo and los for both people and things pratice "loísmo," and are called "loístas." Those that use lo and los for things, and le and les for people, practice "leísmo" and are called "leístas."

Examples of third person direct object pronouns

	loísmo	*leísmo*
I see **you**. (polite, m.)	**Lo** veo.	**Le** veo.
I see **him**.	**Lo** veo.	**Le** veo.
I see **you**. (polite, f.)	**La** veo.	**La** veo.
I see **her**.	**La** veo.	**La** veo.
I see **it** (m.)	**Lo** veo.	**Lo** veo.
I see **it** (f.)	**La** veo.	**La** veo.
I see **you** (polite, m., plur.)	**Los** veo.	**Les** veo.
I see **them** (m.)	**Los** veo.	**Les** veo.

Position of the direct object pronouns

- Before the conjugated verb:

Te veré.	*I will see you.*
Los llama.	*He calls them.*
La visitan.	*They visit her.*

In compound tenses, the helping verb **haber** and the past participle form a single unit and therefore must never be separated. The object pronoun must precede the form of **haber**. It is <u>never</u> attached to the past participle.

Te he visto.	*I have seen you.*
Los había llamado.	*He had called them.*
La habrían visitado.	*They would have visited her.*

Negative words and their opposites precede the object pronoun.

No **te** veré.	*I will not see you.*
Tampoco **los** llama.	*He doesn't call them either.*
Siempre **la** han visitado.	*They have always visited her.*

- Attached to the infinitive:

Voy a ver**te**.	*I am going to see you.*
Acaba de llamar**los**.	*He has just spoken to them.*
Quieren visitar**la**.	*They want to visit her.*

Notes:

Although the pronoun is often attached to the infinitive, this is not always the case. The following examples will illustrate the proper position of the object pronoun.

- on the infinitive or before the helping verb

When the helping verb is a "true auxiliary," the pronoun may be placed either on the infinitive or before the helping verb. True auxiliary verbs include: **ir** *(to go)*, **venir** *(to come)*, **querer** *(to want)*, **enseñar** *(to teach, show)*, **poder** *(to be able)*, **acabar de** *(to have just)*, and **deber** *(must, should, ought)*.

Voy a ver**te**.	*I am going to see you.*
Te voy a ver.	*I am going to see you.*
Acabo de llamar**los**.	*I have just called them.*
Los acabo de llamar.	*I have just called them.*

- with the "logical" verb

If the conjugated verb is not a true auxiliary verb, the object pronoun accompanies the verb it logically belongs with. Notice in the examples below how the position of the pronoun changes the meaning of the sentence.

Te prometo escuchar.	*I promise you I'll listen.*
Prometo escuchar**te**.	*I promise to listen to you.*
Es útil mirar**nos**.	*It is useful to watch us.*
Nos es útil mirar.	*It is useful for us to watch.*

- before the helping verb

An intransitive verb is one that does not require a direct object. The object pronoun must precede the helping verb when the infinitive is intransitive.

Me hizo salir.	*He made me leave.*
Nos aconsejan trabajar.	*They advise us to work.*
Te obligó a estudiar.	*He made you study.*

- on the infinitive

In certain cases the object pronoun must be attached to the infinitive.

In the expression haber que + infinitive, the object pronouns are always attached to the infinitive, and cannot precede the form of **haber**.

Hay que estudiarlo.	*One must study it.*
Habría que visitarla.	*One should visit her.*
Había que ver**los**.	*One had to see them.*

When the infinitive is the object of a preposition, the object pronoun is attached to the infinitive.

Vine para comprar**lo**.	*I came to buy it.*
Hablé sin ver**la**.	*I spoke without seeing her.*
Soñó con vender**lo**.	*He dreamed of selling it.*

- Attached to the present participle:

Estoy llamándo**te**.	*I am calling you.*
Sigue lavándo**los**.	*He keeps on washing them.*
Continúan visitándo**la**.	*They continue to visit her.*

When pronouns are attached to the present participle, a written accent is required to keep the stress where it was originally.

viendo	viéndo**te**	(by) *seeing you*
lavando	lavándo**los**	(by) *washing them*
visitando	visitándo**la**	(by) *visiting her*
dando	dándolo	(by) *giving it to me*
vendiendo	vendiéndo**los**	*(by) selling them*

Note:

In progessive constructions, the object pronoun may precede the conjugated verb instead of being attached to the participle. The position of the pronoun does not change the meaning of the sentence.

Te estoy hablando.	*I am talking to you.*
Estoy hablándo**te**.	*I am talking to you.*
Los siguen lavando.	*They keep on washing them.*
Siguen lavándo**los**.	*They keep on washing them.*

• When a present participle is used in nonprogressive construction (one without an auxiliary verb), the object pronoun must be attached to the participle, and cannot be used anywhere else in the sentence.

Comprendí mejor el poema leyéndo**lo** en voz alta.	*I understood the poem better by reading it aloud.*

• Attached to affirmative commands:

Bésa**me**, hijo.	*Kiss me, son.*
Láve**los**, señorita.	*Wash them, miss.*
Visíten**la**, señores.	*Visit her, gentlemen.*

If the command itself is more than one syllable, when the pronoun is added an accent must be written over the syllable that was originally stressed. This is because adding the pronoun violates the basic rule for stress.

besa	Bésame.	*Kiss me.*
lave	Lávelos.	*Wash them.*
visiten	Visítenla.	*Visit her.*
leamos	Leámoslo.	*Let's read it.*

If the command is only one syllable, and only one pronoun is added, the stress rule is not violated and no accent is needed.

haz	Hazlo.	*Do it.*
di	Dilo.	*Say it.*

• Directly before negative commands:

No **me** beses, hijo.	*Don't kiss me, son.*
No **los** lave, señorita.	*Don't wash them, miss.*
No **la** visiten, señora.	*Don't visit her, ma'am.*

Exercises

A. Write the appropriate object pronoun.

1. ¿Señor Gutiérrez? No _____ conozco.

2. Las gemelas son muy simpáticas. _____ visité ayer.

3. Vi a Susana y _____ saludé.

4. ¿Los niños? _____ acosté a las ocho.

5. Tengo que enviar estas cartas. Mañana ___ mando.

6. ¿Carolina? No _____ vi.

7. ¿El pan? Felipe ya _____ compró.

8. Ellas no encuentran los mapas. Yo _____ buscaré.

9. Hola, señora. Hace mucho tiempo que no _____ veo.

10. Adiós, señores. _____ veo mañana en la oficina.

B. Translate.

1. He scored a goal but I didn't see it.
2. The pool? I have to fill it.
3. Look at this book. He bought it.
4. She grows flowers and sells them on Sundays.
5. This car is beautiful. I'm going to buy it.
6. Where are my friends when I need them?
7. If you're sick, Mrs. Hernández, we'll visit you.
8. Where is my cell phone? I can't find it.
9. Marcelo won 100 dollars and he spent them on CDs.
10. The sausage is warm. I am going to eat it.

C. Combine the following to create original sentences.

1. the direct object pronoun *te* with a conjugated verb
2. the direct object pronoun *lo* with an affirmative command
3. the direct object pronoun *nos* and a negative command
4. the direct object pronoun *la* and an affirmative command
5. the direct object pronoun *las* and an infinitive

D. Place the object pronoun in the proper position and add any necessary accents.

1. la: No inviten, señores.
2. los: Elisa continúa visitando.
3. lo: Entendí mejor al maestro escuchando con cuidado.
4. las: Mario salió sin ver.
5. te: Yo prometo respetar.

E. Rewrite the sentences, changing the italicized words to direct object pronouns and placing them correctly.

Modelo: Mario vio <u>las películas</u> en casa.
               Mario las vio en casa.

1. Alejandro ha entregado *las tareas* al maestro.
2. No me gusta decir *mentiras*.
3. Pinta *este dibujo*.
4. No compramos *las revistas*.
5. Cristina leerá *el poema*.
6. Mi mamá ahorró *el dinero*.
7. Llevamos *los regalos* a casa de Rosa.
8. Voy a cantar *el himno nacional*.
9. Traiga *las sillas*, por favor.
10. ¿Ya vendiste *tu motocicleta?*

F. Translate.

1. My boss always sends me to Boston.
2. That player? The Red Sox bought him.
3. The teacher directed us to the principal.
4. The boy ate it (*the apple*) in thirty seconds.
5. The new neighbor? We do not know her.
6. Those toys? I'm going to buy them.
7. Don't sell it (*the car*) yet!
8. Those pens are terrible. Let's not use them.
9. The TV does not work but I am going to fix it soon.
10. This book? I have written it just for you, my students.

9. Indirect Object Pronouns

The indirect object pronoun receives the action of the verb indirectly and answers the questions "to whom?," "for whom?," or "from whom?"

Te escribimos una carta.   *We write a letter **to you**.*

To whom did we write the letter? **To you.**
To you is the indirect object

Me hicieron los quehaceres.   *They did the chores **for me**.*

For whom did they do the chores? **For me.**
For me is the indirect object.

Le quité el dinero.   *I took the money **from him**.*

From whom did I take the money? **From him.**
From him is the indirect object.

The indirect object pronouns are:

me	*to, for, or from me*
te	*to, for, or from you (familiar)*
le	*to, for, or from you (polite), to him / to her / to it*
nos	*to, for, or from us*
os	*to, for, or from you (familiar in Spain)*
les	*to, for, or from you / to them*

Examples:

No me habla.	*He/She doesn't talk <u>to me</u>.*
Dale las flores.	*Give the flowers <u>to him / to her</u>.*
Nos quitó las joyas.	*He took the jewels <u>from us</u>.*

Notes:

- Even if the words *to, for,* or *from* are not explicitly expressed in English, but, rather, implied or understood, the indirect object pronoun is called for.

  Me escribe cartas.
  He writes me letters. (He writes letters to me.)

  Te compré el carro.
  I bought you the car. (I bought the car for you.)

  Nos quitó las joyas.
  He took our jewels. (He took the jewels from us.)

- When the indirect object pronoun means *from*, it means that someone is being deprived of something or separated from something.

  Me robó el dinero.   *He stole the money from me.*
  Le quité el libro.   *I took the book from her.*

Position of the indirect object pronouns

- Before conjugated verbs:

  Te hablaré.   *I will speak to you.*

- Attached to infinitives:

  Voy a comprar**le** un CD.   *I'm going to buy her a CD.*

- Attached to present participles:

  Siguen cantándo**me**.   *They keep on singing to me.*

- Attached to affirmative commands:

  Susurrémos**les**.   *Let's whisper to them.*

- Directly before negative commands:

  No **nos** quite el dinero.   *Don't take the money from us.*

Special uses for the indirect object pronoun

With *gustar*

- The verb **gustar** (to be pleasing) is used to express the English verb "to like."

  Me gustan los perros.   *I like dogs. (Dogs are pleasing to me.)*
  Nos gusta la escuela.   *We like school. (School is pleasing to us.)*

- The English subject *I, you,* etc. is indicated by the Spanish indirect object **me, te,** etc.

  Les gusta la naturaleza. *They like nature.*
  Me gustan estos capítulos. *I like these chapters.*

- The third person singular is used if the person likes one thing, and the third person plural is used if the person likes two or more things.

  Nos **gusta** la escuela. *We like school.*
  Le **gustan** los animales. *He/She likes animals.*

- If the person likes to do one or more activities, the third person singular is used.

  Me **gusta** leer, escribir y dibujar.
  I like to read, write, and draw.

- The definite article is used in Spanish even when it is not expressed in English.

  Les gustan **los** caballos. *They like horses.*
  No me gusta **el** invierno. *I don't like winter.*

- The indirect object pronoun may be clarified or emphasized by adding **a** and a prepositional pronoun. (**a mí, a ti, a Ud.,** etc.)

  A ella le gustan las matemáticas. *She likes math.*

- Nouns or proper names must be preceded by **a.** The indirect object pronoun is still required.

  A mi tía **le** gusta ese médico.
  My aunt likes that doctor.

  A Rafael y Pablo les gusta correr las olas.
  Rafael and Pablo like to surf.

Note:

The noun may begin the sentence, follow **gusta,** or end the sentence.

  A mi tía le gusta ese médico.
  Le gusta **a mi tía** ese médico.
  Le gusta ese médico **a mi tía.**

- In negative constructions the negative word precedes the indirect object pronoun.

  ¡**No** te gusta bailar?
  Don't you like to dance?

  Nunca nos gustan los días lluviosos.
  *We **never** like rainy days.*

- **Gustar** may be used in any tense.

  No me **gustó**.   *I **didn't like** it.*

  Te **gustarán** mis ideas.   *You **will like** my ideas.*

- Verbs that follow the **gustar** construction include the following:

disgustar	*to dislike*
encantar	*to love*
fascinar	*to be fascinated by*
faltar	*to be missing*
hacer falta	*to need*
interesar	*to interest*
quedar	*to have left/remaining*
sobrar	*to have left over*

In impersonal expressions

Many impersonal expressions beginning with "it" in English use the indirect object pronoun with the third person singular or plural verb form in Spanish.

Le **basta** ir una vez.
*It's **enough** for him to go once.*

Les **fue necesario** salir.
*It **was necessary** for them to leave.*

Nos **resultó** casi imposible.
*It **was** (turned out to be) almost impossible for us.*

In redundant constructions

Even when the indirect object is a person, the pronoun may be used.

Le di la carta **al maestro**.   *I gave the letter **to the teacher**.*

Les cantamos **a los vecinos**.   *We sang **to the neighbors**.*

Double object pronouns

When a verb has two object pronouns, the indirect object pronoun (usually a person) or reflexive pronoun precedes the direct object pronoun (usually a thing). It may be helpful to think that people are more important than things. This being the case, the pronoun representing the person is placed before the pronoun representing a thing.

Me lo dio.	*He gave it to me. / He gave me it.*
Te los venderemos.	*We will sell them to you. / We will sell you them.*
Nos lo quitaron.	*They took them from us.*

When both object pronouns are third person, the indirect object pronouns **le** and **les** become **se** before **lo, la, los,** and **las.** To clarify the **se,** use **a él, a ella, a Ud., a ellos, a ellas, a Uds.** after the verb.

Se las di (a él).	*I gave them to him.*
Se lo vendió (a ella).	*He sold it to her.*
Se la cantarán (a Ud.).	*They will sing it to you.*

The positions for double object pronouns are the same as those for direct and indirect object pronouns.

Notes:

- Double object pronouns may not be used when the direct object is first or second person. When the direct object is **me, te, nos,** or **os,** the indirect object is expressed by **a él, a ella, ante él, ante ella,** etc.

Me mandó ante él.	*He/She sent me to him.*
Nos dirigió hacia Ud.	*He/She directed us to you.*
Te enviaré ante ellos.	*I will lead you to them.*

- If **me, te, nos,** and **os** are indirect objects, double object pronouns are allowed. Notice the contrast between the examples above and those below.

Me lo mandó.	*He/She sent him to me.*
Nos lo dirigió.	*He/She directed you to us.*
Te los enviaré.	*I will lead them to you.*

- When a reflexive verb is used with an indirect object, the indirect object is usually expressed in a prepositional phrase, rather than with an indirect object pronoun.

Nos presentamos **ante ella**.	*We introduced ourselves to her.*

With **decir, pedir,** and **preguntar,** when what is told, asked for, or asked *is not* specifically stated, double object pronouns are required.

Me lo dijeron.	*They told me (it).*
Se lo pedí.	*I asked him (for it.)*
Nos lo preguntará.	*He/She will ask us (it.)*

The **lo** is omitted when what is told, asked for, or asked *is* stated.

Me dijeron que Ana salió.	*They told me that Ana left.*
Le pedí dos dólares.	*I asked him for two dollars.*
Nos preguntarán la hora.	*They will ask us the time.*

Exercises

A. Write original sentences using 5 indirect object pronouns and 5 double object pronouns in varying positions.

B. Write the appropriate indirect object pronoun.

1. Señor Dimata, _____ daré un aumento de sueldo.
2. No _____ dije a ella la verdad.
3. Vi a Susana y _____ di tus saludos.
4. A los niños _____ regalaron muchas cosas en la fiesta.
5. ¿A Carolina? No _____ dije nada todavía.
6. Felipe _____ pasó el pan a Fernando.
7. Ellas no comprenden el cuento. Yo _____ explicaré la trama (*plot*).
8. Adiós, tíos. _____ deseo un buen viaje.
9. Catalina no tiene bolígrafo. _____ voy a prestar el mío.
10. Píde___ a Rubén su número de teléfono.

C. Translate.

1. The hockey game was great. I'll describe it to you, Pedro.
2. He kicked the ball to us and broke his ankle.
3. My father loves snow. I love it, too.
4. The teacher took points away from her.
5. They stole twenty dollars from us.
6. These horses are beautiful. They fascinate me.
7. I am going to tell her what happened.
8. Give the instructions to him, Eduardo.
9. Mariano does not want to ask her about her job.
10. They gave them a lot of plants.

D. Provide original examples of the following.

1. the indirect object pronoun *me* with a present participle
2. the indirect object pronoun *nos* with an affirmative command
3. the indirect object pronoun *te* with a conjugated verb
4. the indirect object pronoun *me* and a negative command
5. the indirect object pronoun *nos* and an affirmative command
6. an indirect object pronoun with *gustar*
7. an indirect object pronoun in an impersonal expression
8. a direct object pronoun with *decir*
9. a redundant indirect object pronoun
10. an indirect object pronoun with *a* plus a prepositional pronoun

E. Translate with attention to position of the indirect object pronoun.

1. I promise you I'll pass the test, sir.
2. I promise I'll write a letter to you, Federico.
3. It was important for us to get good grades.
4. It wasn't necessary to give the money to him.
5. He made me play basketball.

F. Place the object pronoun in the proper position and add any necessary accents.

1. me: Los jóvenes lo dijeron.
2. le: Nunca es posible decir una mentira.
3. te: Yo prometo cantar.
4. le: Señor, voy a hablar más tarde.
5. la: Siempre hay que visitar.
6. nos: José sigue hablando.

7. la: Mario salió sin ver.
8. te: Yo prometo cantar.
9. les: Margarita no debe mentir.
10. te: Ella lo ha dado.

G. Robert has just bought a new condominium for his family. Express what he does or plans to do before moving, using double object pronouns in place of the words in *italic*.

Modelo: Planea dar *su nueva dirección a sus amigos*.
Planea dár*sela* (a ellos).

1. Devuelve *el cortacéspedes a tu amigo*.
2. Va a vender *sus herramientas a su padrastro*.
3. Piensa cantar *una canción a sus vecinos*.
4. Tiene que entregar *las llaves al nuevo dueño de su casa*.
5. Va a comprar *nuevas camas a sus tres hijas*.
6. Planea dar *sus animales domésticos a su hermana*.
7. Quiere dar *las buenas noticias a sus familiares*.
8. Desea pedir *cajas de cartón al vendedor de la tienda*.
9. Debe mandar *su nuevo número de teléfono a sus parientes*.
10. Tiene que decir *su nombre a sus nuevos vecinos*.

10. Prepositional Pronouns

The prepositional pronouns, labeled according to person and number, are:

1.s.	mí	*me*	**1.p.**	nosotros/as	*us*
2.s.	ti	*you (informal)*	**2.p.**	vosotros/as	*you (Spain)*
	Ud.	*you (formal)*		Uds.	*you*
3.s.	él	*him, it (m.)*	**3.p.**	ellos	*them (m.)*
	ella	*her, it (f.)*		ellas	*them (f.)*
	sí	*him/her/yourself*		sí	*them/yourselves*
	ello	*it/that (neuter)*			

- **Vosotros/as** is informal, and is used only in Spain.

- **Uds.** is formal in Spain, and both formal and informal in other countries.

- The reflexive **sí** (*himself, herself,* etc.) is used when it refers back to the subject. The object of the preposition and the subject are the same person.

- **Mí, ti**, and **sí** combine with the preposition *con* as follows: **conmigo, contigo, consigo.** These words do not change in number or gender.

conmigo	*with me*
contigo	*with you (informal)*
consigo	*with him, with her, with you (formal singular and plural), with them*

- **Consigo** is used in place of **con** + **él, ella, Ud., sí** and their plurals when these pronouns <u>refer back to the</u>

<u>subject of the sentence</u>. It is most commonly used with the verbs **llevar, traer,** and **tener**. Note the contrast:

Jorge sale con <u>ella</u>.	*Jorge goes out with her. (2 people involved)*
Jorge lo tiene <u>consigo</u>.	*Jorge has it with him. (1 person involved)*
Ana va con <u>él</u>.	*Ana goes with him. (2 people involved)*
Ana lo lleva <u>consigo</u>.	*Ana carries it with her. (1 person involved)*

In Latin America **consigo** is generally avoided. **Con Ud., con él, con ella, con Uds., con ellos,** and **con ellas** are used instead.

Lo tiene con él.	*He has it with him.*	*(1 person involved)*
Ana lo lleva con ella.	*Ana carries it with her.*	*(1 person involved)*

- **Ello** means *it* or *that* and refers to a concept or idea that was previously mentioned rather than to a specific tangible noun. It is often replaced by **esto** *(this)* and **eso** *(that)*.

Todo depende de ello.	*Everything depends on it/that.*
Cuenta con ello.	*He counts on it/that.*
Pensaré en ello.	*I will think about it/that.*

- The prepositional pronouns are called *disjunctive* pronouns because they are always separated from the verb. Subject and object pronouns either precede the verb or are attached to it (used in *conjunction* with it), and therefore are called *conjunctive* pronouns.

- Unlike the subject pronouns, the prepositional pronouns **él, ella, ellos,** and **ellas** can refer to things as well as people.

Los puse en ella. (caja)	*I put them in it. (in the box)*
Hablemos de ellos. (carros)	*Let's talk about them. (the cars)*

Uses of prepositional pronouns

- After prepostions:

  The most obvious use of prepositional pronouns is after prepositions.

¿Hablas de mí?	*Are you talking about me?*
Está detrás de Uds.	*It's behind you.*
Voy con ellos.	*I'm going with them.*
Siempre habla de sí.	*He always talks about himself.*
No entiendo nada de ello.	*I don't understand any of that.*
Lo tiene consigo.	*He has it with him.*
Ella sale con él.	*She goes out with him.*
Hay poemas en él. (el libro)	*There are poems in it. (the book)*

Exceptions:

The following prepositions do *not* take prepositional pronouns but instead are followed by <u>subject</u> pronouns.

menos	*except*	salvo	*except*
incluso	*including*	excepto	*except*
según	*according to*	entre	*among / between*

   todos incluso yo   *everybody including me*

   según tú   *according to you*

Additional information on *except:*

- **Menos, salvo, excepto,** and **sino** all mean *but* or *except*

  Menos and **excepto** are the most commonly used. **Salvo** is more formal, has a literary tone, and is used in speeches.

  Todos menos/excepto/salvo yo.   *Everyone but me.*

  Sino is used only in the negative or interrogative.

Nadie sino yo iría.	*Nobody but I would go.*
¿Quién sino tú lo haría?	*Who but you would do it?*

- If words meaning "except" are followed by another preposition, the prepositional pronoun is used rather than the subject pronoun.

Hablé de todos excepto de ti.	*I spoke of everybody but you.*
No lee a nadie menos a mí.	*He reads to nobody but me.*

- For clarification:

  The third person prepositional pronouns are often used with **a** (**a él, a ella,** etc.) to clarify the indirect object pronouns **le** and **les.**

Le daré el dinero **a Ud.**	*I'll give the money to you.*
No le dijo nada **a ella.**	*He said nothing to her.*
Les mandé la carta **a ellos**.	*I sent the card to them.*

- For stress or emphasis:

  The prepositional pronouns (also called *stress* pronouns or *emphatic* pronouns) are used with **a** (**a él, a Uds.,** etc.) to put stress on or emphasize the direct or indirect object pronoun. (In English, the voice is raised for emphasis but this is not done in Spanish.) The use of the prepositional pronouns for emphasis is generally limited to stress <u>human</u> object pronouns.

¿A mí me hablas?	*Are you talking to ME?*
¡Te lo dio a ti!	*He gave it to YOU!*
¡La amo a ella!	*I love HER!*

  Notice in the preceding examples that the prepositional phrase may either precede the object pronoun (**<u>a</u> <u>mí</u> me hablas**) or follow the verb (**te lo dio <u>a ti</u>**). Greater emphasis is conveyed when the prepositional form precedes the object pronoun, and, therefore, the sequence **a mí me..., a ti te...,** etc., is used more frequently than the reverse (**me... a mí, te... a ti,** etc.).

¡A mí me lo dio!	*He gave it to ME!*	*(most stress)*
Me lo dio a mí.	*He gave it to ME.*	*(some stress)*

- To contrast two object pronouns:

  When the verb refers to two or more pronouns, the prepositional pronouns are used to show contrast.

  No me escribió a mí, sino a ellos.
  He didn't write to me, but to them.

  Él no la oyó a ella, ni ella a él.
  He didn't hear her, nor she him.

Le quité dinero a ella, pero no a él.
I took money from her, but not from him.

- To replace an object pronoun when there is no verb:

  The direct and indirect object pronouns can only be used with verbs. When there is no verb the prepositional pronouns are used instead.

¿A quién no le gusta?	*Who doesn't like it?*
A ella.	*She doesn't.*
Eso les molesta.	*That bothers them.*
A mí también.	*Me too.*
¿A quién habla?	*To whom is he speaking?*
A ti.	*To you.*

- With verbs of motion:

  With verbs of motion (*come, go, turn, approach*, etc.) the prepositional pronouns are used to express the direction or destination of the movement.

Me volví hacia ella.	*I turned to her.*
Fue hacia ellos.	*He went to them.*
Se acercó a mí.	*He approached me.*

Notes:

- With the verb **acercarse** the indirect object pronoun is often used in place of the prepositional phrase, especially in Latin America. The indirect object follows the **se**. Remember that with double object pronouns the order is reflexive – indirect – direct.

Se **me** acercó. / Se acercó **a mí**.	*He approached me.*
Se **le** acercaron. / Se acercaron **a él**.	*They approached him.*

- Because **le** and **les** are ambiguous, the extra **a** + the prepositional pronoun (**mí, ti, usted,** etc.) may be added for clarification.

Se le acerca a él.	*He approaches him.*
Se le acerca a ella.	*He approaches her.*

- In informal speech when **venir** and **ir** are used
  <u>figuratively</u> (with no real movement involved),
  the indirect object pronoun may be used in place
  of the prepositional phrase. This is done when the
  person does not <u>physically</u> approach another but
  rather bothers him or "cries on his shoulder."

Me viene con mentiras.	*He comes to me with lies.*
No le vayas con problemas.	*Don't go to him with problems.*

- With first and second person direct object pronouns:

  When the <u>direct</u> object pronoun is first or second
  person **(me, te, nos, os)** and the <u>indirect</u> object pronoun
  is third person **(le, les)**, the indirect object pronoun is
  replaced by a prepositional phrase (**a** + the pronoun).
  Double object pronouns are not allowed.

Me presentó a él.	*He introduced me to Carlos.*
Te mandaré a ella.	*I will send you to Carmen.*
Nos recomendó a ellos.	*She recommended us to them.*

  When the direct object is third person **(lo, la, los, las)**
  double object pronouns are used, with the indirect
  preceding the direct.

Me lo presentó.	*He introduced him to me.*
Te la mandaré.	*I will send her to you.*
Nos los recomendó.	*She recommended them to us.*

- With **se** as the direct object:

  When the direct object is **se**, the indirect object
  is generally expressed by **ante** or **a** + the
  prepositional pronoun.

  Se presentó ante mí.
  He presented himself to me.

  Se recomendó ante ellos.
  She recommended herself to them.

  Se dirigieron a ella.
  They addressed (directed themselves to) her.

Prepositions

Common prepositions

ante	before / in the presence of	menos	except
bajo	under	para	for / in order to
con	with	por	for / through/ by
contra	against	salvo	except / save
desde	from / since	según	according to
entre	between / among	sin	without
hacia	toward	sobre	on / over / about
hasta	until / up to / as far as	tras	after / behind

Common prepositional phrases

a causa de	because of	en contra de	against
a diferencia de	unlike	en cuanto a	with regard to
a excepción de	except	en lugar de	in place of
a manos de	at the hands of	en medio de	in the middle of
a pesar de	in spite of	en vez de	instead of
acerca de	about	encima de	on top of
además de	besides	en frente de	opposite
cerca de	near	frente a	in front of
debajo de	under	fuera de	outside of
detrás de	behind	junto a	next to

Verbs that require prepositions

acercarse a	to approach
acordarse de	to remember
acostumbrarse a	to be accustomed to
alejarse de	to go away from
apoyarse en	to lean on
aprovecharse de	to take advantage of
burlarse de	to make fun of
cansarse de	to get tired of
casarse con	to marry
confiar en	to rely on / to trust in
contar con	to count on

convertirse en	to become / convert to
depender de	to depend on
despedirse de	to say good-bye to / to take leave of
encargarse de	to take charge of
encontrarse con	to run into / meet by chance
enterarse de	to find out about
fiarse de	to trust
fijarse en	to notice / stare at
ocuparse de	to be busy with / to attend to
olvidarse de	to forget about
parecerse a	to resemble
pasar por	to be considered as
pensar de	to think of (opinion)
pensar en	to think about
preguntar por	to inquire about
preocuparse de / por	to worry about
quejarse de	to complain about
reírse de	to laugh at
soñar con	to dream about
tratarse de	to have to do with/ to be a question of
tropezar con	to come upon / run into, bump into

Exercises

A. Write the appropriate prepositional pronoun for the following.

1. me
2. us (f)
3. it (m)
4. himself
5. you (informal, f.p.)
6. them (f)
7. yourself (familiar singular)

8. that

9. it (neuter)

10. themselves

B. Pair each of the above with a different preposition and use in original sentences.

C. List.

1. 5 prepositions

2. 5 prepositional phrases

3. 3 verbs that require *a*

4. 5 verbs that require *con*

5. 5 verbs that require *en*

D. Translate.

1. against me	6. because of you, sir
2. for him	7. in spite of you, professors
3. without us	8. near them (f)
4. with her	9. with regard to you (all)
5. after you, my son	10. next to her

E. Translate.

1. Me parezco a ella.	6. Se enteraron de ella.
2. Va a casarse con él.	7. Siempre pienso en él.
3. Se asemeja a mí.	8. ¿Qué piensas de él?
4. Puedo contar contigo.	9. Ella se queja de ti.
5. Me acuerdo de ellos.	10. Preguntaba por Ud.

F. Use in original sentences and translate.

1. esto	4. él (prepositional pronoun)
2. eso	5. ella (prepositional pronoun)
3. ello	

G. Fill in the blanks with the appropriate pronouns.

1. Nos lo dijo a _____ .
2. _____ mando muchas cartas a ellos.
3. ¿A _____ me hablas?
4. No la oigo a _____ .
5. Les quité dinero a _____ . *(them)*
6. _____ vimos a ella.
7. La amamos a _____ .
8. Te lo dio a _____ .
9. Le daré el libro a _____ . *(you)*
10. A _____ me lo vendió.

H. Answer.

1. Which two sentences from Exercise G are most emphatic?
2. When the direct object is *se*, how is the indirect object pronoun usually expressed?
3. Which type of pronouns are used with verbs of motion?
4. In Latin America, which types of pronouns are used with *acercarse*?
5. When *ir* and *venir* are used figuratively, which type of pronouns may replace the prepositional pronouns?
6. When the direct object pronoun is *me, te, nos,* or *os,* how is the indirect object expressed?
7. Which six prepositions take the <u>subject</u> pronoun?
8. Which four prepositions mean "but" or "except"?
9. What are four translations for "except for"?
10. Which type of pronouns are used when *menos* and *excepto* are followed by another preposition?

I. Give one example for numbers 3–10 in Exercise H.

Review Exercises— Sections 6–10

A. Section 6: Indefinite Articles

1. List 5 uses for the indefinite article with original examples.

2. List 5 omissions of the indefinite article with original examples.

3. List 5 instances where the use of the indefinite article is optional.

B. Section 7: Subject Pronouns

1. Fill in the blanks.

    a. *Usted* is abbreviated as *Ud.*, *Vd.*, or _____.

    b. It is considered _____ to use subject pronouns excessively.

    c. _____ and _____ are usually the only subject pronouns that are expressed.

    d. If the subject of the verb is "it" in English, _____ is used in Spanish.

    e. _____ is used with *yo* to say "It is I."

    f. College students generally use the _____ form to address each other regardless of whether or not they are friends.

    g. *Voseo* means _____.

    h. Spaniards consider it silly to address children with the _____ form.

2. Replace the underlined with subject pronouns (if possible).

    a. <u>Our little dog Stella</u> is pretty affectionate.

    b. <u>We aunts</u> are like that!

    c. <u>You</u> need a new dog, Luis and Sandra.

    d. <u>The baby squirrel</u> fell out of its nest.

C. Section 8: Direct Object Pronouns

1. Fill in the blanks.

 a. Those that use **lo** and **los** for both people and things practice _____.

 b. An intransitive verb is one that _____.

 c. If the conjugated verb is not a true auxiliary verb, the object pronoun accompanies _____.

 d. _____ means "you" and "him," but not "it."

 e. When pronouns are attached to the present participle, a _____ is required.

2. Use 5 auxiliary verbs in original sentences.

3. Give original examples of the 5 possible positions for direct object pronouns.

4. Write the correct direct object pronoun.

 a. No _____ llamé. (a Julio)

 b. Dame_____. (la agenda)

 c. Quiero que _____ traigas enseguida. (los materiales)

 d. ¿A qué hora _____ viste? (las amigas)

D. Section 9: Indirect Object Pronouns

1. Fill in the blanks.

 a. Double object pronouns may not be used when the _____ is first or second person.

 b. With double object pronouns, the indirect object pronoun generally represents a _____.

 c. When two object pronouns are used together, *le* and *les* become _____.

2. Using 5 different combinations of pronouns and 5 different positions, give original examples of double object pronouns.

3. Write the correct indirect object pronoun.

    a. Envía_____ los pasajes. (a tus padres)

    b. ¿_____ la prestas o compro una? (a mí)

    c. Quiero que _____ los traigas enseguida. (a él)

    d. ¿A qué hora _____ serviste el desayuno? (a ella)

E. **Section 10: Prepositional Pronouns**

   1. Fill in the blanks.

    a. The third person singular reflexive prepositional pronoun is _____.

    b. *Conmigo* does not change in _____ or _____.

    c. In Latin America, *con* _____ is generally avoided.

    d. *Ello* means _____ or _____.

    e. The prepositional pronouns are called _____ because they are separated from the verb.

    f. Unlike the subject pronouns, the prepositional pronouns can refer to _____.

    g. What *menos, incluso,* and *según* have in common is that _____.

    h. The prepositional pronouns are also called _____ or _____ pronouns.

    i. With *acercarse,* the _____ often replaces the prepositional pronoun.

    j. *Menos, salvo, excepto,* and *sino* all mean _____.

   2. List 3 verbs that precede each of the following.

    a. a   c. de   e. por

    b. con   d. en

   3. Use 5 prepositional phrases in original sentences.

II. Adjective Agreement

Adjectives are used to describe nouns and must agree with the nouns that they modify. Because nouns are masculine or feminine and singular or plural, the adjectives that modify them usually have the same forms. This is called adjective agreement. The following are guidelines for agreement of adjectives.

Formation of feminine forms from masculine forms

1. Adjectives that end in **-o:** change the **-o** to **-a.**

   | rojo | roja | *red* |
   | ancho | ancha | *wide* |

2. Adjectives that end in the suffixes **-án, -ón, -ín,** and **-dor:** add **-a.**

haragán	haragana	*lazy*
burlón	burlona	*mocking*
chiquitín	chiquitina	*little one*
trabajador	trabajadora	*hard-working*

   Note that the accent on **-án, -ón,** and **-ín** is dropped when the **-a** is added because the stress then falls naturally on the next-to-last vowel.

3. Comparative adjectives that end in **-or** are invariable; their masculine and feminine forms are the same.

   | mejor | *better* |
   | peor | *worse* |

Comparative adjectives ending in **-or** include the following:

anterior	*earlier*
exterior	*exterior*
inferior	*inferior*
interior	*interior*
mayor	*older/greater*
menor	*younger/lesser*
posterior	*later*
superior	*superior*
ulterior	*farther, subsequent*

4. Adjectives of nationality ending in a consonant: add **-a** for the feminine form.

inglés	inglesa	*English*
alemán	alemana	*German*
español	española	*Spanish*

5. Some adjectives of nationality ending in a vowel are invariable and use the same form for masculine and feminine nouns.

belga	*Belgian*
costarricense	*Costa Rican*
estadounidense	*from the United States* (Estados Unidos)

Note:

Adjectives of nationality are never capitalized in Spanish.

6. Although adjectives that end in **-e** are usually invariable in both genders, adjectives that end in **-ete** and **-ote** change the **-e** to **-a** in the feminine form.

pobrete	probreta	*poor/wretched*
regordete	regordeta	*chubby/plump*
feote	feota	*ugly/quite ugly/big and ugly*

7. Adjectives that have the same form for both genders include the following:

- those that end in **-a** (Many are of Greek origin.)

alerta	*alert*
azteca	*Aztec*
extra	*extra*
indígena	*indigenous*

- those that end in **-ista** or **-ita**

capitalista	*capitalist*
cosmopolita	*cosmopolitan*

- those that end in **-e, -ú,** and **-í**

clave	*key*
dulce	*sweet*
grande	*big*
rubí	*ruby*
tabú	*taboo*

- most adjectives that end in a consonant other than **-n**

azul	*blue*
cortés	*courteous*
feliz	*happy*
fiel	*faithful*
leal	*loyal*
popular	*popular*

Note:

Remember that adjectives that end in **-dor**, and nationalities that end in **-és**, even though they do end in consonants, add **-a** to form the feminine.

hablador	habladora	*talkative*
francés	francesa	*French*

Formation of plural forms

1. Adjectives that end in a vowel add -s to form the plural.

belga	belgas	Belgian
libre	libres	free
rojo	rojos	*red*

Note:

Those that end in a stressed -í or -ú add -es. In popular speech, -s is added, but -es is preferred in written form.

| iraní | iraníes/iranís | *Iranian* |
| hindú | hindúes/hindús | *Hindu* |

2. Adjectives that end in a consonant add -es to form the plural.

hablador	habladores	*talkative*
mayor	mayores	*older*
español	españoles	*Spanish*
natural	naturales	*natural*

3. Adjectives that end in -z change the -z to -c and add -es.

| feliz | felices | *happy* |
| andaluz | andaluces | *Andalusian* |

4. Adjectives that end in an accented vowel + n or s drop the accent and add -es.

haragán	haraganes	*lazy*
llorón	llorones	*weeping*
bailarín	bailarines	*dancing*
francés	franceses	*French*
cortés	corteses	*courteous*

5. Adjectives that have an accent on a syllable other than the last keep that accent in the plural.

difícil	difíciles	*difficult*
fácil	fáciles	*easy*
rápido	rápidos	*rapid*

6. Adjectives that have an unaccented last syllable + n add an accent to retain the original stress.

| joven | jóvenes | *young* |
| examen | exámenes | *exams* |

Adjectives that do not agree with the noun

1. The following adjectives are also considered nouns and have the same form in the masculine, feminine, singular, and plural.

cama	*bed*	monstruo	*monster / giant*
esnob	*snobbish*	rana	*frog*
hembra	*female*	sport	*sport*
modelo	*model*		

coche cama	*sleeping car*
hijas modelo	*model daughters*
hombres rana	*scuba divers*

Notes:

- The following adjectives are usually invariable, but are sometimes seen in the plural forms.

alerta	*box*
clave	*key*
extra	*extra*
tabú	*taboo*
dos chicos alerta / alertas	*two alert boys*
tres libros extra / extras	*three extra books*

- Although **hembra** (female) is invariable, **varón** (male) and **macho** (male) have plural forms.

dos canarios hembra	*two female canaries*
dos canarios machos	*two male canaries*

2. Adjectives of color that are derived from nouns are invariable. It is assumed that the expressions **color, de color,** or **color de** are understood, and therefore, no agreement is necessary. Some common example are:

café	*coffee*	lila	*lilac*
cereza	*cherry*	oro	*gold*
chocolate	*chocolate*	violeta	*violet*
esmeralda	*emerald*		

botones cereza	*cherry (colored) buttons*
ojos café	*coffee (colored) eyes*

3. Adjectives of compound colors are invariable in form.

ojos azul oscuro	dark blue eyes
corbata rojo claro	light red tie
hojas verde pálido	pale green leaves
piedra gris castaño	gray-brown stone

4. There are certain words for adjectives describing mixed colors. These adjectives agree in number and gender with the words they modify.

verdirrojo	red-green / reddish green
verdinegro	very dark green
blanquiazul	bluish white
blanquinegro	black and white
corbatas verdirrojas	red-green ties
faldas blanquiazules	bluish white skirts
piedra blanquinegra	black and white stone

Apocope (shortening) of adjectives

Following are the adjectives that have a shortened form when used before certain words. Shortening, which is called "apocope," is done by dropping the final -o or the final syllable.

1. Adjectives that drop the final -o

The following adjectives drop the final -o before a masculine singular noun or adjective:

bueno	buen	good
malo	mal	bad
primero	primer	first
tercero	tercer	third
uno	un	a / one
alguno	algún	some
ninguno	ningún	no / not one

buen amigo	good friend
mal día	bad day
primer año	first year

Notes:

- Placing additional adjectives before or after the noun does not affect the apocope (shortening).

el segundo mal libro	*the second bad book*
nuestro buen amigo ruso	*our good Russian friend*

- Two shortened forms may precede the noun or adjective.

el primer mal libro	*the first bad book*
ningún buen amigo	*no good friend*

- No shortening occurs when the first adjective is linked to another by a conjunction.

un malo o egoísta niño	*a bad or selfish boy*
un bueno y amable tío	*a good and kind uncle*

- **Alguno** and **ninguno** are frequently shortened before feminine nouns beginning with a stressed **a** or **ha**.

algún águila	*some eagle*
ningún aula	*no classroom*
ningún hacha	*no hatchet*

The feminine singular form is also acceptable.

alguna águila	*some eagle*
ninguna aula	*no classroom*
ninguna hacha	*no hatchet*

2. Adjectives that drop the final syllable

Grande becomes **gran** before a masculine or feminine singular noun. Its meaning changes from big to great when it precedes the noun.

un gran museo	*a great museum*
una gran biblioteca	*a great library*
un gran señor	*a great man*
una gran dama	*a great lady*

Ciento *(one hundred)*

- shortens to **cien** before any masculine or feminine noun.

cien hombres	*one hundred men*
cien mujeres	*one hundred women*

- shortens to **cien** before any number greater than itself.

cien mil	*one hundred thousand*
cien millones (de)	*one hundred million*

- remains **ciento** before any number smaller than itself.

ciento dos	*one hundred two*
ciento noventa y nueve	*one hundred ninety-nine*

- does not shorten when used in multiples of one hundred.

doscientos hombres

trescientas mujeres

cuatrocientas muchachas

Cualquiera *(any/whatever)*

- shortens to **cualquier** before any masculine or feminine singular noun.

cualquier hombre	*any / whatever man*
cualquier mujer	*any / whatever woman*

- becomes **cualesquier** before any plural noun.

cualesquier libros	*any / whatever books*
cualesquier flores	*any / whatever flowers*

- **Cualquiera** and **cualesquiera** are used after the noun.

un hombre cualquiera	*any / whatever man*
unos libros cualesquiera	*any / whatever books*

- When **cualquiera** or **cualesquiera** follow the noun the meaning is intensified. Notice the difference:

cualquier hombre	*any man*
un hombre cualquiera	*any man at all / whatsoever*

Note:

The plural, **cualesquier/cualesquiera,** is rarely used because the singular conveys the same idea.

Tengo cualquier libro que necesites.
I have whatever book you may need.

Exercises

A. Provide two examples of each of the following masculine adjectives.

1. adjectives ending in *-o*
2. adjectives ending in *-a*
3. adjectives ending in *-ita* or *-ista*
4. adjectives ending in *-án*
5. nationalities ending in a consonant
6. adjectives ending in *-or*
7. nationalities ending in a vowel
8. adjectives ending in *-ín*
9. adjectives ending in *-ón*
10. adjectives of color derived from nouns

B. Change the adjectives in Exercise A to the feminine singular.

C. Provide one example of each of the following <u>singular</u> adjectives.

1. mixed colors
2. adjectives that have an unaccented last syllable + **n**
3. adjectives with the same form for masculine and feminine
4. adjectives that do not change for gender or number
5. adjectives that apocopate before masculine singular nouns
6. adjectives that end in a consonant other than **-n**
7. adjectives that depict compound colors
8. adjectives that apocopate before feminine singular nouns
9. adjectives that end in **-í** or **-ú**
10. adjectives that end in **-z**

D. Change the adjectives in Exercise C to the plural.

E. Complete the chart showing the four forms of adjectives.

m.s.	f.s.	m.p.	f.p.	English
1. rojo	roja	rojos	rojas	red
2. capitalista				
3. lila				
4. haragán				
5. francés				
6. hablador				
7. chiquitín				
8. mejor				
9. leal				
10. clave				

F. Translate.

1. Some capitalists developed a new economic theory.
2. No dog has light green eyes.
3. The two sport coats were on sale.
4. The last cat we had was tiny.
5. He had straw-colored hair.
6. His wife is talkative and hardworking.
7. The key problem is that he's pudgy and wretchedly poor.
8. The girl with the lilac-colored eyes is cute but lazy.
9. The older sister was loyal and happy.
10. The best dress that she has is greenish black.

12. Adjective Position

In English, adjectives always precede the noun (a good player, a nice dog, a small boat, etc.). In Spanish, some adjectives precede the noun, some follow, and some can either precede or follow, depending on what the speaker wishes to convey.

In Spanish, most adjective types have a specific position. Those that follow the noun differentiate or distinguish the noun from others of its kind. They convey a literal meaning and an objective observation. When the adjective follows the noun, the adjective is stressed more than the noun.

Adjectives that precede the noun do not show how the noun is different from others of its kind, but instead adorn or embellish it. They convey a figurative meaning and a subjective or emotional observation, and lend a stylistic or poetic tone. They often denote a quality that is inherent in the noun or one that is considered common knowledge. When the adjective precedes the noun, the noun is stressed more than the adjective.

Note the following contrasts:

Adjectives that follow the noun:		Adjectives that precede the noun:	
• differentiate / distinguish		• adorn / embellish	
chico rico	*rich boy*	rico millonario	*rich millionaire*
mujer alta	*tall woman*	alta montaña	*high mountain*
hambre terrible	*terrible hunger*	terrible tragedia	*terrible tragedy*

A rich boy is different from a poor boy, a tall woman is different from a short one, and a terrible hunger is different from a mild hunger. Placing the adjective <u>after</u> the noun shows how these nouns are different. Conversely, all millionaires are rich, all mountains are high, and all tragedies are terrible to a certain degree. Placing the adjective <u>before</u> the noun simply adorns or embellishes it.

• provide literal meaning	• provide figurative meaning
chico pobre *poor boy (no money)*	pobre chico *poor boy (pitiable)*
maestro viejo *old teacher (aged)*	viejo maestro *old teacher (former)*
obra dramática *dramatic work (on stage)*	dramática obra *dramatic work (impressive)*

When the adjective <u>follows</u> the noun it takes on its real or literal meaning, and when it <u>precedes</u> it has a figurative connotation. For example, **una obra dramática** would refer to something from drama that would be performed on stage. Conversely, **una dramática obra** could be any kind of work that is dramatic in an impressive sense.

• provide objective
  observation
  (common opinion)
	• provide subjective
	  observation
	  (personal opinion)

día lindo *pretty day*	lindo día *pretty day*
esposo guapo *handsome husband*	guapo esposo *handsome husband*
verano hermoso *beautiful summer*	hermoso verano *beautiful summer*

Placing the adjective <u>after</u> the noun indicates that most people would agree that the day is pretty (sunshine, blue skies, etc.), that the husband is handsome (truly good-looking), and that the summer is beautiful (perfect temperature, etc.). The observation is literal, universal or factual.

Placing the adjective <u>before</u> the noun indicates that the statement is a personal opinion of the speaker. The day may be dark and rainy, but to him it is pretty, the husband may not be considered handsome to others but is to the wife, and the summer is beautiful in the eyes of the speaker, but not necessarily to others. The observation is figurative, personal, or emotional.

• **reflect a differentiating quality**		• **reflect an inherent quality**	
gato negro	*black cat*	negro carbón	*black coal*
sopa caliente	*hot soup*	caliente sol	*hot sun*
tortuga rápida	*fast turtle*	rápido tren	*fast train*

When the adjective <u>follows</u> the noun, it shows that a black cat is different from one of another color, hot soup is different from cold, and a fast turtle is different from most others. Adjectives that <u>precede</u> the noun mention a quality that is inherent to that noun (a quality that is normal or typical to that noun). Coal is generally black, sun is normally hot, and trains are usually fast.

Notes:

1. If the speaker wished to contrast black coals from red or gray ones in a fireplace, a hot Caribbean sun from a less hot sun in Alaska, or a fast train from slower ones, he would place the adjective <u>after</u> the noun.

2. When the adjective <u>precedes</u> the noun, it not only mentions an inherent characteristic or quality but also adds a poetic tone of embellishment or adornment.

• **new information**		• **common knowledge**	
sus tíos ricos	*his rich uncles*	sus ricos tíos	*his rich uncles*
mi perra bonita	*my pretty dog*	mi bonita perra	*my pretty dog*
el maestro alto	*the tall teacher*	el alto maestro	*the tall teacher*

When the adjective <u>follows</u> the noun, it provides new information, information that is not generally known, or that is not known to the listener. **Sus tíos ricos** indicates that the speaker is talking only of the uncles that <u>are</u> rich, that it may not be common knowledge that they are rich, or that the listener does not know that they are rich.

When the adjective <u>precedes</u> the noun, it indicates that all of the uncles are rich, that it is a known fact that they are rich, or that at least the listener knows that they are rich.

• **to emphasize the adjective**	• **to emphasize the noun**
mujer hermosa	hermosa mujer
beautiful woman	beautiful **woman**
perra adorable	adorable perra
adorable dog	adorable **dog**
amigo increíble	increíble amigo
incredible friend	incredible **friend**

When the adjective <u>follows</u> the noun, the stress is placed on the adjective, which is used to differentiate the noun from others: a BEAUTIFUL woman (rather than a homely one), an ADORABLE dog (rather than an ugly one), an INCREDIBLE friend (rather than a run-of-the-mill one).

When the adjective <u>precedes</u> the noun, it is weak in stress and loses its importance and differentiating character. The main stress falls on the noun, and the adjective merely embellishes: a beautiful WOMAN, an adorable DOG, and incredible FRIEND.

In a nutshell, therefore, the differences expressed by adjective placement are as follows:

Adjectives that *follow* the noun	Adjectives that *precede* the noun
differentiate	embellish
distinguish	adorn in a poetic manner
have literal meaning	have figurative meaning
give an objective observation	give a subjective observation
give factual information	give a personal point of view
show a non-inherent quality	show an inherent quality
show a non-typical quality	show a typical quality
provide new information	provide common information
set the noun apart	group nouns with others like it
have more stress than the noun	have less stress than the noun

1. The following types of adjectives <u>follow</u> the noun:

   • adjectives of classification or categorization

una fórmula matemática	*a mathematical formula*
un estudio científico	*a scientific study*

   • differentiating adjectives that pertain to religion, nationality, profession, political affiliation, status, size, shape, color, matter, and condition

un hombre culto	*an educated man*
un perro negro	*a black dog*

   • past participles used as adjectives

ala rota	*broken wing*
insectos muertos	*dead bugs*

   • adjectives modified by adverbs (**muy, más, menos, tan, bastante, típicamente, aparentemente,** etc.)

una clase muy buena	*a very good class*
mi amiga más lista	*my most clever friend*

   • adjectival phrases formed with **de** + noun

el traje de noche	*the evening gown*
su anillo de oro	*his gold ring*

2. The following type of adjectives <u>precede</u> the noun:

- the short forms of possessive adjectives (**mi, tu, su, nuestro, vuestro, su**)

mi libro	*my book*
nuestras tías	*our aunts*

Note:

The long forms of possessive adjectives (**mío, tuyo, suyo, nuestro, vuestro, suyo**) follow the noun because they receive greater stress.

libro mío	***MY*** *book / book of mine*
tías nuestras	***OUR*** *aunts / aunts of ours*

- demonstrative adjectives (**ese, este, estos, aquel,** etc.)

este libro	*this book*
esas tías	*those aunts*

Notes:

The demonstrative adjectives follow the noun for the following purposes:

1. to emphasize or differentiate

el libro este	***THIS*** *book (not that one)*

2. to convey contempt or disdain

el libro este	*this "so-called" book*

- quantitative adjectives (**mucho, poco, más, menos, bastante, suficiente, todo,** etc.)

mucho tiempo	*a lot of time*
poca paciencia	*little patience*

- interrogative adjectives (**qué, cuál, cuánto,** etc.)

¿Qué coche?	*What car?*
¿Cuántas lecciones?	*How many lessons?*

- cardinal numbers (**uno, dos, tres, etc.**) and ordinal numbers (**primero, segundo, tercero**, etc.)

dos perros	*two dogs*
segunda muchacha	*second girl*

> **Note:**
>
> Ordinal numbers follow the noun in numerical designation of rulers and in chapter titles or headings.
>
> | | |
> |---|---|
> | Enrique Octavo | *Henry the Eighth* |
> | Capítulo Primero | *First Chapter* |

- indefinite limiting adjectives

ambos/ambas	*both*
otro/otra/otros/otras	*other*
cada	*each/every*
sendos/sendas	*each*
demás	*remaining*
tal/tales	*such*

Les di sendos libros.	*I gave them each a book.*
¡Es tal artista!	*He's such an artist!*
Compró los demás libros.	*He bought the remaining books.*

3. The following adjectives change in meaning according to placement.

	before the noun	**after the noun**
alguno	Tengo alguna idea. *I have some idea.*	No tengo idea alguna. *I have no idea whatsoever.*
antiguo	mi antiguo maestro *my former teacher*	ruinas antiguas *ancient ruins*
bajo	un bajo mentiroso *a low/vile liar*	un hombre bajo *a short man*
caro	mi cara amiga *my dear friend*	un collar caro *an expensive necklace*
cierto	ciertas ideas raras *certain strange ideas*	ideas ciertas *definite ideas*
dichoso	dichosa costumbre *annoying custom*	tipo dichoso *lucky guy*

grande	gran catedral	catedral grande
	great cathedral	*big cathedral*
medio	media hora	clase media
	half an hour	*middle class*
mismo	el mismo suéter	el jefe mismo
	the same sweater	*the boss himself*
nuevo	nuevo coche	coche nuevo
	new (to owner) car	*brand new car*
pobre	pobre hijo	hijo pobre
	poor son (pitiable)	*poor son (poverty-stricken)*
propio	su propia boda	una boda propia
	his own wedding	*a proper wedding*
puro	una pura mentira	seda pura
	a sheer lie	*pure silk*
simple	una simple nota	una nota simple
	a mere note	*a simple note*
solo	un solo hombre	un hombre solo
	one sole man (single)	*a lonely man*
triste	un triste mendigo	un mendigo triste
	a wretched beggar	*a sad beggar (unhappy)*
viejo	su vieja maestra	su maestra vieja
	his former teacher	*his aged teacher*

Exercises

A. Combine adjectives with nouns to demonstrate the following.

1. differentiating or distinguishing characteristic

2. objective observation

3. factual information

4. giving the adjective more stress than the noun

5. embellishment or adornment

6. figurative meaning

7. subjective observation

8. personal point of view

9. grouping the noun with others of its kind

10. giving the adjectives less stress than the noun

B. Translate with attention to adjective placement.

1. The tall Spaniard was a rich millionaire.
2. A young boy hid in the high mountains.
3. The poor (pitiable) Austrian lost his beautiful (to him) dog.
4. My former professor acted in a dramatic play.
5. The old man painted a dramatic portrait (*retrato*).
6. The thin Mexican thought it was a pretty day.
7. The smart traveler said that Costa Rica is known for pretty days.
8. The beautiful horse had eyes like black coal.
9. Our talented brother visited a famous museum.
10. The hot sun in El Salvador surprised the American visitors.

C. Translate the following and use in original sentences.

1. tall Greek
2. poor boy (fell down)
3. horrible disaster
4. dramatic excuse
5. former teacher
6. wet day
7. cold water
8. black coal
9. pretty woman
10. busy town
11 her own mother
12. pretty sunset
13. historic occasion (1492)
14. short basketball player
15. my dear niece

D. Do the following adjectives precede or follow the noun when translated to Spanish? Why?

Modelos: <u>cold</u> ice: **frío hielo:** precedes – inherent quality
<u>big</u> dog: **perro grande:** follows – differentiating adjective

1. The <u>poor</u> little rich boy.
2. the <u>cold</u> ice
3. a <u>BEAUTIFUL</u> dog
4. <u>hot</u> Caribbean sun
5. <u>poor</u> beggar
6. a <u>beautiful</u> DOG
7. <u>mathematical</u> equation
8. <u>hot</u> sun
9. <u>broken</u> bones
10. <u>very good</u> kitten

11. a <u>Catholic</u> man
12. a <u>gold</u> ring
13. <u>these</u> "so-called" teachers
14. <u>a lot</u> of time
15. <u>both</u> girls
16. Henry <u>the Eighth</u>
17. one basket <u>each</u>
18. <u>our</u> aunts
19. <u>middle</u> class
20. <u>no</u> idea <u>whatsoever</u>

E. Translate with attention to adjective placement.

1. An old doctor saw two black cats in the blue house.
2. In Spain, the Spanish eat cold soup in the hot sun.
3. The white snow in the pretty Chilean mountains fell softly.
4. A blond woman walked through the gray snow in the street.
5. Those American students ate Puerto Rican dishes.
6. I have little patience with that slow train.
7. My dear aunt likes BIG boats.
8. The second lady that came was a friend of ours.
9. The short girl drove a green truck in pretty Peru.
10. The tall woman has a French nurse and an Irish doctor.

13. Position of Two or More Adjectives

When two or more adjectives are used to modify the same noun, their positions are determined by the basic guidelines for the positions of a single adjective. Strong, distinguishing adjectives follow the noun, and weaker, embellishing adjectives precede the noun. Depending on what the speaker wishes to convey, there are three possibilities for placement of the adjectives.

- All of the adjectives can follow the noun.
- Some adjectives can precede the noun and some can follow.
- All of the adjectives can precede the noun.

Following are more explicit guidelines for the placement of two or more adjectives that modify the same noun.

All adjectives following the noun

When two or more distinguishing adjectives modify one noun, and are of fairly equal importance, both or all follow the noun. They are joined by commas and the last two are usually joined by the conjunctions *and* or *or.* The last adjective mentioned receives the most stress.

> un hombre rico, joven e inteligente
> *a rich, young (and) intelligent man*

> un animal feroz, rápido y bello
> *a ferocious, fast (and) beautiful animal*

Adjectives of classification (those referring to science, technology, religion, nationality, etc.) with very few exceptions are <u>not</u> joined by relators. This is because the last adjective modifies the one preceding it, and it, in turn, modifies the noun. Note that the word order is the reverse of the English.

poeta español moderno	*modern Spanish poet*
himno nacional argentino	*Argentine national anthem*
arte griego antiguo	*ancient Greek art*

Some adjectives preceding the noun and some following

When two or more adjectives modify the same noun, it is possible for one or more to precede the noun, and one or more to follow. The adjectives are placed according to the basic guidelines for determining adjective position. The adjectives that follow the noun are more objective, informative, and distinguishing. Those that precede are more subjective, poetic, dramatic, or enhancing.

simpático hombre italiano
nice Italian man

magnífico filósofo griego
magnificent Greek philosopher

maravillosa literatura francesa medieval
marvelous medieval French literature

Notes:

1. Adjectives that refer to any type of classification (religion, nationality, science, technology, etc.) must follow the noun because they are differentiating.

   simpático hombre **italiano**   *nice **Italian** man*

2. Remember that some adjectives have different meanings according to their position. Notice how

the meanings of "my poor old neighboor" change according to the placement of the adjective.

mi pobre vecina vieja
my pitiable aged neighbor

mi vieja vecina pobre
my former penniless neighbor

mi vecina pobre y vieja
my penniless (and) aged neighbor

mi vieja pobre vecina
my former pitiable neighbor

mi pobre vieja vecina
my pitiable former neighbor

Following are some of the adjectives that change their meanings according to position. Note that when the adjective follows the noun, its meaning is literal. When it precedes the noun, the meaning is figurative.

	before the noun	**after the noun**
antiguo	*former*	*ancient*
caro	*dear*	*expensive*
medio	*half*	*middle/average*
mismo	*same*	*himself/very*
nuevo	*new (different)*	*(brand) new*
puro	*sheer*	*pure*
rico	*delicious*	*rich*
triste	*sad*	*miserable*
único	*only*	*unique*
verdadero	*real/really*	*true*
viejo	*old (former)*	*old (age)*

una nueva casa grande	*a new (different) big house*
una gran casa nueva	*a great (brand) new house*
el único amigo verdadero	*the only true friend*
un verdadero amigo único	*a real, unique friend*
el mismo jefe antiguo	*the same ancient boss*
el antiguo jefe mismo	*the former boss himself*

3. When all of the adjectives can be interpreted subjectively, the ones that follow have greater importance than the ones that precede.

mi hermosa prima **amable**
*my beautiful **likeable** cousin*

mi amable prima **hermosa**
*my likeable **beautiful** cousin*

All adjectives preceding the noun

When two or more adjectives are subjective, enhancing, poetic, or dramatic, they precede the noun and are joined by commas.

| la esbelta, bella modelo | *the thin, beautiful model* |
| el ágil, energético acróbata | *the agile, energetic acrobat* |

When there are more than two adjectives, the last two are usually joined by a relator.

la excelente, dedicada y exigente maestra
the excellent, dedicated and demanding teacher

Exercises

A. Combine ten of the following nouns and ten adjectives to write a brief, descriptive passage.

Nouns

autor (m./f.)	*author*
científico	*scientist*
clima (m.)	*climate*
escritor (m.)	*writer*
filósofo	*philosopher*
geógrafo	*geographer*
gramática	*grammar*
ingeniero	*engineer*
lingüista (m./f.)	*linguist*
literatura	*literature*

matemático	*mathematician*
monumento	*monument*
novela	*novel*
poesía	*poetry*
poeta (m.)	*poet*
ruinas	*ruins*

Adjectives

antiguo	*ancient*
asiático	*Asian*
bello	*beautiful*
clásico	*classical*
empinado	*steep*
encantador	*delightful*
estrecho	*narrow*
exigente	*demanding*
feroz	*ferocious*
griego	*Greek*
imponente	*imposing*
lujoso	*luxurious*
medieval (m./f.)	*medieval*
misterioso	*mysterious*
nocturno	*nocturnal*
peligroso	*dangerous*
perdido	*lost*
pintoresco	*picturesque*
sombrío	*somber, dark*
valiente	*brave*

B. Indicate whether the following types of adjectives precede or follow the noun.

1. strong
2. embellishing
3. subjective
4. unimportant
5. differentiating
6. distinguishing
7. poetic
8. important
9. objective
10. weak

C. Use each type of adjective in Exercise B with a different noun in a sentence.

D. Translate.
1. agile, thin, and tall author
2. old, smart, and happy philosopher
3. stupid, young, and rich scientist
4. mysterious, picturesque, and dangerous castle
5. dark, winding, and ugly road

E. Translate.
1. Mi antigua escuela tenía cuadros muy antiguos.
2. Compré una blusa cara para mi cara amiga.
3. El único secreto para tener éxito es tener una habilidad única.
4. Es una historia verdadera sobre un verdadero caballero.
5. Es una simple nota escrita en un lenguaje muy simple.

F. Are the following adjectives distinguishing, embellishing or both? Explain.

1. medieval	6. griego
2. imponente	7. matemático
3. viejo	8. empinado
4. pobre	9. exigente
5. delicado	10. angélico

G. Choose ten nouns from Exercise A and describe each with both a distinguishing and an embellishing adjective.

> **Modelo:** poeta
>   el misterioso poeta puertorrriqueño
>   *the mysterious Puerto Rican poet*

14. Limiting Adjectives

Limiting adjectives, also called determinative adjectives, are generally placed <u>before</u> the noun because they do not differentiate the noun from others in its class, but merely indicate *how many* or *which* of the nouns are being referred to. The following are considered limiting adjectives.

The short forms of the possessive adjectives

mi	*my*	nuestro	*our*
tu	*your*	vuestro	*your*
su	*your/his/her*	su	*your/their*

mis amigos	*my friends*
nuestras tías	*our aunts*
su coche	*their car*
sus libros	*his books*

Note:

The long forms of the possessive adjectives (**mío, tuyo, suyo, nuestro, vuestro, suyo**) <u>follow</u> the noun because they receive greater emphasis and differentiate the noun from others.

los amigos míos	**MY** *friends / friends of mine*
las tías nuestras	**OUR** *aunts / aunts of ours*
el coche suyo	**THEIR** *car / car of theirs*
los libros suyos	**HIS** *books / books of his*

Demonstrative adjectives

este	*this*	ese	*that (nearby)*	aquel	*that (farther off)*
esta	*this*	esa	*that (nearby)*	aquella	*that (farther off)*
estos	*these*	esos	*those (nearby)*	aquellos	*those(farther off)*
estas	*these*	esas	*those (nearby)*	aquellas	*those (farther off)*

este libro	*this book*
esas tías	*those aunts (nearby)*
aquellas tías	*those aunts (farther off)*

Exceptions:

- When the demonstrative adjectives <u>follow</u> the noun, they receive greater emphasis, and differentiate the noun from others.

  el libro este — **THIS** *book (not that one)*
  el tipo ese — **THAT** *guy (not this one)*

- In informal speech the demonstrative adjective is placed <u>after</u> the noun to express contempt, disdain, or familiarity.

  el libro este — *this "so-called" book*
  el tipo ese — *that "ridiculous" guy / that guy (that we both know)*

Indefinites

algún, alguna, algunos, algunas	*some*
ambos, ambas	*both*
cada	*each/every*
cierto, cierta, ciertos, ciertas	*certain*
cualquier, cualesquier	*whatever/any (at all)*
demás	*rest/remaining*
ningún, ninguna, ningunos, ningunas	*no/not any*
otro, otra, otros, otras	*other*
semejante, semejantes	*such*
sendos, sendas	*each/a piece*
tal, tales	*such*

Examples:

algún niño	*some child*
ambos hermanos	*both brothers*
cada hombre	*each man*
cierta mujer	*a certain woman*
cualquier persona	*any person (at all)*
los demás libros	*the remaining books*

ninguna maestra	*no teacher*
otra clase	*another class*
semejantes ideas	*such ideas*
tales ideas	*such ideas*

Notes:

- **alguno:** When **alguno** is placed <u>after</u> the noun, it becomes a strong negative indefinite. Note the contrasts:

algún libro	*some book*
ningún libro	*no book*
libro ninguno	*NO book*
libro alguno	*NO book (at all / whatsoever)*

- **cierto:** When **cierto** is placed <u>after</u> the noun, its meaning changes from *certain* to *true* or *sure*.

cierto hombre	*a certain man (no one specific)*
un triunfo cierto	*a sure triumph*
un desafío cierto	*a true challenge*

- **cualquier: Cualquier** can be placed <u>after</u> the noun to add emphasis but with no change in meaning. When it follows the noun, **cualquier** becomes **cualquiera,** and **cualesquier** becomes **cualesquiera**.

  cualquier libro / libro cualquiera
  any book / ANY book

  cualesquier tías / tías cualesquiera
  any aunts / ANY aunts

The plural form **cualesquier/a** is very rarely used. There is no real need for the plural form because the same basic meaning is conveyed through the singular.

Me gusta cualquier perro.	*I like any dogs.*

- **ninguno:** When **ninguno** is placed <u>after</u> the noun, the negative is more emphatic. Note the contrast:

No tengo ningún problema.	*I have no problem.*
No tengo problema ninguno.	*I have no problem.*

Note that the singular is used in Spanish even when the noun it accompanies is plural in English.

No vi ningún <u>animal</u>.	I saw no <u>animals</u>.
No vi <u>animal</u> ninguno.	I saw **no** <u>animals</u>.

Obviously, the plural must be used with nouns that only have plural forms.

No me dio ningunas gracias.	He gave me no thanks.
No me dio gracias ningunas.	He gave me **no** thanks.

- **semejante:** When **semejante** is placed <u>after</u> the noun, its meaning changes from *such* to *similar*.

semejantes cosas	*such things*
cosas semejantes	*similar things*

Quantitative indefinites

bastante, bastantes	*enough*
más	*more*
menos	*less / fewer*
mucho, mucha	*a lot of / much a great deal of*
muchos, muchas	*lots of / many / a great deal of*
poco, poca, pocos, pocas	*little / few*
unos pocos, unas pocas	*a few / a small number of*
suficiente, suficientes	*sufficient*
todo, toda, todos, todas	*every / all*
poca paciencia	*little patience*
unos pocos libros	*a few books*
todo individuo	*every individual*
bastantes amigos	*enough friends*

Interrogative adjectives

qué	*what / which*
cuánto, cuánta	*how much*
cuántos, cuántas	*how many*

Examples: ¿Qué perro?   *What / Which dog?*

¿Cuánto dinero?   *How much money?*

¿Cuántas lecciones?   *How many lessons?*

Note:

In informal speech **cuál** is used interchangeably with **qué** before a noun, but **qué** is preferred in formal speech.

¿Cuál perro? (colloquial)   *What / Which dog?*

¿Qué perro? (preferred)   *What / Which dog?*

For more information on interrogatives and the differences between **qué** and **cuál**, see Section 18 in this part.

Exclamative adjectives

qué	*what (a)*
cuánto, cuánta	*how much / what*
cuántos, cuántas	*how many / what*

Examples: ¡Qué clase!   *What a class!*

¡Cuánto dinero!   *How much / What money!*

¡Cuántas flores!   *How many / What flowers!*

Cardinal numbers

uno, dos, tres, etc.   *one, two, three, etc.*

Examples: un libro   *one book*

dos perros   *two dogs*

treinta y nueve flores   *thirty-nine flowers*

Ordinal numbers

primero	*first*	sexto	*sixth*
segundo	*second*	séptimo	*seventh*
tercero	*third*	octavo	*eighth*
cuarto	*fourth*	noveno	*ninth*
quinto	*fifth*	décimo	*tenth*

Examples: primer libro   *first book*

segunda flor   *second flower*

tercera mujer   *third woman*

Notes:

1. Ordinal numbers change to agree in gender with the noun they modify.

   cuarta parte   *fourth part*

2. **Primero** and **tercero** drop the **o** before masculine singular nouns.

   primer hombre   *first man*

   tercer perro   *third dog*

Limiting adjectives that indicate extent or measure

franco   *real / quite*

puro   *sheer*

simple   *mere*

verdadero   *real*

Examples: un franco placer   *a real / quite a pleasure*

una pura mentira   *a sheer lie*

un simple estudiante   *a mere student*

un verdadero cuento   *a real story*

Note:

Adjectives of this type lose their literal meaning when they precede the noun. They retain their true meaning when they follow the noun.

un hombre franco   *a frank (honest) man*

seda pura   *pure silk*

un estudiante simple   *a simple-minded student*

un cuento verdadero   *a true story*

The irregular comparatives and superlatives *mejor, peor, mayor,* and *menor*

mejor	*better / best*
peor	*worse / worst*
mayor	*greater / greatest*
menor	*lesser / least*

Examples:

mi mejor amigo	*my best friend*
tu peor enemigo	*your worst enemy*
mayor valor	*greater value*
menor importancia	*lesser importance*

Note:

When mayor and menor follow the noun, they refer to age.

mi hermana menor	*my younger sister*
tu hermano mayor	*your older brother*

For more information on comparatives and superlatives, see Section 18 of this part.

Exercises

A. Write original sentences using the following.

1. a short possessive adjective
2. a long possessive adjective
3. a demonstrative adjective
4. an indefinite
5. a quantitative indefinite
6. an interrogative adjective
7. an exclamative adjective
8. a cardinal number
9. an ordinal number
10. an irregular comparative

B. Write a complete sentence using the following before and after a noun.

<u>Modelo</u>: Mi hermana menor no tiene menor idea.
My younger sister doesn't have the least idea.

1. mayor	6. ningún/o	11. ningunas
2. puro	7. ese	12. verdadero
3. franco	8. cierto	13. aquella
4. semejante	9. estos	14. alguno
5. cualquier/a	10. menor	15. simple

C. Translate.

1. Marcelo se cayó jugando al tenis. ¡Cuánto se quejó!
2. Mis libros están con los tuyos.
3. Lo llevaron a esa sala de emergencias.
4. Tenía que llenar un formulario en esta oficina.
5. Ciertos médicos indicaron que se le rompió la pierna.
6. La tercera casa de esta calle es más bonita que la cuarta.
7. Salió del hospital y ahora se siente mejor.
8. Ahora tiene que usar tres diccionarios. ¡Qué trabajo!
9. Ese doctor no le dijo la verdad.
10. A causa de su fractura complicada tendrá problemas.
11. Es un verdadero placer conocer a un hombre franco.
12. Fue una simple caída.
13. Para él, su hermana mayor tiene mayor importancia.
14. Es una pura mentira. No es un cuento verdadero.
15. El primer capítulo y el tercero son mis favoritos.

D. Translate. (Capitalized words are emphasized.)

1. **MY** friends are not **YOUR** friends, Timoteo.
2. This pen and these pencils are near those papers.
3. I saw **THOSE** visitors with **HER** students.

4. That "so-called" author wrote this "supposed" novel.
5. Some boy gives both brothers another opportunity each day.
6. The eighth boy and the ninth girl had **NO** idea (whatsoever).
7. Another class had such a party! Such parties delight me.
8. He has some idea, she has no idea, you have **NO** idea, and I have **NO** idea (at all).
9. A certain man said it was a true challenge and a sure win.
10. I received no books and no thanks. **NO** books and **NO** thanks!
11. Such ideas make me think of similar things.
12. A few boys say that few musicians have a little (bit of) soul.
13. How many dogs do you have? Which dog is the cutest?
14. His younger sister is of lesser importance to him.
15. What a teacher! She assigns so much homework!

15. Por and para

Although both **por** and **para** can mean "by" and "for" in English, they cannot be used interchangeably. The following explains the uses and meanings for each.

Por

Uses of *por*

- **duration**

for	Tengo bastante por ahora.	*I have enough for now.*
in	Nadamos por la mañana.	*We swim in the morning.*
during	Salió por la tarde.	*He/She left during the evening.*
at	Leo por la noche.	*I read at night.*
per	¿Cuánto por semana?	*How much per week?*

- **movement**

through	Fuimos por el parque.	*We went through the park.*
throughout	Viajé por el Perú.	*I traveled throughout Peru.*
along	Caminé por el río.	*I walked along the river.*
by	Pasa por mi casa.	*Pass by my house.*
around	Estará por aquí.	*He/She must be around here.*
via	Fui por Miami.	*I went via Miami.*
down	Se cayó por la escalera.	*He/She fell down the stairs.*

- **cause or reason**

because of	Perdimos por ti.	*We lost because of you.*
out of	La odió por celos.	*He/She hated her out of jealousy.*
through	Lo hice por compasión.	*I did it through pity.*
for	Gracias por el regalo.	*Thank you for the gift.*
due to	No voy por la lluvia.	*I won't go due to the rain.*

- **manner or means**

by	Llegó por correo aereo.	*It arrived by airmail.*
by means of	Me lo explicó por carta.	*He/She explained it to me by means of a letter.*
on	Me llamó por teléfono.	*He/She called me on the phone.*

- **with passive voice**

by	Fue escrito por Poe.	*It was written **by** Poe.*
	Será ayudada por los vecinos.	*She will be helped **by** neighbors.*

- **benefit**

on behalf of	Habló por su hijo.	*He/She spoke on behalf of his son.*
for the sake of	Hazlo por Gregorio.	*Do it for Gregorio's sake.*
for	Se casó por amor.	*He/She married for love.*

- **exchange**

in exchange for	¿Chocolate por chicle?	*Chocolate in exchange for gum?*
for	Dos dólares por ése.	*Two dollars for that one.*
per	Una milla por hora.	*One mile per hour.*

- **in support of**

for	Voté por él.	*I voted for him.*
in favor of	Está por la paz.	*He/She is in favor of peace.*

- **to judge by**

from	Por lo que dice...	*From what he says . . .*
through	Por esa descripción...	*Through that description . . .*
apparently	Por lo visto salió.	*Apparently he left.*

- **in search of**

for	Ve por agua.	*Go for water.*
	Envíalo por ayuda.	*Send him for help.*
	Fui por el médico.	*I went for the doctor.*

Expressions with *por*

por acá	*this way / around here (less precise)*
por ahora	*for now*
por algún lado	*somewhere*
por aquí	*this way / around here (specific)*
por casualidad	*by chance / coincidentally*
por ce o por be	*for one reason or another*

por cierto	incidentally, by the way, indeed
por completo	completely
por delante	in front
por demás	excessively
por detrás	in back
por ejemplo	for example
por el momento	for the moment
por encima de	over
por eso	therefore
por fin	finally
por hora	per hour
por la mañana	in the morning
por las dudas	in case
por lo general	in general / generally
por lo menos	at least
por lo tanto	therefore
por lo visto	apparently
por mayor	wholesale
por menor	retail
por otra parte	on the other hand / besides
por si acaso	just in case
por todos lados	everywhere

- **Por poco:** *nearly, almost, all but*

  Por poco, like **casi** (*almost*), is often used with the <u>present</u> tense in Spanish while expressing the simple <u>past</u> in English.

Por poco se <u>cae</u>.	He nearly <u>fell</u> down.
Por poco <u>rompo</u> el espejo.	I almost <u>broke</u> the mirror.
Por poco me <u>matan</u>.	They all but <u>killed</u> me.

- **Por más que / por mucho que:** *however much / no matter how (much)*

  Por más que and **por mucho que** are followed by verbs. When the situation is hypothetical, the verb must be in the subjunctive.

Por mucho que protestes...	*However much you may protest . . .*
Por más que estudiemos...	*No matter how much we may study . . .*
Por más que intente...	*However much he/she may try . . .*

When the situation is factual or the action is completed, the indicative is used.

Por mucho que protestó...	*No matter how much he protested . . .*
Por más que estudiamos...	*No matter how much we studied . . .*
Por más que intentó...	*However much he tried . . .*

- **Por más** is also used with adjectives and adverbs, but the **más** is optional.

Por (más) guapo que sea...
No matter how handsome he may be . . .

Por (más) fuerte que grites...
No matter how loud you may yell . . .

Por (más) rápido que leas...
However fast you may read . . .

Verbs followed by *por*

acabar por	*to end up by*
apurarse por	*to get anxious about*
asustarse por/de	*to get frightened about*
dar por	*to consider / to regard as*
darse por	*to pretend to be / to think of oneself as*
decidirse por	*to decide on*
desvelarse por	*to be very concerned about*
disculparse por	*to apologize for*
estar por	*to be in favor of*
interesarse por	*to be interested in*
jurar por	*to swear by / on*
molestarse por	*to be bothered about*
optar por	*to opt for*
preguntar por	*to ask about / inquire about*
preocuparse por/de	*to worry about*
tener por	*to consider*
tomar por	*to take for*

• Examples

No me tomes por tonto.	*Don't take me for a fool.*
Nos tienen por ignorantes.	*They consider us ignorant.*
Opto por salir temprano.	*I opt for leaving early.*
Juró por la constitución.	*He/She swore on the constitution.*
Me disculpo por molestarte.	*I apologize for bothering you.*
Gloria se desvela por su mamá.	*Gloria is very concerned about her mom.*
No te asustes por ese león.	*Don't get frightened by that lion.*

Para

Uses of *para*

- **to / in order to (goal)**

Estudio para aprender.	*I study in order to learn.*
Vino para verte.	*He/she came to see you.*
Estudia para (ser) abogada.	*She's studying to be a lawyer.*

- **intended for (goal / destination)**

Esta flor es para ti.	*This flower is for you.*
Lo compramos para Luisa.	*We bought it for Luisa.*
Una mesa para dos, por favor.	*A table for two, please.*

- **headed for (goal / destination)**

Sale para Cancún.	*He/She is leaving for Cancun.*
El taxi sale para la plaza.	*The cab is leaving for the square.*
Vamos para Maine.	*We're headed for Maine.*

- **purpose (goal / objective)**

Las cortinas son para la cocina.	*The curtains are for the kitchen.*
Este traje es para el viaje.	*This suit is for the trip.*
Llamo para hablar con Alfonso.	*I'm calling to speak with Alfonso.*

- **deadline (by or for a certain date or time)**

Estaré listo para el lunes.	*I'll be ready by Monday.*
La tarea es para mañana.	*The homework is for tomorrow.*
Lo tendrá para las cinco.	*He/She will have it by five.*

- **about to / on the point of (*estar para*)**

Estoy para salir.	*I'm about to leave.*
La sopa está para hervir.	*The soup is about to boil.*
Estoy para cumplir 50 años.	*I'm about to turn 50.*

Note that all of the above uses for **para** have to do with looking ahead toward a goal, an objective, a destination, or a future action.

- **considering / compared with**

  Habla español bien para ser extranjera.
  She speaks Spanish well for a foreigner.

  Es alto para tener doce años.
  He's tall for twelve years old.

- **point of view / reaction / response**

Para mí, la vida es magnífica.	*For me, life is great.*
Esto, para mí, huele bien.	*To me, this smells good.*
Para él, eso es importante.	*To him, that's important.*

- **use**

Es una taza para café.	*It's a coffee cup.*
Necesito papel para cartas.	*I need writing paper.*
Venden ropa para niños.	*They sell children's clothing.*

- **miscellaneous uses of *para***

work for:	Trabaja para la fábrica de coches. *She works for the car factory.*
study for:	Tengo que estudiar para este examen. *I have to study for this exam.*
only to:	Corrí rápido para luego perder la carrera. *I ran fast only to lose the race.*
too much/too little to:	Tengo demasiado que hacer para jugar. *I have too much to do to play.*

toward (**para con**):	Es atento para con los invitados.
	He's attentive toward his guests.
in the mood for:	No estoy para bromas.
	I'm not in the mood for jokes.
to oneself:	"No me gusta esto", me dije para mí.
	"I don't like this," I said to myself.
around/toward:	Llegaré para fines de junio.
	I'll arrive around the end of June.

- **Expressions with *para***

para su sorpresa	*to his surprise*
para entonces	*by then*
para que (+ subjunctive)	*so that, in order that*
para siempre	*forever*
para eso	*just/only for this*
No es para tanto.	*It's no big deal.*

Por vs. *para*

This section presents the contrast between the two prepositions. Following is the summary of the various uses and meanings for **por** and **para**.

Por

- **duration of time**
  for now
  in the morning

- **movement**
  through the park
  along the river
  by the statue
  around here
  via Boston

- **cause / reason**
  because of you

Para

- **deadline**
  by tomorrow
  for next week

- **destination**
  on the way to becoming a man
  headed for Boston
  leaving for school
  going to work
  going/headed toward

- **purpose / goal / objective**
  pictures for the hall

out of hatred
through pity
due to the rain

- **manner/means**
  by mail
  by means of a card

- **with agent in passive voice**
  written by Cervantes
  built by Jon

- **benefit**
  on behalf of my son
  for (the sake of) love
  in place of Jesica

- **in exchange for**
  a dollar for a flower
  a bus for $90,000.00

- **in support of**
  pray for
  vote for
  in favor of

- **to judge by**
  from what he says . . .
  through that description . . .

- **in search of**
  go for
  send for

pens for writing letters
flowers for Ana
(in order) to see Laura

- **use**
  coffee cup (cup for coffee)
  writing paper (paper for writing)

- **intended for**

  written for Roberto
  built for Tim

- **meant for**
  a toy for my son
  destined for love
  for Jesica (as a favor)

- **to be used for**
  money for (to buy) flowers
  $2.00 for the bus (fare)

- **considering / compared with**
  smart for her age
  tall for a 12-year-old
  knowledgeable for a child

- **point of view**
  For me, life is wonderful
  To me this tastes like lemon.

- **advantage / disadvantage**
  Tennis is good for you.
  Smoking is bad for your health.

Changes in meaning with *por* vs. *para*

Trabaja por su jefe.	He works for (in place of) his boss.
Trabaja para su jefe.	He works for his boss (for a salary).
Salieron por Boston.	They left via / by way of Boston.
Salieron para Boston.	They left for Boston.
Quiere dinero por el autobús.	He wants money (in exchange) for the bus.
Quiere dinero para el autobús.	He wants money for (to take) the bus.
Compró flores por la boda.	He bought flowers because of the wedding.
Compró flores para la boda.	He bought flowers for (to be used at) the wedding.
Me quedé por el examen.	I stayed because of the exam.
Me quedé para el examen.	I stayed for (to take) the exam.
¿Por qué vas al gimnasio?	Why are you going to the gym?
¿Para qué vas al gimnasio?	For what are you going to the gym?
Expresa su amor por ella.	He expresses his love for her.
Muestra odio para con ella.	He shows hatred toward her.
Estoy por votar.	I am in favor of voting.
Estoy aquí para votar.	I am here in order to vote.
El heno es por las vacas.	The hay is for (because of) the cows.
El heno es para las vacas.	The hay is for (to give to) the cows.
Llevó el suéter por su tía.	He brought the sweater because of his aunt. (She told him to bring it.)
Llevó el suéter para su tía.	He brought the sweater for his aunt. (for her to wear)
Lo consiguió por mí.	He got it because of me.
Lo consiguió para mí.	He got it for me. (to give to me)

Notice in the preceding examples that when **por** is used, the idea of motive or reason is implied, the mental attitude of the agent (the "do-er") is involved, and the idea of "out of a desire or urge" is conveyed. When **para** is used, the idea of purpose or goal is implied.

Sometimes **por** and **para** can be virtually interchangeable with only a very slight difference in meaning involved.

Exercises

A. Translate.

1. From what you say, I believe I'm convinced.
2. He spoke on behalf of his class.
3. He's on his way to becoming a lawyer.
4. We should be there by ten.
5. My aunt is going for milk.
6. That's enough for the moment.
7. To the astonishment of all, we won the game.
8. Water was coming out of the faucet.
9. We paid a lot of money for that car.
10. We will arrive late, but it's no big deal.

B. Write original examples in Spanish using *por* to express the following.

1. duration	6. in support of
2. benefit	7. manner
3. in search of	8. cause
4. in exchange	9. means
5. to judge by	10. reason

C. Write a paragraph using *por* and *para* 5 times each.

D. Explain why *por* or *para* is used.

Modelos: Llevo este abrigo feo **por** mi abuela.
I wear this ugly coat because of my grandmother.
(She bought it for me, and will be mad if I don't.)

El plomero vino **para** arreglar el fregadero.
The plumber came to fix the kitchen sink.
(Not out of a burning desire, but for a purpose.)

1. El estudiante trabaja por su profesor.
2. Quiero doce mil dólares por este automóvil.

3. Trabajo para las escuelas públicas de Worcester.
4. ¿Para qué sales con él a cenar?
5. La cerca eléctrica es por los perros.
6. Estamos aquí para la prueba de vocabulario.
7. Se casó por amor.
8. Se casó para conseguir dinero y prestigio social.
9. Lucho constantemente por convencerle.
10. No estamos por la pena de muerte.

E. Translate.

1. ¡Por supuesto! Los soldados están por la guerra.
2. Corrí rápidamente a la parada para luego perder el autobús.
3. El vuelo 424 está listo para salir.
4. Estaremos visitando Honduras para entonces.
5. La maestra trabaja para la ciudad de San Francisco.
6. Me preocupo por mi hijo.
7. Me toman por intelectual.
8. Pagué demasiado por este carro.
9. Para ser copiloto, no sabe mucho sobre aviones.
10. Siempre acabo por ponerme nervioso.

F. Use *para* in original sentences to express the following.

1. on the way to
2. about to
3. considering
4. point of view
5. deadline
6. in order to
7. purpose
8. reaction
9. intended for
10. destination

G. Matching.

1. No estoy para tonterías.	a. to
2. Es alto para su edad.	b. in the mood for
3. Saldré para fines de mayo.	c. for
4. Es amable para con su novia.	d. considering
5. Para mí, es muy valioso.	e. by
6. Leo para aprender.	f. around
7. Estamos para salir.	g. about to
8. Hágalo para mañana.	h. toward
9. Los libros son para ti.	i. in order to
10. Para su asombro, pasó el examen.	j. It's my view that . . .

H. *Por* or *para?* Fill in the blanks.

1. Unos paquetes llegaron _____ correo. ¿Son _____ mí?

2. _____ lo que dices, ese niño es alto _____ su edad.

3. ¿_____ dónde pasa el autobús? ¿Sale directo _____ Miami?

4. ¿_____ qué es esta máquina? ¿_____ quién la compraste?

5. ¿Cuándo sales _____ la playa? ¿El domingo _____ la mañana?

6. Leo _____ aprender pero, _____ no tener tiempo, no puedo hacerlo hoy. Lo voy a dejar _____ mañana.

7. —¿Vas _____ tren?
   —_____ el momento no sé. Prefiero ir _____ autobús, pero primero tengo que ver el horario.

8. Gracias _____ tu carta. _____ mí, fue una gran noticia.

9. ¿_____ que quieres la llave? Yo la necesitaré _____ abrir la puerta.

10. Busco ropa deportiva _____ Florinda. _____ ser una mujer de sesenta años, es muy activa.

11. Cualquier mamá lo haría _____ su hija.

12. El hombre fue atropellado _____ un caballo.

13. ¡Caramba, Rafael! ¡Ve rápido _____ ayudar!

14. Si no fuera _____ ti, amigo, estaría perdido.

15. _____ tener éxito es importante trabajar mucho.

Review Exercises — Sections 11-15

A. Section 11: Adjective Agreement

Give the feminine singular, masculine plural, and feminine plural for the following adjectives:

1. alto	4. holgazán	7. chiquitín	10. rana
2. comunista	5. irlandés	8. mayor	11. lila
3. amarillo	6. trabajador	9. pobre	12. feliz

B. Section 12: Adjective Position

1. List three functions of an adjective that follows the noun. Write a sentence for each function.
2. List three functions of an adjective that precedes the noun. Write a section for each function.
3. List, with examples, two types of adjectives that only follow the noun and two types that only precede the noun.
4. List, with examples, five adjectives that change in meaning according to placement. Translate your examples.

C. Section 13: Position of Two or More Adjectives

1. What are the three possibilities for adjective placement? Give an example of each and translate.
2. Give an example of each of the following.
   a. three adjectives following the noun
   b. three adjectives preceding the noun
   c. one adjective preceding and two following the noun
   d. two adjectives preceding and two following the noun

3. Use each of the following adjectives before and after a noun and translate your examples.

   a. único   c. media   e. ricos

   b. antiguo   d. caras

4. Translate:

   a. El jefe mismo tiene el mismo suéter.

   b. Al hombre rico le gustan las ricas tortas.

   c. Soy una verdadera autora que escribe un relato verdadero.

   d. Mi caro sobrino tiene una guitarra cara.

D. Section 14: Limiting Adjectives

1. List, with original examples, the different types of limiting adjectives.

2. Translate:

   a. our flowers   f. a certain dog

   b. some cars of theirs   g. any cousin

   c. those books   h. such a guy

   d. that "so-called" actor   i. similar things

   e. a sheer lie   j. both parents

3. Contrast the following.

   a. este libro   el libro este

   b. mis hermanos   hermanos míos

   c. algún libro   libro alguno

   d. cierto desafío   desafío cierto

   e. ningún animal   animal ninguno

   f. semejante jefe   jefe semejante

   g. mayor juez   juez mayor

4. Matching.

1. bastante	a. each
2. demás	b. whatever
3. tal	c. that
4. todo	d. remaining
5. sendos	e. enough
6. cualquier	f. both
7. ese	g. every
8. ambos	h. such

E. **Section 15: *Por* and *para***

1. There are many categories of uses for *por*, each with several possible meanings. Choose one meaning from each category and provide original examples for your choices.

2. Translate.

 a. Siempre acabo por caerme.

 b. Para todos nosotros, esta situación es muy rara.

 c. Hay que ver para creer.

 d. Votamos por un nuevo consejero escolar.

 e. Por poco nos caemos.

3. List five uses for *para* with original examples for each.

4. Fill in the blanks with *por* or *para* and explain your choice.

 a. Corrijo exámenes _____ mi maestra.

 b. Quieren cinco dólares _____ estas flores.

 c. Hace diez años que trabajo _____ esta compañía.

 d. No está _____ la pena de muerte.

 e. Mañana salimos _____ México.

16. Possession

Possessive Adjectives

Unstressed (short forms)

mi	my	nuestro	our
tu	your	vuestro	your (Spain)
su	your, his, her	su	your, their

- The four words for *your* coincide with the four subject pronouns meaning "you."

  Tú tienes tu casa. Vosotros tenéis vuestra casa.
  Ud. tiene su casa. Uds. tienen su casa.

- **Mi, tu,** and **su** have singular and plural forms. **Nuestro** and **vuestro** have masculine and feminine as well as singular and plural forms.

mi	mis	nuestro	nuestra	nuestros	nuestras
tu	tus	vuestro	vuestra	vuestros	vuestras
su	sus	su		sus	

- The unstressed possessive adjectives always precede the noun and agree with the noun in number and gender.

mis amigos	*my friends*	nuestra madre	*our mother*
tus tías	*your aunts*	su coche	*their car*

- The possessive adjectives agree with the noun that is possessed (the belonging), and not with the possessor (the owner).

sus libros	*his books*

The possessive adjective is plural to agree with **libros**.

su casa	*their house*

The possessive adjective is singular to agree with **casa**.

- Unstressed possessive adjectives do not stress the owner, but rather, the item possessed.

mi coche	*my CAR*	(rather than *MY car*)
su cuarto	*his ROOM*	(rather than *HIS room*)

Stressed (long forms)

mío	*my, of mine*		nuestro	*our, of ours*
tuyo	*your, of yours*		vuestro	*your, of yours*
suyo	*your, of yours, his, of his her, of hers*		suyo	*your, of yours their, of theirs*

Voy a la casa mía.	*I'm going to* **my** *house.*
La casa es mía.	*The house is* **mine.**
Es una casa mía.	*It's a house* **of mine.**

- The four words for "your" / "of yours" coincide with the four subject pronouns meaning "you."

<u>Tú</u> tienes la casa <u>tuya</u>.	<u>Vosotros</u> tenéis la casa <u>vuestra</u>.
<u>Ud.</u> tiene la casa <u>suya</u>.	<u>Uds.</u> tienen la casa <u>suya</u>.

- All of the stressed possessives have masculine, feminine, singular, and plural forms.

mío	mía	míos	mías
tuyo	tuya	tuyos	tuyas
suyo	suya	suyos	suyas
nuestro	nuestra	nuestros	nuestras
vuestro	vuestra	vuestros	vuestras
suyo	suya	suyos	suyas

- The stressed possessive adjectives follow the noun, and agree with the noun in number and gender.

(dos) amigos míos	(two) *friends of mine*
(la) madre nuestra	(the) *mother of ours*
(esas) tías tuyas	(those) *aunts of yours*
(un) coche suyo	(a) *car of theirs*

- When the definite article precedes the noun, the meaning changes from "of mine," "of yours," etc., to "my," "your," etc.

los amigos míos	*my friends*	la madre nuestra	*our mother*
las tías tuyas	*your aunts*	el coche suyo	*their car*

This construction is used in place of the unstressed possessive adjective to place emphasis on the owner rather than the belonging. Note the contrast:

los amigos míos	MY friends
mis amigos	my friends / my FRIENDS
las tías tuyas	YOUR aunts
tus tías	your aunts / your AUNTS

- The stressed possessives follow the noun in certain exclamations.

¡Dios mío!	*My God!*
¡Por culpa tuya!	*On account of you! / It's your fault!*
¡Por suerte mía!	*With my luck!*

- The stressed possessives can follow the noun in direct address.

hijo mío	*my son*
amigos míos	*my friends*

- The stressed possessive adjectives, like the unstressed, agree with the item that is possessed (the belonging), and not with the possessor (the owner).

libros suyos	*books of his*

The possessive adjective is masculine plural to agree with **libros**.

casa suya	*house of theirs*

The possessive adjective is feminine singular to agree with **casa**.

- The stressed possessive adjectives are used less frequently than the unstressed. (i.e., **mi coche** is more commonly used than **el coche mío**.)

Repetition of possessive adjectives

- The possessive adjective is repeated before nouns of different number and gender.

mi marido y mis hijos	my husband and my children
nuestra tía y nuestro primo	our aunt and our cousin
el perro tuyo y las gatas tuyas	the dog and cats of yours

- The possessive adjective is used with each noun in a pairing or series except when each noun refers to the same person.

mi tío, mi amigo y mi héroe	my uncle, my friend, and my hero (three different people)
mi tío, amigo y héroe	my uncle, my friend, and my hero (all one person)

- When a pair or series is considered one unit, it is common to omit all possessives but the first.

Explicó sus cursos, becas y programas.	He explained his courses, scholarships, and programs. (The three form one unit.)
Le vendí mi radio, cámara y televisor a Juan.	I sold my radio, camera, and television set to Juan. (The three form one unit.)

- When a pair or series comprises separate items, the possessive adjective is repeated before each item.

Le vendí mi radio a Luis, mi cámara a Pablo y mi televisor a Juan.	I sold my radio to Luis, my camera to Pablo, and my television set to Juan. (Each was sold separately.)

The definite article to replace a possessive adjective

- The possessive adjective is often replaced by the definite article when referring to one's body, clothing, or personal belongings. This construction is most

commonly used when the possessor can be easily
identified and therefore there is no ambiguity involved.

Saqué la cartera.	*I took out my wallet.*
¿Olvidaste las llaves?	*Did you forget your keys?*

If the subject does the action to himself, the reflexive
pronoun is used.

Me lavé el pelo.	*I washed my hair.*
Ponte el gorro.	*Put on your hat.*
Se cepillan los dientes.	*They brush their teeth.*

If the subject does the action to another person, the
indirect object is used to indicate who that person is.

Te lavé el pelo.	*I washed your hair.*
Ponle el gorro.	*Put his hat on (for him).*
El dentista les cepilla los dientes.	*The dentist brushes their teeth.*

The preposition **a** + the prepositional pronouns **mí, ti,
Ud., él, ella, nosotros, vosotros, Uds., ellos,** and **ellas**
may be added to clarify or emphasize the indirect
object pronoun. This is most commonly done when
the pronoun is third person because the meaning is
ambiguous.

Ponle el gorro a él.	*Put his hat on (him).*
Les cepilla los dientes a ellos.	*He/She brushes their teeth.*

- The possessive adjective rather than the definite article is
  used when the possessor cannot be easily identified. This
  is commonly done when the part of the body, clothing,
  or personal belonging is the subject of the sentence.

Mis manos están sucias.	*My hands are dirty.*
Tu blusa es bonita.	*Your blouse is pretty.*
Nuestras llaves son pesadas.	*Our keys are heavy.*

If the definite articles were used (**las manos, la
blusa, las llaves**) instead of the possessive adjective
(**mis manos, tu blusa, nuestras llaves**), it would be
impossible to tell whose hands, blouse, or keys were
involved.

- The possessive adjective is used in place of the definite article for clarification when someone uses another's belongings.

Emilio se puso mi sombrero.	*Emilio put my hat (on himself).*
Laura sacó tu cartera.	*Laura took out your wallet.*

If the article were used (**el** sombrero, **la** cartera) instead of the possessive adjective (**mi** sombrero, **tu** cartera), it would be assumed that Emilio put on his own hat and Laura took out her own wallet.

De + pronoun to replace possessives

- Because **su** and **suyo** can mean "your," "his," "her," or "their," the meaning can be ambiguous. To avoid confusion, **de** + the prepositional pronouns **Ud., él, ella, Uds., ellos,** and **ellas** may be used instead.

el perro de él	*his dog*
la blusa de ella	*her blouse*
el gato de Ud.	*your cat*
el carro de ellos	*their car*

Note:

Usually, **su** is used to express "your," and **de** + the pronoun is used to express "his," "her," and "their."

su café	***your*** *coffee*
el café de él	***his*** *coffee*
sus tías	***your*** *aunts*
las tías de ellas	***their*** *aunts*

When two third person possessors are mentioned in succession, **su** usually refers to the subject's possession, and the possession of the other person is expressed by **de** + the pronoun.

Ana no vio su gato, vio el de Ud.	*Ana didn't see **her** cat, she saw **yours.***
Ud. no oyó a sus tíos, oyó a los de él.	*You didn't hear **your** uncles, you heard **his.***

- Although there is no ambiguity with **nuestro** and **vuestro**, in some places they are replaced by **de nosotros** and **de vosotros**. **Nuestro** and **vuestro**, however, are more common.

nuestra casa / la casa de nosotros	*our house*
vuestro gato / el gato de vosotros	*your cat*

De vosotros is used very rarely and has been replaced by **de Uds.** in most regions in Spain.

el coche de Uds.	*your car*

De mí and **de ti** are NEVER used to express possession.

mi amigo	*my friend*
el amigo mío	*my friend*
amigo mío	*friend of mine*

(**amigo de mí** is INCORRECT!)

tu primo	*your cousin*
el primo tuyo	*your cousin*
primo tuyo	*cousin of yours*

(**primo de ti** is INCORRECT!)

- The possessive adjective *its* for inanimate or animate non-human nouns <u>cannot</u> be expressed by **de** + the pronoun. A form of **su** or **suyo** or **de** + the noun must be used instead.

inanimate:	sus páginas	*its pages*
	las páginas del libro	*the book's pages*

(**las páginas de él** is INCORRECT!)

non-human:	su nariz	*its nose*
	la nariz de la gata	*the cat's nose*

(**la nariz de ella** is INCORRECT!)

Possessive Pronouns

When the stressed possessive adjectives are used without a noun (**el mío, los tuyos**, etc.) they function as possessive pronouns. They agree in number and gender with the noun they stand for, and are preceded by the definite article or another limiting adjective.

adjective		pronoun	
el coche tuyo	*your car*	el tuyo	*yours*
la perra mía	*my dog*	la mía	*mine*
los libros suyos	*your books*	los suyos	*yours*

The alternate form with **de** (**de Ud., de él, de ella,** etc.) may replace the stressed possessives. The definite article precedes **de** and agrees with the noun that was omitted.

noun		pronoun	
la raqueta de él	*his racquet*	la de él	*his*
el suéter de ella	*her sweater*	el de ella	*hers*
las fotos de ellos	*their photos*	las de ellos	*theirs*

Note:

This construction is not allowed in the first and second singular. A form of **el mío** or **el tuyo** must be used instead.

los míos	*mine*
las tuyas	*yours*

- **de mí** and **de ti** are INCORRECT.

- A form of **el suyo** is normally used to express "your," and the construction with **de** is used to express "his," "hers," and "theirs."

el suyo	*yours*
el de él	*his*
la de ellos	*theirs*

- The stressed possessive adjectives can follow the verb **ser** to show the owner of an item by expressing "mine," "yours," etc.

| El coche es mío. | The car is mine. |
| El cuarto es suyo. | The room is his. |

- The definite article may be omitted or used after **ser** with only a slight distinction in meaning. When it is omitted, mere possession is indicated.

| Es mío. | It's mine. (I own it.) |
| Son tuyos. | They are yours. (You own them.) |

When the definite article is used, the stressed adjective becomes a pronoun, and selection of an item from a group is indicated rather than simple possession.

| Éste es el mío. | This one (in particular) is mine. |
| ¿Cuál es la tuya? | Which one (in particular) is yours? |

- The definite article must be used with the stressed possessives after all verbs but **ser**.

Tengo los míos.	I have mine. **(libros)**
¿Puedo usar la tuya?	May I use yours? **(cámara)**
Quiere la nuestra.	He wants ours. **(lámpara)**

Uses of possessive pronouns (also called *pronominal possessives*)

- as the subject of a verb

| El tuyo es bonito. | Yours is pretty. |
| Los míos tienen rayas. | Mine have stripes. |

- as the object of a verb

| Tenemos los nuestros. | We have ours. |
| Perdieron el suyo. | They lost theirs/yours/his. |

- after the verb **ser** with the definite article

The definite article precedes the possessive pronoun to indicate the selection of an item from a group.

| ¿Cuáles son los tuyos? | Which are yours? |
| Éstos son los míos. | These are mine. |

- after the verb **ser** without the definite article

  The definite article is omitted after **ser** when the stress is on mere ownership rather than selection from a group.

¿Son tuyos?	*Are they yours?*
Sí, son míos.	*Yes, they are mine.*

- without a verb (to answer a question)

¿Cuál quieres? La suya.	*Which one do you want? Hers.*
¿Qué papel perdió? El suyo.	*What paper did he lose? His.*

- to refer to family members, friends, team members, troops, etc.

Los nuestros ganaron.	*Ours won (teammates).*
Recuerdos a los tuyos.	*Regards to yours (family members).*

- with **lo**

  Rather than referring to possession of a specific item, this construction refers to belongings in general: **lo mío** (*all of*) *mine, what is mine, my share, my part,* etc.

Lo mío es lo tuyo.	*What's mine is yours.*
Dale lo suyo.	*Give him his (share).*
Me quedo con lo mío.	*I'm keeping (what is) mine.*

  The preposition **de** + the pronoun can be used with **lo** to replace the third person possessive pronoun.

Se queda con lo de él.	*He's keeping what is his.*
Tiene lo de ella.	*She has hers (her share).*

De to replace the English apostrophe + s

English uses an apostrophe + s to show possession: Sean's dog, Austin's coat, etc. This is not done in Spanish; **de** + the owner is used instead.

el perro de Simón	*Simón's dog*
el abrigo de Emiliano	*Emiliano's coat*
Tengo los de Claudia.	*I have Claudia's.*

Cuyo

- **Cuyo** is a relative possessive adjective meaning *whose* that refers to both people and things. It agrees with

what is possessed rather than with the possessor. Its
position is directly before the noun it modifies.

el niño cuya madre salió	*the boy whose mother left*
la niña cuyo padre llegó	*the girl whose father arrived*
la casa cuyo color es rojo	*the house whose color is red*

- If there are two or more nouns following **cuyo** it agrees
  only with the first, and is not repeated.

el niño cuya cara y manos
  están sucios
	*the boy whose face and hands
	  are dirty*

mi hermana cuyo abrigo
  y guantes son caros
	*my sister whose coat
	  and gloves are expensive*

- Occasionally **cuyo** can mean "which."

en cuyo caso	*in which case*
en cuyo momento	*at which moment*

- **Cuyo** is not used to refer to parts of the body on which
  an action is performed. **A quien** or **a quienes** + the
  indirect object pronoun (**me, te, le, nos, os, les**) is
  used instead.

Ana, a quien le lavé la cara,...	*Ana, whose face I washed, . . .*
Tú, a quien le sequé el pelo,,...	*You, whose hair I dried, . . .*

Mis hijos, a quienes les
  cepillé los dientes,...
	*My children, whose
	  teeth I brushed, . . .*

- **Cuyo** is never used as an interrogative to
  ask "Whose . . . ?" **De quién** or **de quiénes** is
  used instead.

¿De quién es la cámara?	*Whose camera is it?*
¿De quién son estos lápices?	*Whose pencils are these?*
¿De quiénes es ese coche azul?	*Whose blue car is that?*
¿De quiénes son los libros?	*Whose books are they?*

- **Cuyo** means "whose," but not in the interrogative
  sense. It agrees in number and gender with the noun
  that follows it.

el chico cuya madre salió	*the boy whose mother left*
las chicas cuyos tíos salieron	*the girls whose uncles left*
el libro cuyas páginas quemaron	*the book whose pages they burned*

Notice that when there is one owner, **de quién** is used. For two or more owners, **de quiénes** is used. When the belonging is singular, **es** is used, and when the belonging is plural, **son** is used.

¿De quién es?	*Whose is it?*	one owner and one item
¿De quién son?	*Whose are they?*	one owner and two items
¿De quiénes es?	*Whose is it?*	two or more owners and one item
¿De quiénes son?	*Whose are they?*	two or more owners and two items

Exercises

A. Write the appropriate possessive adjective.

1. (his) _____ caja
2. (our) _____ ventanilla
3. (your – *Ud*.) _____ cuentas
4. (her) _____ caballo
5. (our) _____ libretas
6. (your – *tú)*_____ moneda
7. (my) _____ cuadernos
8. (your – *Uds*.) _____ cheque de viajero
9. (your – *vosotros*) _____ teléfono
10. (my) _____ lámparas

B. Express the following in 3 ways.

<u>Modelo:</u> *his check:* su cheque / el cheque de él / el cheque suyo

1. his kitchen
2. your (*Ud*.) papers
3. her brother
4. your (*Uds*.) meal
5. their (*ellas*) bank
6. their (*ellos*) stories
7. his doctors
8. your (*Ud*.) book
9. their (*ellas*) watches
10. her dogs

C. Write the corresponding possessive pronoun in both forms when possible.

> Modelo: Yo tengo una perra. Es <u>mía</u>.
>
> José tiene un cheque. Es <u>suyo</u>. (Es <u>de él</u>.)

1. Ud. tiene tres billetes. Son _____. (Son __ ___.)
2. Yo tengo una casa nueva. Es _____.
3. Uds. tienen una bicicleta. Es _____. (Es __ ___.)
4. Yo tengo una libreta. Es _____.
5. Ud. tiene su propio banquero. Es _____.
   (Es ___ _____.)
6. Nosotros tenemos cheques. Son _____.
7. Tú tienes una moneda de un dólar. Es _____.
8. Vosotros tenéis plata. Es _____.
9. María tiene dos diccionarios. Son _____.
   (Son ___ _____.)
10. Ellos tienen un coche deportivo. Es _____.
    (Es ___ _____.)

D. Translate.

1. This book is hers. Where is yours, sir?
2. These papers aren't ours.
3. My bicycle is newer than his.
4. The soccer ball is his and the skis are hers.
5. Our change is on the desk. Yours is on the table, Tomás.

E. Fill in the blanks with the correct form of *De quién es*.

1. ¿_____ la libreta que encontraste? (de Paula)
2. ¿_____ los billetes que se perdieron? (de los señores Calvo)
3. ¿_____ el reloj que arreglas? (de mi hermana)
4. ¿_____ el dinero que gastaron? (de Julia)
5. ¿_____ estas motocicletas? (de los dos policías)
6. ¿_____ los papeles? (de Ricardo)
7. ¿_____ el cheque que tienes? (de mi hermano)

8. ¿_____ los billetes? (de Pilar)

9. ¿_____ el florero que rompiste? (de Mercedes)

10. ¿_____ las banderas de colores? (de mis tíos)

F. Translate the English in the following sentences.

1. *Our* profesor es simpático. *Guillermo's* también. ¿Cómo es *hers*?

2. *My* billete está aquí. ¿Dónde está *yours*, Paula?

3. ¿*Whose* es esta cartera? No es *mine*. ¿Es *his*?

4. *Her* computadora cuesta mucho pero *Sergio's* es más cara. *Mine* también.

5. El cajero se puso *his* suéter. La camarera se quitó *hers*.

6. ¿*Whose* son estas gatas? Son *Miguel's*. Prefiero *hers*.

7. Tengo un maestro *whose* clase es muy buena. Es mejor que *hers*.

8. *My* cumpleaños es en mayo. ¿Cuándo cae *Alberto's*? *His* cae en junio.

9. Ha cobrado *his* sueldo. ¿Tienes *yours*? Sí. Es menos que *his*.

10. La plata no es *mine*. ¿Es *Silvia's*? No, es *Mariano's brother's*.

G. Translate with special attention to the italicized.

1. I took out *my* shampoo and washed *my* hair.

2. He forgot *his* keys because he went to wash *his* hands.

3. Put on *your* hat before you put on *his* jacket (on yourself).

4. She brushes *their* hair before brushing *her* (own) hair.

5. Wash *your* hands, Raúl. Then I'll wash *your* face for you.

6. I gave *my* pens, pencils, and staples to Sebastián.

7. He sold *his* car to Iván, *his* boat to Carlos, and *his* motor to Ernestina.

8. *Her* book is too confusing. *Its* pages are too long.

9. Diana didn't see *his* dog, sir; she saw *yours*.

10. You didn't hear *your* neighbors, ma'am; you heard *his*.

17. Demonstratives

Demonstrative Adjectives

MASC. SING.	FEM. SING.		MASC. PL.	FEM. PL.	
este	esta	*(this)*	estos	estas	*(these)*
ese	esa	*(that)*	esos	esas	*(those)*
aquel	aquella	*(that)*	aquellos	aquellas	*(those)*

- Demonstrative adjectives agree in number and gender with the nouns they modify.

este jardín	*this garden*
esas matas	*those bushes*

- They point out the noun in terms of distance in space, time, or thought.

este libro	*this book (space)*
ese año	*that year (time)*
aquellas ideas	*those ideas (thought)*

  este: The forms of **este** *(this / these)* are used when the nouns they modify are closely related to or near the speaker.

este libro que tengo	*this book that I have*

  ese: The forms of **ese** *(that / those)* are used when the nouns they modify are not too far removed from the speaker, and are near or closely related to the person being addressed.

ese libro que tienes	*that book that you have*

aquel: The forms of **aquel** *(that / those)* are used when he noun is farther removed from both the speaker and the person being addressed.

aquel libro que tiene Juan	*that book that Juan has*
aquel lago por allá	*that lake over there*

- **Ese** vs. **aquel**

In casual speech, no clear distinction is made between **ese** and **aquel**. Both may be used interchangeably. If the speaker wishes to express <u>definite</u> remoteness, **aquel** is used.

ese/aquel pájaro	*that bird (over there)*
aquel pájaro	*that bird (<u>farther </u>over there)*

Likewise, if a contrast is made between something at a certain distance and something even farther away, **aquel** modifies the most distant noun.

Ese libro y aquel libro.	*That book and that book (farther away)*

Although **ese** and **aquel** may often be interchanged, **aquel** is considered to be more elegant or formal.

Forms of **aquel** are used in statements or narrations in the past tense, especially when the distant past is involved.

En aquellos años no había electricidad.
In those years there was no electricity.

When the narration continues, however, a form of **ese** may replace the form of **aquel**.

Sin embargo, a pesar de no haber electricidad, esos/aquellos años fueron buenos.
Nevertheless, in spite of there being no electricity those years were good.

Even when the distant past is involved, **ese** may replace **aquel** when the year is mentioned.

Lo conocí en el 91. En ese/aquel año me enamoré.
I met him in '91. That year I fell in love.

Aquel is appropriate for a childhood memory.

> Aquel perro que tenía cuando era joven...
> *That dog I had when I was young . . .*

Aquel is more common than **ese** when the word it modifies is no longer in existence, in the picture, in one's life, etc.

> En el 48 se casó con aquella mujer.
> *In '48 he married that woman.*

> Recuerdo aquella mesa que tenía mi mamá.
> *I remember that table that my mom used to have.*

(The woman is out of the man's life, and the table is gone.)

Aquel is used in exclamations like the following, Note that the demonstrative adjective follows the noun.

¡Qué día aquel!	*What a day (that was)!*
¡Qué tiempos aquellos!	*What times (those were)!*

Position of demonstrative adjectives

Demonstrative adjectives normally precede the noun.

estos patos	*these ducks*
esa gaviota	*that seagull*

Exceptions:

The demonstrative adjective may follow the noun in the following circumstances.

- to add a tone of contempt, disdain, consternation, or frustration. Either the definite article (**el, la, los, las**) or **que** precedes the noun.

el tipo ese	*that (nasty, rotten, etc.) guy*
¡Qué niño este!	*What a (fresh, bold, etc.) child (this is)!*

- in appositives. (An appositive is a noun or pronoun that follows another noun or pronoun to identify or explain it.) The definite article before the noun is optional.

  Juan, (el) tipo ese que conocí,...
  Juan, that guy I met, . . .

- to emphasize or clarify. The article precedes the noun.

  el anillo este; ése no   *this ring; not that one*
  la blusa esa; ésta no   *that blouse; not this one*

- in exclamations preceded by **qué**. No article is used.

  ¡Qué época aquella!   *What an era (that was) !*
  ¡Qué niño este!   *What a child (this is)!*

- to stress the idea of remoteness. **Aquel** is used because distance is stressed. The article precedes the noun.

  la montaña aquella   *that (distant) mountain*

Repetition of demonstrative adjectives

- In a pairing or series of nouns, the demonstrative adjective is usually repeated before each noun, particularly if the nouns are of different number or gender.

  este chico y esta chica   *this boy and girl*
  esa gata, ese pato y ese pez   *that cat, duck and fish*

- The demonstrative adjective is <u>not</u> repeated before each noun in a pairing or series when each noun refers to the same person.

  ese autor y filósofo   *that author and philosopher*
  esta hermana y amiga   *this sister and friend*

The author and philosopher are the same man, and the sister and friend are the same girl.

Demonstrative adjectives as nominalizers

In the examples below, the demonstrative adjectives modify the nominalized adjectives **nuevo** and **bonita**. Note that Spanish does not add the word *one* as English does.

¿Qué museo? Ese nuevo.   *Which museum? That new one.*

¿Qué niña? Aquella bonita.   *Which girl? That pretty one.*

Demonstrative Pronouns

MASC. SING.	FEM. SING.	MASC. PL.	FEM. PL.	NEUTER
éste	ésta	éstos	éstas	esto
ése	ésa	ésos	ésas	eso
aquél	aquélla	aquéllos	aquéllas	aquello

- Demonstrative pronouns are used in place of nouns. Their meanings correspond to those of the demonstrative adjectives.

éste/ésta	*this* or *this one*
éstos/éstas	*these*
esto	*this (whole idea or concept)*
ése/ésa	*that* or *that one*
ésos/ésas	*those*
eso	*that (whole idea or concept)*
aquél/aquélla	*that* or *that one*
aquéllos/aquéllas	*those*
aquello	*that (whole idea)*

1. Forms of **aquél** refer to something more remote or distant than forms of **ése**.
2. The neuter pronouns **esto**, **eso**, and **aquello** refer to a general idea, situation, or concept that has no gender. They do not refer to specific nouns and never carry accents.

- Demonstrative pronouns have the same number and gender as the noun they replace.

Compré éstos. (zapatos)	*I bought these. (shoes)*
Quiero ésa. (guitarra)	*I want that one. (guitar)*

- Spanish does not add the word *one* as English does.

Vendí ésta.	*I sold this one.*
Compré ése.	*I bought that one.*

Use or omission of accents

- Traditionally, the demonstrative pronouns have been distinguished from the demonstrative adjectives by a written accent.

<u>Adjective</u>		<u>Pronoun</u>	
esta perra	*this dog*	ésta	*this / that one*
ese pato	*that duck*	ése	*that / that one*

- The **Real Academia Española**, a body of scholars who decide what is internationally correct Spanish, recently decided that accents are not required on a demonstrative pronoun <u>unless</u> it could be confused with a demonstrative adjective. In the examples below, notice how the use of the accent changes the meaning.

esta llama	*this flame*
ésta llama	*this one calls / the latter calls*
esa queda	*that curfew*
ésa queda	*that one remains*
aquella quema	*that fire*
aquélla quema	*that one burns / the former burns*

Although the Academy says that accents are only required to avoid confusion, most students are still encouraged by their teachers to write the accent on the demonstrative pronoun even when there is no ambiguity involved.

Former and latter

- In English, when two nouns are mentioned and then referred back to, the former is the first one mentioned and the latter is the last.

> The lion and the dove? The former (the lion) is big and the latter (the dove) is small.

> Fish and birds? The former (the fish) swim and the latter (the birds) fly.

> Jaime and Juliana? The former (Jaime) plays tennis and the latter (Juliana) runs.

In Spanish, a form of the demonstrative pronoun **aquél** is used to express the former (first mentioned), and a form of **éste** is used to express the latter (last mentioned). Although English usually mentions the former first and then the latter. Spanish reverses the order by mentioning the latter first. The demonstrative pronoun agrees with the noun it refers to.

> ¿El león y la paloma? Ésta (la paloma) es pequeña y aquél (el león) es grande.
>
> *The lion and the dove? The latter (this one) is small and the former (that one) is big.*

> ¿Jaime y Juliana? Ésta (Juliana) corre y aquél (Jaime) juega al tenis.
>
> *Jaime and Juliana? The latter (this one) runs and the former (that one) plays tennis.*

- **Aquél** and **éste** can be used for clarification without necessarily meaning "former" and "latter." They are helpful in identifying the subject of the verb in a dependent clause.

Carmen no quiere bailar con Esteban porque **aquélla** es torpe.

*Carmen doesn't want to dance with Esteban because **she** is clumsy.*

Carmen no quiere bailar con Esteban porque **éste** es torpe.

*Carmen doesn't want to dance with Esteban because **he** is clumsy.*

Neuter demonstrative pronouns

- The neuter demonstrative pronouns **esto, eso,** and **aquello** do not refer to a specific noun and, therefore, do not change in number and gender. They are used to refer to an idea, a concept, a situation, a generality, or an action.

idea:	¿Ir a Hawaii contigo? Eso me encantaría.
	Go to Hawaii with you? That would delight me.
concept:	Miente y roba. Esto es terrible.
	He lies and steals. This is terrible.
situation:	¿El ruido y la confusión? Aquello fue increíble.
	The noise and confusion? That was incredible.
generality:	Los perros ladran y eso le molesta.
	Dogs bark and that bothers her.
action:	¿Nadar en la oscuridad? Nunca hago eso.
	Swim in the dark? I never do that.

- The neuter pronouns are also used to ask for or provide definitions. The neuter is used because, theoretically, the noun is not known because it has not been mentioned previously.

| ¿Qué es esto? | *What is this?* |
| Eso es un sello. | *That is a stamp.* |

Note:

If a specific item is referred to, the neuter is not used. Imagine someone pointing to a toy and note the contrast:

Eso es lo que quiero.   *That's what (the type) I want.*
Ése es el que quiero.   *That's what (the <u>one</u>) I want.*

Exercises

A. Provide the demonstrative adjective.

1. _____ línea está ocupada. *(this)*

2. No me gustan _____ teléfonos celulares. *(those)*

3. Siempre marco directo _____ número. *(that)*

4. _____ teléfono inalámbrico en Grecia no funciona. *(that)*

5. Se me cortó _____ comunicación. *(this)*

6. _____ zapatos están sucios. *(these)*

7. Dice que _____ contestadores automáticos son buenos. *(these)*

8. _____ tonos de ocupado me molestan. *(those)*

9. Creo que _____ televisor está roto. *(this)*

10. _____ número tiene demasiados dígitos. *(that)*

B. Use the following in original sentences.

1. este   6. ésta

2. ese   7. aquel

3. éstos   8. estas

4. esas   9. ésa

5. aquellas   10. aquélla

C. Translate the underlined.

1. <u>This</u> shirt and <u>that one</u> are the same. <u>That</u>'s funny.
2. <u>That</u> picture and <u>this one</u> are ugly. <u>That</u>'s too bad.
3. <u>This</u> car and <u>that one</u> are too big. I know <u>that</u>.
4. <u>This</u> is weird. <u>These</u> phones and <u>those</u> in Greece are small.
5. What is <u>this</u>? <u>That</u>'s a letter. <u>That one</u> is a long letter.
6. See <u>those</u> phones? <u>That</u>'s what (the type of phone) I need.
7. Look at <u>these</u> cameras. <u>This</u> is what (the one) I want.
8. Swim in <u>that</u> dirty water? I would never do <u>that</u>.
9. Abel and Betina? <u>The latter</u> is tall and <u>the former</u> is short.
10. Darío likes <u>that</u> teacher because <u>he</u> (Darío) understands <u>him</u> (the teacher).
11. Antonia sees <u>that</u> doctor because <u>she</u> (the doctor) cares.
12. Ducks and geese? <u>The latter</u> are bigger than <u>the former</u>.
13. <u>This one</u> always <u>calls</u> because <u>this flame </u>is too big.
14. <u>That one</u> (f.) <u>remains</u> at home because of <u>that curfew</u>.
15. <u>That one</u> (f.) <u>burns</u> leaves in <u>that fire.</u>

D. Translate the underlined choosing a form of *ese* or *aquel*.

1. What a night <u>that</u> was!
2. <u>That</u> pen that Tito has is pretty.
3. I like <u>that</u> bird in the tree and <u>that one</u> up in the sky.
4. I always loved <u>that</u> ring that my mother used to have.
5. She married <u>that</u> man years ago but they're divorced now.

6. Lassie, <u>that</u> dog I had as a child, was the best dog ever!
7. <u>Those</u> were the good old days.
8. I know <u>that</u> girl with you and <u>that one</u> with Gerardo.
9. In <u>that</u> age there were no cars.
10. Even though there were no cars, <u>those</u> were good years.

18. Additional Grammar Information

This section briefly treats a number of "stray" grammar points that have not yet been discussed.

A. Relative Pronouns

Que *(that, who, whom, which)*

el libro que compré	*the book that I bought*
el niño que llora	*the child who cries*
la mujer que vi	*the woman whom I saw*
el libro de que hablé	*the book of which I spoke*

- Even if the word *that* is not expressed in English, **que** must be used in Spanish.

el chico que conocí	*the boy (that) I met*

- **Que** is used as an alternate to a form of **el que** or **el cual** after the prepositions **a, con, de,** and **en.** After **a, con,** and **en,** it refers to things, and after **de** it refers to things <u>or</u> people.

la casa en que vivo	*the house in which I live*
el libro de que hablé	*the book of which I spoke*
la chica de que hablé	*the girl of whom I spoke*

- The word *who,* in the middle of a sentence, is <u>never</u> **quien,** unless it is between commas. **Que** is also allowed between commas.

el chico que salió	*the boy who left*

El chico, quien/que es mi amigo, salió.
The boy, who is my friend, left.

Quien, quienes *(who / whom)*

- **Quien** and **quienes** are used after all prepositions to refer to people.

  el niño de quien hablé   *the boy of whom I spoke*

- These pronouns may be used between commas as an alternate to **que**.

  El niño, quien salió, es mi amigo.   *The boy, who left, is my friend.*

El cual, la cual, los cuales, las cuales (*who, which, the one[s]*) *and* el que, la que, los que, las que (*who, which, the one[s]*)

- These pronouns may be used after all prepositions.

  la montaña cerca de la cual / cerca de la que vivo
  the mountain near which I live

  la colina desde la cual / desde la que vi la puesta del sol
  the hill from which I saw the sunset

- They are also used to clarify.

  La novia de mi hermano, el cual vive en París, es brillante.
  The girlfriend of my brother, who lives in Paris, is brilliant.

  The **el cual** refers to the one brother that the speaker has.

  La novia de mi hermano, la cual vive en París, es brillante.
  My brother's girlfriend, who lives in Paris, is brilliant.

  The **la cual** refers to the one girlfriend the brother has.

  La novia de mi hermano, el que vive en París, es brillante.
  The girlfriend of my brother, (the one) who lives in Paris, is brilliant.

  The **el que** refers to one brother of two or more.

  La novia de mi hermano, la que vive en París, es brillante.
  My brother's girlfriend, (the one) who lives in Paris, is brilliant.

  The **la que** refers to one girlfriend of two or more.

El que, la que, quien, los que, las que *and* quienes

- These are used to express *he who, she who, the ones who,* and *those who.*

El que estudia aprende.	*He who studies learns.*
Los que aprenden tienen éxito.	*Those who learn are successful.*
Quien come bien tiene salud.	*He who eats well is healthy.*
Quienes escuchan bien aprenden mucho.	*Those who listen well learn a lot.*

Lo que

- **Lo que** corresponds to the English *what, which,* or *that which,* and refers to a whole idea rather than to a specific noun.

Llega tarde, lo que me molesta.	*He arrives late, which bothers me.*
Lo que me gusta es nadar.	*That which I like is to swim.*
Lo que ves es lo que recibes.	*What you see is what you get.*

Lo cual

- **Lo cual** corresponds to the English *which* and, like **lo que,** refers to a whole idea rather than to a specific noun.

Llega tarde, lo cual me molesta.	*He arrives late, which bothers me.*
Nevó, por lo cual no jugamos.	*It snowed, because of which we didn't play.*

B. *Hace, desde* and *llevar* for Duration

There are three ways to talk about events that began in the past and continue to the present. The sentence "I have been teaching for 32 years (and still am)" is expressed in the following ways.

1. **Hace** + period of time + **que** + present tense.
   Hace treinta y dos años que enseño.

2. Present tense + **desde hace** + period of time.
   Enseño desde hace treinta y dos años.

3. Present tense of **llevar** + period of time + present participle.
   Llevo treinta y dos años enseñando.

The negative of these sentences (*I have not taught for 32 years, It has been 32 years since I've taught*) is expressed as follows:

Hace treinta y dos años que no enseño.
No enseño desde hace treinta y dos años.
Llevo treinta y dos años sin enseñar.

The imperfect can replace the present to express "*I had been teaching for 32 years.*"

Hacía **treinta y dos años que** enseñaba.
Enseñaba **desde** hacía **treinta y dos años**.
Llevaba **treinta y dos años enseñando**.

In sentences with **llevar**, if the verb is *to be*, the present participle is omitted.

Llevo una semana cansado.   *I have been tired for a week.*
Llevaba años pobre.   *He had been poor for years.*

In the negative, the verb is retained.

Llevo una semana sin estar cansado.
I have not been tired for a week.

Llevaba años sin ser pobre.
He had not been poor for years.

C. Negatives and Indefinites

algo	something	nada	nothing
alguien	somebody	nadie	nobody
algún/o/a/os/as	some	ningún/o/a/os/as	no, not one
algún día	some day	nunca, jamás	never
alguna vez	some time	nunca, jamás	never
cualquier/a	any	ningún/o/a/os/as	no, not one
siempre	always	nunca, jamás	never
o... o	either . . . or	ni... ni	neither . . . nor
también	also	tampoco	neither

¿Sabe algo alguien?	*Does somebody know something?*
Nadie sabe nada nunca.	*Nobody ever knows anything.*
¿Tienes jamás cualquier idea?	*Do you ever have any idea?*
Nunca tengo ninguna idea.	*I never have any idea.*

If another negative word precedes the verb, the "no" is omitted.

Nadie habla.	Nunca voy.
No habla nadie.	No voy nunca.

Note:

Avoid **ningunos/as** whenever possible. The singular is used unless the noun has no singular form.

¿Tienes algunos perros?	*Do you have any dogs?*
No tengo ningún perro.	*I have no dog(s).*

No me dio ningunas gracias.	*He gave me no thanks.*

(The word **gracias** is always plural.)

D. Interrogatives and Exclamatives

- Interrogatives and exclamatives, except for **vaya**, always carry an accent.

Interrogatives

¿quién?	*who?*
¿qué?	*what, which?*
¿cuál?	*what, which?*
¿cuándo?	*when?*
¿dónde?	*where?*
¿adónde?	*(to) where?*
¿por qué?	*why?*
¿para qué?	*what for?*
¿cómo?	*how?*
¿cuánto?	*how much?*

¿Qué...?

- is used immediately before a noun:

   ¿Qué clase te gusta?   *What class do you like?*

- is used for a definition:

   ¿Qué es un museo?   *What is a museum?*

- is used for an explanation:

   ¿Qué significa eso?   *What does that mean?*

- is used to choose between infinitives:

   ¿Qué prefieres —leer o nadar?
   What do you prefer—to read or to swim?

- is used to choose between two general things:

   ¿Qué te gusta más —el té o el café?
   What do you like more—tea or coffee?

¿Cuál...?

- is used when separated from the noun:

  ¿Cuál es la clase que te gusta?
  What is the class that you like?

- is used for a selection:

  ¿Cuál es tu dirección?
  What is your address?

  ¿Cuál es la capital de El Salvador?
  What is the capital of El Salvador?

  (There are many addresses and cities from which to choose.)

- is used before **de**:

  ¿Cuál de los dos quieres?   *Which of the two do you want?*

- is used to choose between two specific things:

  ¿Cuál quieres —la blanca o la roja?
  Which one do you want—the white one or the red one?

¿Cómo...? *vs* ¿Qué tal...?

- **Cómo** is used to indicate manner (*how?*)

  ¿Cómo te gustan las hamburguesas?
  How do you like hamburguers?
  (Well done? Rare?)

- **Qué tal** is used to ask an opinion.

  ¿Qué tal están la hamburguesa?
  How (much) do you like the hamburger?
  (A lot? Very much? Not very much?)

Exclamatives

¡Qué...!
what, what a, how
used before nouns, adjectives, adverbs

¡Qué hambre tengo!	*What hunger I have!*
¡Qué clase!	*What a class!*
¡Qué clase más increíble!	*What an incredible class!*

¡Qué torpe soy!	How clumsy I am!
¡Qué rápido corre!	How fast he runs!
¡Qué filósofo tan brillante!	What a brilliant philosopher!

¡Qué de...!
what a lot
used before nouns

¡Qué de gente!	What a lot of people!
¡Qué de trabajo nos da!	How much work he gives us!

¡Vaya un/una...!
what a
used before nouns

¡Vaya una clase!	What a class!
¡Vaya un tipo tan maleducado!	What an impolite guy!
¡Vaya un gato más gordo!	What a fat cat!

¡Cuánto...!
how, how much
used before verbs

¡Cuánto gasté!	How / how much I spent!

¡Cuánto/a/os/as...!
how much/many
used before nouns

¡Cuánta hambre tengo!	How hungry I am!
¡Cuántas tías tienes!	How many aunts you have!

¡Cómo...!
how
used before verbs

¡Cómo baila!	How he dances!

¡Cuán...!
how (poetic)
used before adjectives and adverbs

¡Cuán bello es el mar!	How beautiful the sea is!

E. Passive Voice

Unlike the active voice, where the subject <u>performs</u> the action, in the passive voice, the subject <u>receives</u> the action.

<u>Active</u>: Nestor oyó el ruido.
Nestor heard the noise.
<u>Passive</u>: El ruido fue oído por Nestor.
The noise was heard by Nestor.

- The passive voice is formed as follows.

  subject + **ser** + past participle + **por** + agent
  (the subject that performed the action)

- **Ser** may be used in any tense, the past participle must agree with the subject, and an agent must be mentioned or implied. **De** may replace **por** when the action is mental or emotional.

  El libro fue escrito por Carla.
  The book was written by Carla.

  Las perras serán entrenadas pronto.
  The dogs will be trained soon.

  Era respetada de todos.
  She was respected by all.

F. Adverbs

Adverbs modify verbs, adjectives, and other adverbs. They answer the questions *when?*, *where?*, and *how?*

Ayer lo hice.   *I did it* **yesterday**. (when)
Vivo **aquí**.   *I live* **here**. (where)
Lo escribí **bien**.   *I wrote it* **well**. (how)

Most adverbs that answer the question *how?* are formed by adding **-mente** to the feminine form of the adjective.

lentamente	*slowly*	inmediatemente	*immediately*
rápidamente	*quickly*	fácilmente	*easily*
ferozmente	*ferociously*	cortésmente	*courteously*

If more than one adjective is used, only the last ends in **-mente**. The feminine form of the other adjectives is still retained.

Lo hice lenta, cuidadosa y atentamente.
I did it slowly, carefully, and attentively.

Recientemente shortens to **recién** before past participles.

recién casados	*newlyweds*	recién nacido	*newborn*

The prepositions **con, en,** and **por** are often used with nouns as adverbial expressions.

con cuidado	(cuidadosamente)	*carefully*
en silencio	(silenciosamente)	*silently*
por instinto	(instintivamente)	*instinctively*

G. Suffixes (diminutive, augmentative, and pejorative)

Spanish often adds suffixes to words to denote size, affection, sarcasm, or even disdain. The three types are diminutive, augmentative, pejorative.

Diminutive

These suffixes imply smallness in size and/or lend a tone of affection or endearment. They include: **-ito, -cito, -illo, -cillo, -uelo, -zuelo, -ete, -cete, -in,** and **-ino**.

perro	*dog*	perrito	*little dog, puppy*
pan	*bread*	panecillo	*roll*

chica	girl	chiquilla	little girl, sweet girl
chico	boy	chicuelo	kid
tonto	foolish one	tontuelo	silly goose
mozo	young man	mozalbete	young fellow
pequeño	boy	pequeñín	little one, baby
cariñoso	loving	cariñosino	loving boy

Augmentative

These imply largeness in size or denote an unpleasant or humorous connotation. They include: **-ón, -azo,** and **-ote/-ota.**

cartel	sign	cartelón	big sign
libro	book	librazo	big book, tome
camiseta	T-shirt	camisetota	large T-shirt

Pejorative

These convey a tone of contempt or disdain and can be quite insulting. They include: **-aco, -acho, -ajo, -uco, -udo,** and **-ucho.**

pájaro	bird	pajarraco	big homely bird
rico	rich	*ricacho	"filthy" rich
cinto	belt	cintajo	bad quality belt
mujer	woman	mujeruca	woman, derogatorily
bueno	good	buenudo	fool
médico	doctor	medicucho	unskilled physician

*Some words undergo a slight spelling change before the suffix is added.

| rico | rich | ricachón | "filthy" rich |
| pueblo | town | poblacho | dismal town |

Note:

Students should not attempt to use these suffixes without further study as there are many regional differences and choosing the wrong suffix may be offensive.

H. Comparisons and Superlatives

Comparisons

más... que	*more . . . than*
menos... que	*less . . . than, fewer . . . than*
tan... como	*as . . . as*
tanto... como	*as much . . . as*
tantos... como	*as many . . . as*

Tengo más amigos que él.	*I have more friends than he.*
Pasé menos tiempo que ella.	*I spent less time than she.*
Soy tan alto como él.	*I am as tall as he.*
Tengo tantos gatos como ella.	*I have as many cats as she.*

Note:

- **Tan** *(as, so)* is used with adjectives and adverbs.

Es tan alto.	*He is so tall.*
Es tan alto como yo.	*He is as tall as I.*
Corre tan rápido como un conejo.	*He runs as fast as a rabbit.*

- **Tanto** *(as much, so much)* is used with nouns and verbs.

Tiene tanto tiempo.	*He has so much time.*
Habla tanto como yo.	*He talks as much as I.*
No comas tanto.	*Don't eat so much.*

Tanto, tanta, tantos, and **tantas** *(so much, as much, so many, as many)* are used with nouns.

Quiero tanto dinero.	*I want so much money.*
Necesita tanta paciencia.	*He needs so much patience.*
No tengo tantos amigos como él.	*I don't have as many friends as he.*

Irregular comparatives

ADJECTIVE / ADVERB		COMPARATIVE / SUPERLATIVE	
bueno/bien	good/well	mejor	better, best
malo/mal	bad/badly	peor	worse, worst
grande	big	mayor	bigger, biggest, greater, greatest
viejo	old	mayor	older, oldest
pequeño	small	menor	smaller, smallest
joven	young	menor	younger, youngest

Examples:

Leandro es un chico bueno; hoy no se siente bien pero mañana estará mejor.

Leandro is a good boy; he does not feel well today but he will feel better tomorrow.

Mi hermana menor es mi mejor amiga.

My younger sister is my best friend.

"Than" in comparisons

In comparisons the word *than* is expressed in the following ways:

* **Que** is used before anything other than a number or amount.

  Soy mayor que ella.   *I am older than she.*

  Tengo más paciencia que Inés.   *I have more patience than Inés.*

* **De** is used before a number or amount.

  David trabaja más de ocho horas.
  David works more than eight hours.

  Gano menos de lo usual.
  I earn less than the usual (amount).

* **Del que, de la que, de los que,** and **de las que** are used when there are two verbs in a sentence and a noun is being compared.

Gasto más dinero del que gano.
I spend more money than I earn.

Tiene menos paciencia de la que necesita.
He has less patience than he needs.

- **De lo que** is used if an adjective, adverb or whole concept is being compared.

Es más hermosa de lo que crees.
She's more beautiful than you think.

Gasto menos de lo que te imaginas.
I spend less than you imagine.

Corrió más rápido de lo que me dijo.
He ran faster than (what) he told me.

Agreement of *mucho*

Mucho, even when followed by **más** or **menos,** still agrees with the word being compared.

Tengo **mucha** menos energía que ella.
I have much less energy than she.

Aquí hay **muchos** más caballos que vacas.
There are many more horses than cows here.

When **mucho** is followed by a comparative it remains masculine singular.

Tu casa es **mucho** mejor que la mía.
Your house is much better than mine.

Son **mucho** peores jugadores que nosotros.
They are much worse players than we.

Sino but *(instead/rather)*

Sino replaces **pero** when the first part of the sentence is negative and there is a contradiction.

No es negro sino blanco.   *It's not black but white.*

Que is added after **sino** when there is a verb clause in the second part of the sentence.

No lo compré sino que lo alquilé.
I didn't buy it but rented it.

Superlatives

To form the superlative, the definite article is used before the word that is being compared. The English word *in* is expressed by **de.**

Alejandro es el más listo de la clase.
Alejandro is the most clever (one) in the class.

Soy la persona más alta del cuarto.
I'm the tallest person in the room.

Somos los peores jugadores del equipo.
We are the worst players on the team.

The suffix *-ísimo*

This ending is added to many adjectives to intensify the meaning and to denote the idea of "really," "very," or "extremely." The final vowel is dropped before the suffix is added and the adjective still agrees with the noun.

mucho (*masc. sing.*)	*a lot*
muchísimo	*a great deal*
rica (*fem. sing.*)	*rich*
riquísima	*very rich*
excelentes (*masc./fem. pl.*)	*excellent*
excelentísimos	*extremely excellent*
guapos (*masc. pl.*)	*handsome*
guapísimos	*really handsome*

Adjectives that end in **-ble** change the ending to **bil** before adding the **-ísimo.**

amable	*nice*	amabilísimo	*really nice*
posible	*possible*	posibilísimo	*very possible*

Note:

The **-ísimo** suffix is never added to a word that already has a diminutive, augmentative or perjorative suffix.

Exercises

A. Fill in the blanks with the appropriate relative pronoun.

1. Soy la mujer _____ hijos son médicos.
2. Llovió, por _____ _____ no fuimos a la playa.
3. Lo que tengo en el bolso es _____ _____ necesitas.
4. _____ estudia tiene éxito.
5. _____ _____ ganan reciben trofeos.
6. _____ _____ aventura cruza el mar.
7. La amiga de mi tío, _____ _____ vive allá, es bonita.
8. Las montañas cerca de _____ _____ vivo son magníficas.
9. La puerta hacia _____ _____ camina está abierta.
10. La maestra, _____ es amable, vive en Laredo.
11. Fernando es el muchacho _____ vi.
12. Isabel es la muchacha _____ _____ visitamos.
13. Éste es el libro _____ escribí.
14. Allí están los libros cerca de _____ _____ están los papeles.
15. Teresa es la estudiante de _____ te hablé.

B. Translate each of the following in three ways, using _desde hace, hace,_ and _llevar._

1. We have been studying for hours.
2. She had been sick for four days.
3. I have been writing this book for eight years.
4. He hasn't rested in days.
5. I have not eaten for three hours!

C. Translate and then answer in the negative.

1. Has somebody seen something frightening?
2. Did some girl say that she would go with you some time?

3. Does either Ignacio or Juliana ever talk to anybody new?

4. Will any teacher say that she always gives homework?

5. Have you ever studied German?

D. Fill in the blanks with the appropriate exclamative or interrogative.

1. ¡_____ hermoso es el murmullo de las hojas!

2. ¡_____ canta ese hombre!

3. ¿_____ ganó en la lotería?

4. ¡_____ _____ personas hay en esta escuela!

5. ¡_____ hermosa es!

6. ¿_____ de estos libros prefieres?

7. ¿_____ es la capital de Honduras?

8. ¿_____ quieres ver —una película de acción o una de terror?

9. ¿_____ está la comida?

10. ¿_____ es un diccionario?

E. Combine the words in the three columns to form passive voice sentences. Use a logical tense of the verb *ser*.

<u>Modelo:</u> casa   renovar   carpinteros
La casa fue renovada por los carpinteros.

La torre de la Giralda	solucionar	los científicos
Andalucía	escribir	el embajador Morrow
Las misiones franciscanas	llevar	los gitanos
El nombre de la embajada	fundar	en 1196
Los maestros	construir	los moros durante 700 años
Los ponchos	cambiar	Fray Junípero

Las leyendas	gobernar	todos los estudiantes
Don Quijote	tejer	las jóvenes ecuatorianas
Los problemas	respetar	en 1605
El hijo de Luz	empezar	a la casa de su tía

F. Fill in the blank with the appropriate adverb.

1. Lo hice _____ y metódicamente. (*slowly*)
2. Tenemos que salir _____. (*immediately*)
3. Huyó del ladrón _____ y silenciosamente. (*quickly*)
4. Tito sabía hacerlo _____ _____. (*instinctively*)
5. "A sus órdenes", nos dijo _____. (*courteously*)
6. Por favor, habla más _____. (*clearly*)
7. Esa niña canta muy _____. (*sweetly*)
8. Se quejó _____. (*loudly*)
9. Completó los quehaceres rápida y _____. (*easily*)
10. Siempre preparamos las comidas _____ _____ y lentamente. (*carefully*)

G. Match the words with their meaning.

1. amabilísimo   a. very rich
2. cartelón   b. roll
3. tontuelo   c. big sign
4. pajarraco   d. really nice
5. medicucho   e. unskilled physician
6. riquísimo   f. big homely bird
7. panecillo   g. bad quality belt
8. chiquilla   h. sweet girl
9. cintajo   i. fool
10. buenudo   j. silly goose

H. Translate

1. I'm as tall as she, but she's taller than Susan.
2. We have as many classes as he, but he's not as smart.

3. It's not black but white. It's not mine, but it's pretty.

4. He doesn't lie but he exaggerates. He exaggerates so much!

5. Miguelito is the strongest boy in the family.

Review Excercises— Sections 16–18

A. Section 16: Possessives

1. Use 5 different short possessive adjectives in original sentences.

2. Use 5 different long possessive adjectives in original sentences.

3. Write 5 sentences in which the possessive adjectives are repeated.

B. Section 17: Demonstratives

1. Using original examples, explain 3 differences between **ese** and **aquel**.

2. List, with original examples, facts about the following:

   a. demonstrative pronouns (4 facts)

   b. former and latter (3 facts)

   c. neuter demonstratives (5 facts)

C. Section 18: Additional grammar information

1. Use the following relative pronouns in original sentences:

a. que	c. el cual	e. lo cual	g. la que
b. quienes	d. lo que	f. quien	h. cuyos

2. Translate the following in as many ways as possible.

   a. I have been working on this for four years.

   b. She had taught Spanish for only six months.

  c. I have not eaten for nine hours.

  d. He hadn't seen her in months.

3. Use 5 indefinite words to write questions. Then answer your questions in the negative.

4. Translate.

  a. Which class is your favorite?

  b. What made that noise? A dog or a cat?

  c. What an ugly monster!

  d. How she can sing!

  e. The horses were trained by an expert.

  f. The poems will be read by Miguel.

  g. It was hard to write, but it was fun.

  h. I never spent so much time on anything!

  i. I wrote it slowly, methodically, and carefully.

  j. I hope you like it as much as I do.

5. Translate and label as *diminutive, augmentative,* or *perjorative.*

  a. polluelo

  b. sombrerón

  c. poblacho

  d. librillo

  e. cochazo

6. Fill in the blanks to complete the following:

  a. La casa de Juanita es _____ mejor _____ la mía. (*much . . . than*)

  b. Su poesía es _____ bella ____ _____ _____ podrías imaginar. (*more . . . than*)

  c. Debes gastar _____ dinero _____ _____ ganas. (*less . . . than*)

  d. Sus notas son _____ peores _____ las de su hermana. (*much . . . than*)

e. Elisa es ___ alta _____ su novio. (*as . . . as*)

f. ¡Julieta es _____ estudiosa ____ Néstor! (*more . . . than*)

g. Me hace falta más dinero _____ _____ ___ piensas. (*than*)

h. Linda es la muchacha _____ _____ ___ la familia. (*tallest in*)

i. Enrique es el _____ jugador del equipo. (*worst*)

j. La esposa tiene _____ menos energía que su marido. (*much*)

7. Translate using the passive voice.

   a. The city was built slowly and methodically.

   b. My sister is definitely admired by all her friends.

   c. Our whispers were clearly heard by the teacher yesterday.

   d. The exercises were completed slowly and carefully.

   e. My dog will be trained professionally.

   f. Those nurses were sincerely admired by their patients.

   g. Our mother will always be remembered fondly by all of us.

   h. Those noises were made intentionally by that student.

   i. The doors at school are generally opened by the principal.

   j. The criminals will be severely punished.

Glossary of Grammatical Terms

Grammatical Terms

For more detailed explanations of the following grammar points, use the index and table of contents to determine the pages or chapters where they are explained more fully.

Accents (Los acentos) are used in the following ways:

- to show where the stress falls on a word that is stressed irregularly

Ramón	*Raymond*
jóvenes	*young people*
francés	*French*

- to stress a syllable in what would ordinarily be a diphthong (See **Diphthongs**.)

mío	*mine*
día	*day*
baúl	*trunk*

- on some endings in certain tenses

habláis	*you speak* (present)
hablé	*I spoke* (preterite)
hablábamos	*we were speaking* (imperfect)

- on interrogative words

quién	*who*
qué	*what*
cuándo	*when*

- to differentiate between two words with the same spelling

cómo	*how*	como	*like*
sólo	*only*	solo	*alone*
aún	*still/yet*	aun	*even*
tú	*you*	tu	*your*

Active voice (La voz activa) is a construction in which the subject performs the action of the verb.

Ana leyó el cuento.   **Ana read** the story.
El perro ladró mucho.   **The dog barked** a lot.

(See **Passive voice**.)

Adjectives (Los adjetivos) are words that modify (describe or point out) nouns and pronouns. They must agree in number and gender with the words they modify. Following are the different types of adjectives.

- **Descriptive adjectives (Los adjetivos descriptivos)**, as their name implies, describe, differentiate, distinguish, or categorize the word they modify.

  la chica **cubana**   the **Cuban** girl
  un estudio **científico**   a **scientific** study

- **Determinate adjectives (Los adjetivos determinados)**, also called **limiting adjectives**, do not differentiate the noun from others in its class, but merely point it out in some way. These adjectives include the following.

  —**Cardinal numbers (Los números cardinales)** are used to count nouns.

  dos perros   **two** dogs
  trescientas manzanas   **three hundred** apples

  (See: **Numbers: Cardinal**.)

Adjectives (Los adjetivos determinados)

[continued]

—Demonstrative adjectives (Los adjetivos demostrativos) are used to point out nouns.

este caballo	**this** horse
esa mujer	**that** woman
aquel tío	**that** uncle

(See **Demonstrative adjectives.**)

—Exclamative adjectives (Los adjetivos exclamativos) are used in exclamations to express emotions such as surprise, delight, horror, etc.

¡**Qué** gato!	**What** a cat!
¡**Cuántas** tías tiene!	**How many** aunts he has!
¡**Cómo** canta!	**How** he sings!

—Extent or measure [adjectives of] (Los adjetivos de extensión o medición) indicate to what extent or degree something is perceived.

un **simple** maestro	a **mere** teacher
un **franco** placer	**quite** a pleasure
un **puro** encanto	a **pure/sheer** delight

—Indefinite adjectives (Los adjetivos indefinidos) refer to unspecified people or things.

algún gato	**some** cat
cada tío	**each** uncle
otro día	**another** day

(See **Indefinite words.**)

—Interrogative adjectives (Los adjetivos interrogativos) are used to pose questions, either direct or indirect.

¿**Qué** perro ladró?	**What** dog barked? (direct)
¿**Cuántas** personas hay?	**How many** people are there? (direct)
¿Sabes **quién** es?	Do you know **who** it is? (indirect)
Me pregunta **adónde** voy.	He asks me **where** I go. (indirect)

—Ordinal numbers (Los números ordinales)
represent the order of things or people in a series.

primera lección	*first* lesson
tercer hombre	*third* man

(See **Numbers: Ordinals.**)

—Possessive adjectives (Los adjetivos posesivos) are
used to show ownership.

unstressed (no acentuados):

mis tías	*my* aunts
tu perro	*your* dog

stressed (acentuados):

tías **mías**	aunts *of mine* / <u>*my*</u> aunts
perro **tuyo**	dog *of yours* / <u>*your*</u> *dog*

(See **Possessive: Possessive adjective.**)

—Quantitative adjectives (Los adjetivos cuantitativos)
express amount.

más nieve	*more* snow
menos frío	*less* cold
poco dinero	*little* money

Adverbs (Los adverbios) are words that describe
adjectives, verbs, or other adverbs. They answer the
questions *where?*, *how?*, and *when?*

Está **aquí**.	He is **here**.
Hace **bien**.	He does **well**.
Hasta **pronto**.	See you **soon**.

- Adverbs, unlike adjectives, do not have gender
  or number. To make an adjective into an adverb,
  change the adjective to the feminine singular and
  add **-mente**.

rápid**amente**	*rapidly*
cuidados**amente**	*carefully*
inteligent**emente**	*intelligently*

Agreement (La concordancia) is a term that is applied to subjects with verbs, and articles and adjectives with nouns.

- Subjects must agree with verbs in person and number.

  Yo habl**o**   *I speak*
  Nosotros habl**amos**   *We speak*
  Tú visit**as**   *You visit*

- Articles (definite and indefinite) must agree in number and gender with the nouns that they modify.

  el chic**o**   **the** boy   (definite)
  la chica   **the** girl   (definite)

  una prim**a**   **a** cousin   (indefinite)
  unos perr**os** **some** dogs   (indefinite)

  (See **Articles: Definite** and **Indefinite**.)

- Adjectives must agree in number and gender with the nouns they modify.

  gat**o** blanc**o**   **white** cat
  edifici**os** nuev**os**   **new** buildings

  (See **Adjectives**.)

Apposition (La aposición) refers to a noun, pronoun, or phrase that is placed after another noun or pronoun to explain, identify, or clarify it.

  Juan, **mi tío**, se murió en febrero.
  *John, **my uncle**, died in February.*

  Tim, **que es el hijo mayor**, lo construyó.
  *Tim, **who is the oldest son**, built it.*

Articles (Los artículos), *the, a (an), one,* and *some,* are the most commonly used parts of speech.

- **Definite articles (Los artículos definidos),** **el, la, los, las,** generally mean *the,* and refer to a particular, specific, or <u>definite</u> person or thing.

el perro	**the** dog
la mujer	**the** woman
los primos	**the** cousins

- **Indefinite articles (Los artículos indefinidos),** **un, una** (*a, an, one*), **unos, unas** (*some*), refer to a non-specific, general, or <u>indefinite</u> person or thing.

un perro	**a** dog
una mujer	**a** woman
unos primos	**some** cousins

Cardinal numbers (Los números cardinales), dos, **tres, treinta,** etc., are used for counting purposes.

tres amigos	**three** friends
quinientas millas	**five hundred** miles

(See **Numbers: Cardinal.**)

Clauses (Las cláusulas) are constructions made up of a subject and verb. There are two types of clauses: main and subordinate.

- **Main clause/Independent clause (La cláusula principal)** is a clause that expresses a complete thought, and therefore can stand alone.

  José irá a menos que llueva.
  José will go unless it rains.

  Estudiaré con tal que me ayudes.
  I will study provided that you help me.

- **Subordinate clause/Dependent clause (La cláusula subordinada)** is a clause that is <u>dependent</u> on the main clause, does not express a complete thought, and therefore cannot stand alone.

José irá **a menos que llueva**.
*José will go **unless it rains**.*

Estudiaré **con tal que me ayudes**.
*I'll study **provided that you help me**.*

The clause **a menos que llueva** depends on the main clause **José irá** to form a complete thought. Likewise, the clause **con tal que me ayudes** depends on the main clause **Estudiaré** to form a complete thought.

Commands (Los mandatos): See **Imperative**.

Comparatives (Los comparativos) are expressed by using adjectives and adverbs to compare nouns or actions. This construction describes actions, people, places, and things in relation to others in terms of manner, quantity, or quality. There are two types of comparatives:

- **Comparatives of equality (Los comparativos de igualdad)** are expressed by using **tan** with **como**, or a form of **tanto** with **como** to show equality of a quantity or degree.

    Es **tan rápido como** un conejo.
    *He's **as fast** as a rabbit.*

    Tengo **tantos problemas como** tú.
    *I have **as many problems as** you.*

- **Comparatives of inequality (Los comparativos de desigualdad)** use **más** and **menos** with **que** to show how the things being compared are different.

    Soy **más alto que** mi hermana.
    *I'm **taller than** my sister.*

    Tengo **menos dinero que** Roberto.
    *I have **less money than** Robert.*

Note: Que is replaced by **de** before a number or amount (stated or implied).

Tienen más de seis caballos.   *They have more than six horses.*
Gastamos más de lo normal.   *We spent more than normal (the normal amount).*

- Common irregular comparatives include **mejor** (*better*), **peor** (*worse*), **mayor** (*older/greater*), and **menor** (*younger/lesser*).

> Soy **mayor que** Teresa.
> *I am **older than** Teresa.*
>
> Juegas **mejor que** tu hermano.
> *You **play better than** your brother.*

(See **Superlatives**.)

Compound tenses (Los tiempos compuestos) are composed of the helping (auxiliary) verb **haber** and the past participle. There is a corresponding compound tense for each of the simple tenses.

> **He hablado** a menudo.
> *I **have spoken** often.* (**present** perfect)
>
> **Habremos comido** para entonces.
> *We **will have eaten** by then.* (**future** perfect)

Conditional (El condicional/potencial) is the tense used to express "would" as well as probability or conjecture.

> Lo **compraría** si pudiera.　　*I **would buy** it if I could.*
> ¿Qué hora **sería**?　　*What time could it be?*
>
> **Tendría** hambre.　　*He **probably was** hungry.*
> ¿Dónde **estaría**?　　*I **wonder where he was**.*

(See **Probability**.)

Conditional perfect (El condicional perfecto) is the tense used to express "would have" as well as probability or conjecture.

> Lo **habría comprado** si hubiera podido.
> *I **would have bought** it if I could have.*
>
> ¿Qué hora **habría sido**?
> *What time **could it have been**?*
>
> **Habría tenido** hambre.
> *He **probably had been** hungry.*
>
> ¿Dónde **habría estado**?
> *Where **could he have been**?*

(See **Perfect tenses: Conditional Perfect** and **Probability**.)

Conjecture (La conjetura) is wondering, guessing, or assuming. The future and conditional and future and conditional perfect are used to express conjecture and probability.

¿Qué hora **será**?	*I wonder what time it is.*
Estaría tarde.	*He probably was late.*
Habrá tenido hambre.	*He must have been hungry.*
¿Quién **habría sido**?	*Who could it have been?*

(See also **Future, Conditional, Future perfect, Conditional perfect,** and **Probability**.)

Conjugations (Las conjugaciones) refer to listings of all verb forms according to person and number in any tense or mood. Conjugations show changes in verb endings in first, second, and third-person singular and plural.

habl**o** habl**as** habl**a**, etc.
I speak, you speak, he speaks, etc.

habl**é** habl**aste** habl**ó**, etc.
I spoke, you spoke, he spoke, etc.

Conjunctions (Las conjunciones) connect words or groups of words They include *if* (**si**), *and* (**y/e**) *or* (**o/u**), *but* (**pero/sino/mas**), and *because* (**porque**).

No es negro **sino** blanco.	*It's not black but white.*
Ana **y** Lisa salieron.	*Ana and Lisa left.*

Contractions (Las contracciones): There are two: **a** combines with the masculine singular definite article **el** to form the contraction **al** (*to the/ at the*), and **de** combines with **el** to form **del** (*of the/ from the/ about the*).

Va **al** mercado.	*He goes to the market.*
¿Qué piensas **del** perro?	*What do you think of the dog?*

Definite articles: See **Articles: Definite**.

Demonstrative adjectives (Los adjetivos demostrativos) point out the noun with relation to distance from the speaker in space and time. They agree in number and gender with the nouns they modify.

este libro
this book *(near the speaker)*

esas lámparas
those lamps *(removed from the speaker)*

aquellas lámparas
those lamps *(more removed from the speaker)*

Demonstrative pronouns (Los pronombres demostrativos) are used in place of nouns and agree in number and gender with those nouns. They use to carry accents to differentiate them from the demonstrative adjectives but modern Spanish often omits them. The meanings of the demonstrative pronouns correspond to those of the demonstrative adjectives.

Éste/Este es mío.	***This/This one*** *is mine.*
Ésas/Esas son bonitas.	***Those*** *are pretty.*
Aquéllas/Aquellas me gustan.	***Those*** *(farther off) I like.*

- The neuter forms **esto, eso,** and **aquello** refer to intangible ideas or thoughts that cannot have gender.

Esto es increíble.
This *(whole situation) is incredible.*

Eso fue horrible.
That *(the idea that such-and-such happened) was horrible.*

- They are also used in asking for and providing definitions.

¿Qué es **esto**?	*What is **this**?*
Esto es un mapa.	***This*** *is a map.*
Eso es una flor.	***That*** *is a flower.*
Aquello es un florero.	***That*** *is a vase.*

Dependent clause: See **Clauses**.

Dependent infinitive (El infinitivo subordinado)
is an infinitive that follows a verb or preposition.

Quiero **ir**.	I want **to go**.
Voy a **estudiar**.	I'm going **to study**.

Diphthong (El diptongo) is a weak vowel combined with a strong vowel. The strong vowel dominates the weak, and the two together are pronounced as one syllable.

tra**i**go	I bring
re**i**na	queen
p**i**el	skin

Note:

When a weak vowel and a strong one appear together but are pronounced separately, a written accent is used to show which vowel receives the stress.

m**í**o	mine
ba**ú**l	trunk
pa**í**s	country

Direct object (El objeto directo) is a noun or pronoun that directly receives the action of the verb. It answers the questions *What?* or *Whom?*

Preparo la **cena.**	I prepare the **dinner.**
La preparas.	You prepare **it.**
Visité a **Ana y María**.	I visited **Ana and María**.
Las visité.	I visited **them.**

Direct object pronouns: See **Pronouns: Direct object**.

Exclamative words: See **Adjectives: Exclamative**.

Future (El futuro) is the tense used to express *will/shall* as well as probability and conjecture.

Lo **compraré**.	*I will/shall buy it.*
¿Qué hora **será**?	*What time can it be?*
Tendrá hambre.	*He probably is hungry.*
¿Dónde **estará**?	*Where can he be?*

(See **Probability**.)

Future perfect (El futuro del perfecto) is the tense used to express *will have/shall have* as well as probability or conjecture with *have* or *has*. It is composed of the future tense of **haber** and the past participle.

Lo **habré comprado**.	***I will have/shall have bought*** *it.*
¿Adónde **habrá ido**?	*Where **can he have gone**?*
Habrá estado enfermo.	*He **must have been** sick.*
Lo **habrás perdido**.	*You **probably have lost** it.*

(See **Perfect tenses: Future perfect** and **Probability**.)

Future perfect subjunctive (El futuro del perfecto del subjuntivo) is obsolete but it is seen in literature and proverbs. Its meaning corresponds to that of the future perfect when subjunctive is called for (after emotion, doubt, denial, etc.). It is composed of the future subjunctive of **haber** and the past participle. The present perfect subjunctive is used in its place in modern Spanish.

Espero que **hubiere ido** para entonces.
*I hope **he will have gone** by then.*

Es bueno que **hubiéremos terminado**.
*It's good that **we will have** finished.*

(See **Perfect tenses: Future perfect subjunctive**.)

Future subjunctive (El futuro del subjuntivo) is obsolete but it <u>is</u> seen in literature and some proverbs. Its meaning corresponds to that of the future when subjunctive is called for (after expressions of emotion, doubt, denial, etc.) The present subjunctive is used in its place in modern Spanish.

Cuando a Roma **fueres** haz lo que **vieres**.
When in Rome do as the Romans.
*(When you {**will**} go to Rome, do what you {**will**} see.)*
El general espera que su ejército **ganare**.
*The general hopes his army **will win**.*

Gender (El género) is the classification of articles, nouns, pronouns, and adjectives as masculine or feminine.

el perro (masculine definite article)	**the** dog
unas casas (feminine indefinite article)	**some** houses
la ciudad (feminine noun)	**the** city
éstos (masculine demonstrative pronoun)	*these*
las **nuestras** (feminine possessive pronoun)	*ours*
la ciudad **bella** (feminine adjective)	the **beautiful** city

- In certain cases a change in gender can signify a change in meaning.

el pez (m)	*fish*	**la** pez (f)	*tar*
el cura (m)	*priest*	**la** cura (f)	*cure*

- Pronouns have a neuter form as well. These are used for whole ideas or intangibles that have no gender.

Esto es ridículo.	**This** is ridiculous.
Aquello fue raro.	**That** was strange.
Lo mío es **lo tuyo**.	(What's) **mine** is **yours**.

(See **Demonstrative pronouns.**)

Gerund (El gerundio): Also called the present participle, this verb form corresponds to the English "___ing" (speaking, dancing, etc.) The endings in Spanish are **-ando** and **-iendo** (or **yendo**). The gerund in Spanish has two meanings: "___ing" and "by ___ing.

Ahora estoy **comiendo**.
*Now **I am eating**.*
Hablando la lengua uno aprende.
*By **speaking** the language one learns.*

Idioms (Los modismos) are expressions or phrases that are not translated literally from one language to the other.

Llueve **a cántaros**.	*It's raining **cats and dogs**.*
	*(It's raining **buckets**.)*
Tengo hambre.	*I am hungry.*
	*(I **have hunger**.)*

If-clauses (Las cláusulas con *sí*) are clauses that contain the word "if" and make statements that are questionable or contrary to fact. There are three types of *if*-clauses.

Si tengo tiempo, iré.	*If I have time, I will go.*
Si tuviera tiempo, iría.	*If I had time, I would go.*
Si hubiera tenido tiempo, habría ido.	*If I had had time, I would have gone.*

Imperative (El imperativo) is a mood that expresses commands: formal and informal, and singular and plural. There are five forms, and all but the affirmative **tú** and the affirmative **vosotros** forms use the subjunctive.

Habl**a** (tú)	*Speak.*	No hables.	*Don't speak.*
Habl**e** (Ud.)	*Speak.*	No hable.	*Don't speak.*
Hablemos (Nosotros)*	*Let's speak.*	No hablemos.	*Let's not speak.*
Habl**ad** (Vosotros)	*Speak.*	No habléis.	*Don't speak.*
Hablen (Uds.)	*Speak.*	No hablen.	*Don't speak.*

*Alternate: Vamos a hablar.   *Let's speak.*

Imperfect (El imperfecto) is a past tense that is used to express habitual or on-going actions and to describe or set the scene for other actions.

Jugaba en el parque.	*I used to play in the park.*
Era alta y bella.	*She was tall and beautiful.*
Iba a la escuela cuando...	*I was going to school when ...*
Eran las tres de la tarde.	*It was three P.M.*

Imperfect subjunctive (El imperfecto del subjuntivo): When the subjunctive is called for (after emotion, doubt, denial, etc.) and the main clause, the subordinate clause, or both clauses are in a past tense, the imperfect subjunctive is used in the subordinate clause.

> Negó que **mintieran**.
> *He denied that **they lied**.* (main verb in past)

> No pensaba que **oyera**.
> *I didn't think **he heard**.* (both verbs in past)

(See **Clauses**.)

This tense is also used with the conditional in if-clauses.

> Si **tuviera** tiempo iría.   *If I **had** time, I would go.*
> Te lo diría si **pudiera**.   *I would tell you if **I could**.*

(See *If*-**clauses**.)

Impersonal expressions (Las expresiones impersonales) are statements that begin with the impersonal subject "it," "one," or "they." The verb is always third person.

Es importante.	***It is important***.
Basta que...	***It is enough*** *that* ...
Hay que estudiar.	***One must*** *study*.
Se comen tacos en México.	***One*** *eats/**They** eat tacos in Mexico*.
Uno se levanta temprano allí.	***One*** *gets up/**They** get up early there*.
Se dice que...	***It is said/They say/One says*** *that* ...

Implied commands (Los mandates implícitos), also called indirect commands, express a wish that something be done. The wish or desire is expressed in the main clause and the subjunctive is used in the subordinate clause.

> **Quiero** que estudies.   ***I want*** *you to study*.
> **Insiste** en que aprendamos.   ***He insists*** *that we learn*.
> **Exijo** que vengan.   ***I demand*** *that they come*.

(See **Clauses**.)

Indefinite antecedent (El antecedente indefinido) refers to someone or something introduced in the main clause whose existence is uncertain. The subject may exist but may not be found, and therefore the subjunctive is used in the subordinate clause.

> **¿Hay un perro** que tenga ojos azules?
> **Is there a dog** that has blue eyes?
>
> **¿Conoces un hombre** que conduzca un Fiat?
> **Do you know a man** who drives a Fiat?
>
> **Busco una máquina** que funcione.
> **I'm looking for a machine** that works.

(See **Clauses**.)

Indefinite articles: See **Articles: Definite articles**.

Indefinite words (Las palabras indefinidas) are articles, pronouns and adjectives that refer to non-specific people or things.

> **Un** chico me lo dijo. (article)   **A** boy told me.
> **Alguien** compró algo. (pronoun)   **Somebody** bought something.
> **Algún** hombre la visitó. (adjective) **Some** man visited her.

(See **Adjectives: Indefinite, Articles: Indefinite** and **Pronouns: Indefinite**.)

Indicative mood (El modo indicative) is one of three moods in Spanish, the others being the subjunctive and the imperative. It is used to state facts and convey information that is certain. There are many indicative tenses (present, future, imperfect, present perfect, etc.).

> **Es** mi amigo. (present)   **He is** my friend.
> **Iré** contigo. (future)   **I will go** with you.
> Siempre lo **lavaba**. (imperfect)   **He** always **washed** it.

Indirect object (El objeto indirecto) is a noun or pronoun that indirectly receives the action of the verb. It answers the questions *To whom?*, *For whom?* and *From whom?* In Spanish it is common to use the indirect object pronoun in addition to the noun.

> (**Le**) hablé **a María**.
> *I spoke **to María**.*
>
> **Nos** lo compraron.
> *They bought it **for us**.*
>
> (**Les**) quité el gato **a mis hijos**.
> *I took the cat away **from my sons**.*

(See **Object pronouns: Indirect**.)

Indirect object pronouns: See **Object pronouns: Indirect**.

Infinitive (El infinitivo) is the unconjugated verb form ending in **-ar, -er,** or **-ir**. It is used to express "to" and also to have a verb function as a noun.

> Quiero **hablar**. *I want **to speak**.*
> Le gusta **comer**. *He likes **to eat**.*
>
> (El) **fumar** es peligroso. ***Smoking** is dangerous.*
> (El) **cantar** es divertido. ***Singing** is fun.*

Interrogative words (Las palabras interrogatives) are words such as *who, what, when, where, why,* and *how,* that are used to pose questions. All question words carry accents.

> ¿**Quién** es? ***Who** is it?*
> ¿**Qué** quieres? ***What** do you want?*
> ¿**Cuándo** es el partido? ***When** is the game?*

Loan words (Las palabras prestadas) are words that Spanish has adopted from other languages.

> Visitamos su **chalet**. *We visited their **chalet**.*
> No le gustó el **boicot**. *He didn't like the **boycott**.*
> Marcó un **gol**. *He scored a **goal**.*

Modify (Modificar) means to describe. Nouns, verbs, adjectives and adverbs can all be modified by other words.

Es una <u>casa</u> **bonita**.	It is a **pretty** house.
	(<u>noun</u> modified by **adjective**)
<u>Corremos</u> **lentamente**.	We run **slowly**.
	(<u>verb</u> modified by **adverb**)
Ana es **muy** <u>alta</u>.	Ana is **very** tall.
	(<u>adjective</u> modified by **adverb**)
Corre **demasiado** <u>lentamente</u>.	He runs **too** slowly.
	(<u>adverb</u> modified by **adverb**)

Negation (La negación) takes place when a negative word is placed before the verb. Double and even multiple negatives are common in Spanish.

No voy allí.
I do **not** go there.

Nunca dijo eso.
He **never** said that.

Aquí **nadie** tiene **nada nunca**.
Nobody ever has **anything** here.

Negative words (Las palabras negativas) are words such as *nothing, nobody, never,* etc. These are the negative counterparts of the indefinites such as *something, somebody, ever,* etc.

No tengo **nada**.	I have **nothing**.
Nadie me ama.	**Nobody** loves me.
Nunca voy de compras.	I **never** go shopping.

Nonrestrictive clause (Una cláusula que no es restrictiva) is a clause that is not necessary in conveying the main meaning of a sentence. These clauses are generally set off by commas.

Mi primo, **a quien adoro**, ganó el premio.
My cousin, **whom I adore**, won the prize.

María, **una madre buena**, se murió en el 98.
Mary, **a good mother**, died in '98.

Nouns (Los sustantivos) are words that depict a person, place, or thing.

El **hombre** viene.	*The **man** is coming.*
La **ciudad** es grande.	*The **city** is big.*
Mi **libro** está aquí.	*My **book** is here.*

Proper nouns are capitalized names of people and places.

Teresa es mi amiga.	***Teresa** is my friend.*
Miami es una ciudad grande.	***Miami** is a big city.*
Se habla francés en **Francia**.	*French is spoken in **France**.*

Number (El número) refers to nouns, pronouns, adjectives, articles, and verbs being singular or plural.

Singular:	El buen chico canta.	*The good boy sings.*
Plural:	Los buenos chicos cantan.	*The good boys sing.*

Numbers (Los números): There are two types of numbers: cardinal and ordinal.

- **Cardinal (Los cardinales)** point out amount: one, two, twenty, etc.

treinta y dos mujeres	***thirty-two** women*
dos mil hombres	***two thousand** men*

  (See **Adjectives: Determinate adjectives; Cardinal numbers**.)

- **Ordinal (Los ordinales)** point out position in a series: **primero, segundo, tercero**, etc. These agree in number and gender with the noun they modify. **Primero** and **tercero** apocopate (drop the **o**) before masculine singular nouns.

el **primer** chico	*the **first** boy*
la **segunda** casa	*the **second** house*
los **octavos** pisos	*the **eighth** floors*

  (See **Adjectives: Determinate adjectives; Ordinal numbers**.)

Object pronouns (Los pronombres objetos)
include direct and indirect, prepositional, reflexive, and
reflexive prepositional pronouns.

- **Direct (Directo)** replace nouns that <u>directly</u> receive the
  action of the verb and answer the questions *What?* or
  Whom?

Te amo, María.	I love **you**, María.
Nos visitan.	They visit **us**.
Los tengo.	I have **them**.

  (See **Direct object**.)

- **Indirect (Indirecto)** replace, and also may be used
  in conjunction with nouns that <u>indirectly</u> receive the
  action of the verb and answer the questions *To whom?*,
  For whom?, and *From whom?* (when *from* implies
  separation from.)

  Me dio el libro.
  *He gave the book **to me**.*
  Nos hizo un favor.
  *They did a favor **for us**.*
  Les quité el dinero **a mis amigos**.
  *I took the money **from my friends**.*

  (See **Indirect object**.)

- **Prepositional (Preposicional)**, as their name implies,
  are used after prepositions.

Siempre habla de **mí**.	He always talks about **me**.
Lo hice por **ellos**.	I did it for **them**.
Pelean contra **nosotros**.	They fight against **us**.

  They are often used with the preposition **a** to clarify
  or emphasize.

A él le gusta.	**He** likes it.
A mí me encantan.	**I** love them.

- **Reflexive (Reflexivo)** refer back to and agree
  with the subject. They act as either direct or indirect
  object pronouns.

  Me llamo experta.
  *I call **myself** an expert.* (direct)

  Se habla de vez en cuando.
  *He talks **to himself** now and then.* (indirect)

The plural forms are also used to express reciprocity.

Nos hacemos favores.	*We do favors **for each other**.*
Ellos **se** aman.	*They love one **another**.*

(See **Reciprocity**.)

- **Reflexive prepositional (Los preposicionales reflexivos)** are used after prepositions and refer back to and agree with the subject.

Hablo de mí.	*I talk about **myself**.*
Lo hacen por **sí**.	*They do it for **themselves**.*
Pensamos en **nosotros**.	*We think about **ourselves**.*

Orthography (La ortografía) refers to spelling.

Orthographic-changing verbs (Los verbos con cambios ortográficos) are verbs that have spelling changes in certain tenses that are needed to keep the pronunciation uniform throughout the conjugation.

esco**g**er / esco**j**o	*to choose / I choose*
lle**g**ar / lle**gu**emos	*to arrive / let's arrive*
sa**c**ar / sa**qu**é	*to take out / I took out*

Passive voice (La voz pasiva) is a construction in which the subject receives the action of the verb. It is formed by using the verb **ser** with a past participle that agrees with the subject. **Por** + the agent expresses *by whom* the action was performed.

El libro **fue escrito** por Cervantes.
*The book **was written** by Cervantes.*

Las cartas **serán escritas** por Pablo.
*The letters **will be** written by Pablo.*

Dos vasos **fueron rotos** por el bebé.
*Two glasses **were broken** by the baby.*

When the "action" is emotional or mental, **de** may replace **por**.

Eran respetados de todos.
They were respected by all.

When the agent (the one who performs the action) is not mentioned, the passive **se** is used. The verb is either third-person singular or third-person plural to agree with the noun.

Se comen tacos en México.	*Tacos **are eaten** in Mexico.*
Se habla francés en Francia.	*French **is spoken** in France.*

(See **Active voice**.)

Past participle (El participio pasado) is the verb form that follows **haber** in compound tenses.

He **hablado**.	*I have **spoken**.*
Había **cantado**.	*He had **sung**.*
Habré **llegado**.	*I will have **arrived**.*

The past participle can also function as an adjective, in which case it agrees with the word it modifies.

lenguas **habladas**	***spoken** languages*
novela **publicada**	***published** novel*
maestros **cansados**	***tired** teachers*

Past perfect: See **Perfect tenses: Pluperfect**.

Perfect tenses (Los tiempos perfectos) are compound tenses made up of the auxiliary (helping) verb **haber** and a past participle. Following are the different perfect tenses.

* **Conditional perfect (El condicional del perfecto / El potencial del perfecto)** is formed by combining the conditional of the verb **haber** with a past participle.

  Habría muerto si me hubiera visto.
  ***I would have died** if he had seen me.*

  Habríamos salido para entonces.
  ***We would have left** by then.*

  (See **Conditional perfect** and *If*-clauses.)

* **Future perfect (El futuro del perfecto)** is formed by combining the future of **haber** with a past participle.

  Habré comenzado para las tres.
  ***I will have begun** by three o'clock.*

  Habremos ido demasiado lejos.
  ***We will have gone** too far.*

  (See **Future perfect**.)

- **Future perfect subjunctive (El futuro del perfecto del subjuntivo)** is formed by combining the future subjunctive of **haber** with the past participle. This tense is obsolete but it <u>is</u> seen in literature and proverbs.

  > Espera que **hubieren llegado**.
  > *He hopes **they will have arrived**.*
  >
  > Temo que no **hubiéremos terminado**.
  > *I fear we **will** not **have finished**.*

  (See **Future perfect subjunctive**.)

- **Pluperfect / Past perfect (El pluscuamperfecto)** is formed by combining the imperfect of **haber** with a past participle.

  > Lo **habían roto**.   They **had broken** it.
  > Se lo **habíamos dicho**.   We **had told** her (it).

- **Pluperfect subjunctive (El pluscuamperfecto del subjuntivo)** is formed by combining the imperfect subjunctive of **haber** with a past participle.

  > Dudaba que lo **hubieran hecho**.
  > *I doubted that **they had done** it.*
  >
  > Era lástima que no la **hubiéras visto**.
  > *It was too bad that **you hadn't seen** her.*

  (See **If-clauses**.)

- **Present perfect (El presente del perfecto)** is formed by combining the present tense of **haber** with a past participle.

  > Me lo **he puesto**.   *I have put* it on.
  > **Hemos escrito** mucho.   *We have written* a lot.

- **Present perfect subjunctive (El presente del perfecto del subjuntivo)** is formed by combining the present subjunctive of **haber** with a past participle.

  > Niego que **hayan mentido**.
  > *I deny that **they have lied**.*
  >
  > No es que no **hayamos estudiado**.
  > *It's not that **we have** not **studied**.*

- **Preterite perfect (El préterito del perfecto / El pretérito anterior)** is formed by combining the preterite of **haber** with a past participle. Synonymous to the pluperfect, this tense is seen in literature but is rarely used in spoken Spanish. When it is used it often follows expressions of time such as "barely," "no sooner," "when," "as soon as," etc.

> Cuando **hubo comido** se fue.
> *When he **had eaten** he left.*

> Así que **hube terminado** me dormí.
> *As soon as **I had finished** I fell asleep.*

> Apenas **hube entrado** cuando me caí.
> *Barely **had I entered** when I fell down.*

Person (La persona) refers to pronouns or verb forms that specify who is involved in an action or state of being. First person (I/we) refers to the speaker(s), second person (you) refers to the person(s) spoken to, and third person (he/she/they) refers to the one(s) spoken about. Note, however, that **Ud.** and **Uds.**, even though they mean "you," are third person.

> **Yo** habl**o**.　　　　　*I speak.* (first-person singular)
> **Tú** visit**as**.　　　　*You visit.* (second-person singular)
> **Ellas** bail**an**.　　　*They dance.* (third-person plural)

Personal a (La a personal) refers to the preposition **a** that is placed before a noun that is a direct object.

> Visité **a** María.　　*I visited María.*
> Invitemos **a** Pedro.　*Let's invite Pedro.*
> Admiro **a** tu familia.　*I admire your family.*

Personal pronouns: See **Object pronouns**.

Pluperfect: See **Perfect tenses: Pluperfect**.

Pluperfect subjunctive: See **Perfect tenses: Pluperfect subjunctive**.

Possessive (El posesivo) refers to a word or phrase that denotes ownership. There are possessive adjectives and possessive pronouns.

- **Possessive adjectives (Los adjetivos posesivos)** show ownership. The short forms preceed the noun and agree with it in number and gender.

mis libros	**my** books
nuestras tías	**our** aunts
su coche	**their** car

  The long forms follow the noun and add stress or emphasis. They may include the word "of." These agree in number and gender with the noun they modify and are preceded by an article or other modifier.

los libros **míos**	**my** books / the books **of mine**
las tías **nuestras**	**our** aunts / the aunts **of ours**
un coche **suyo**	**their** car / a car **of theirs**

  (See **Adjectives: Possessive adjectives.**)

- **Possessive pronouns (Los pronombres posesivos)** are words showing ownership that are used without a noun. They agree with the noun they replace and require an article or other modifier except when they follow the verb **ser.**

Son (los) **míos**.	They are **mine**.
Tenemos las **nuestras**.	We have **ours**.
El **suyo** está aquí.	**Theirs** is here.
Prefiero el **nuestro**.	I prefer **ours**.

Prepositions (Las preposiciones) are words such as *in, on, at, above,* etc., that relate a noun or pronoun to another word or phrase.

Nado **en** el océano.	I swim **in** the ocean.
Esta flor es **para** ti.	This flower is **for** you.
Soy **de** California.	I'm **from** California.

Prepositional pronouns: See Object pronouns.

Present participle: See **Gerund**.

Present perfect: See **Perfect tenses: Present perfect**.

Present perfect subjunctive: See **Perfect tenses: Present perfect subjunctive**.

Present progressive: See **Progressive tenses**.

Preterite (El pretérito) is the simple past tense that reports completed past actions.

Ayer **hablé** con María.	*Yesterday **I spoke** with Maria.*
Murieron hace dos meses.	***They died** two months ago.*
Se despertó a las seis.	***He woke up** at six.*

Preterite perfect: See **Perfect tenses**.

Probability (La probabilidad) refers to the use of the future and conditional tenses to express suppositions and conjecture (wondering, assuming, and guessing). The future is used for the present tense in English and the conditional is used for the past.

Trabajará demasiado.
*She **probably works / must work** too hard.*

Trataría demasiado.
*She **probably tried** too hard.*

¿Quíen **será**?
*Who **can** it be? / **I wonder who it is**.*

¿Quién **sería**?
*Who **could** it be? / **I wonder who it was**.*

(See **Future, Future perfect, Conditional,** and **Conditional perfect.**)

Progressive tenses (Los tiempos progresivos):

For every simple tense there is a corresponding progressive form. These consist of the verb **estar** and the present participle, and are used to emphasize that the events described are, were, will be, etc., in progress at the time in question.

Estoy escribiéndolo ahora.
I am writing it now.

Estaba estudiando cuando entré.
She was studying when I entered.

Estaremos nadando para entonces.
We will be swimming by then.

Certain other verbs are often used in place of **estar**.

Sigo hablando.	*I keep on speaking*.
Continuaba jugando.	*She continued playing / to play*.
Llevo días **procupándome**.	*I have been worrying* for days.
Andan mintiendo.	*They go around lying*.

Pronouns (Los pronombres) are words that replace nouns. Following are the various types:

- **Demonstrative**: See **Demonstrative pronouns**.

- **Direct Object**: See **Direct object, Object pronouns**, and **Pronouns**.

- **Indefinite (Los indefinidos)** are words that refer to people and things generally rather than specifically. They include "somebody," "some," "nobody," "none," "each," "both," and "everybody."

Alguien lo hizo.	*Somebody* did it.
Algún perro la mordió.	*Some* dog bit her.
Algo pasó.	*Something* happened.

- **Indirect Object**: See **Indirect object** and **Object pronouns**.

- **Object**: See **Object pronouns**.

- **Personal (Los personales)**: refer to people, and have first, second, and third person singular and plural forms. Included in this category are subject, direct object, indirect object, reflexive, prepositional, reflexive prepositional, and possessive pronouns.

Yo hablo.	*I speak.*	(subject)
Me visita.	*He visits me.*	(direct object)
Le cantamos.	*We sing to him.*	(indirect object)
Me visto.	*I dress myself / get dressed.*	(reflexive)
Habla de **nosotros**.	*He talks about us.*	(prepositional)
Piensa en **sí**.	*She thinks about **herself**.*	(reflexive prepositional)
Tengo las **nuestras**.	*I have ours.*	(possessive)

See also: **Object pronouns, Pronouns, Possessive pronouns**.

- **Possessive**: See **Possessive**.

- **Prepositional**: See **Object pronouns**.

- **Reflexive**: See **Object pronouns**.

- **Reflexive prepositional**: See **Object pronouns**.

- **Relative (Los relativos)** are pronouns that introduce subordinate clauses. They include "who," "which," and "that."

Es el libro **que** compré.	*It's the book **that** I bought.*
Juan, **quien** es mi amigo, salió.	*Juan, **who** is my friend, left.*
Miente, **lo que** me molesta.	*He lies, **which** bothers me.*

(See **Clauses: Subordinate**.)

- **Subject (El sujeto):** These pronouns, *I, you, he,* etc., stand for the person performing the action of the verb. The verb form agrees with the person and number of the pronoun.

Yo hablo.	*I speak.*
Ella come.	*She eats.*
Nosotros jugamos.	*We play.*

Proper nouns: See **Nouns**.

Reciprocity (La reciprocidad): Reciprocal constructions are those in which two or more subjects perform an action to or for one another. The pronouns **nos, os,** and **se** are generally used, and a form of **el uno al otro** may be added to make it clear that the reciprocal meaning is intended.

Las cinco hermanas **se aman** (**las una a las otras**).
*The three sisters love **each other**.*

Tú y yo **nos** respetamos (**el uno al otro**).
*You and I respect **each other**.*

When a preposition other than "to" is involved, the reflexive pronoun is omitted.

Ellos pelean **el uno contra el otro**.
*They fight **against each other**.*

Vivimos **las unas para las otras**.
*We live **for one another**.*

(See **Object pronouns: Reflexive**.)

Restrictive clause (La cláusula restrictiva) is a clause that is essential to the meaning intended to be conveyed in a sentence and therefore cannot be omitted.

Pedí la habitación **que tenía dos camas**.
*I asked for the room **that had two beds**.*

Compré la casa **que quería**.
*I bought the house **that I wanted**.*

(See **Clauses: Restrictive**.)

Subjects (Los sujetos) are nouns or pronouns that perform the action or express the state of being indicated by the verb. The verb agrees with the subject in person and number.

Juan canta bien.	*John sings well.*
La ciudad está en ruinas.	*The city is in ruins.*
El libro es interesante.	*The book is interesting.*
Nosotros nos divertimos.	*We had fun.*

Subject pronoun: See **Pronouns**.

Subjunctive (El subjuntivo) is a mood that is used mainly in subordinate clauses after verbs that express emotion, doubt, desire, or hypothetical situations.

Estoy alegre de que **estén** en mi clase.
*I'm happy that you **are** in my class.*

Dudamos que ella **mienta**.
*We doubt that she **lies**.*

Si yo **fuera** tú, no lo haría.
*If **I were** you, I wouldn't do it.*

It is also used for all commands except the affirmative **tú** and **vosotros** forms.

Háblame (Ud.)	*Talk to me.*
No los **compren** (Uds.).	*Don't buy them.*
Cantemos (nosotros).	*Let's sing.*

(See **Imperative**.)

Superlatives (Los superlativos) use adjectives or adverbs to explain who/what is the biggest, fastest, tallest, etc., when comparing three or more members of a group. In superlative constructions, the definite article precedes the comparative form. The preposition **de** is used to express *in*.

Soy **la más baja** de los primos.
*I am **the shortest** of the cousins.*

Mi perra es **la más rápida** del grupo.
*My dog is **the fastest** of the group.*

Este cuarto **es el menos** cómodo.
*This room is **the least comfortable**.*

(See **Comparatives**.)

Verbs (Los verbos) are the words in a sentence that communicate the action or state of being.

Pedro **juega** bien.   Peter **plays** well.
Paris **está** en Francia.   Paris **is** in France.

- **Auxiliary verbs (Los verbos auxiliares):** Also called "helping verbs," these are verbs that are used in conjunction with another verb. The most common are **estar**, which is used to form the progressive tenses, and **haber**, which is used to form the perfect tenses.

  Está cantando.   **He is** singing.
  Hemos estudiado.   **We have** studied.

  (See **Perfect tenses** and **Progressive tenses**.)

- **Helping verbs**: See **Auxiliary verbs**.

- **Orthographic-changing verbs**: See **Orthographic-changing verbs**.

- **Reflexive verbs (Los verbos reflexivos)** are verbs whose subject is also the recipient of the action. The action of the verb "reflects" back upon the subject.

  Él **se afeita**.   He **shaves (himself)**.
  Los perros **se lavan**.   The dogs **wash themselves**.

  (See **Object pronouns: Reflexive** and **Reciprocity**.)

- **Stem-changing verbs (Los verbos con cambios radicales)** have a spelling change in the stem when conjugated in certain tenses. There are three main types: **e→ie, e→i,** and **o→ue.**

  P**ie**nsa en mi mamá. (p**e**nsar: e→ie) He **thinks** about my mom.
  P**i**do helados. (p**e**dir: e→i)   I **ask** for ice cream.
  No d**ue**rmen bien. (d**o**rmir: o→ue)   They don't **sleep** well.

Index

distribuir, 205
divertir, 213, 222
doler, 213
dormir, 213, 222, 226, 234, 259, 286
double object pronouns, 346–348,
    466–467, 475–476; see also
    direct object pronouns,
    indirect object pronouns,
    object pronouns

-eer verbs, 260
ejercer, 215, 216
elegir, 213, 217, 218, 222, 272
el + feminine noun, 399
el que, 560, 561–562
empezar, 213, 222, 226, 287
emphatic pronouns, 474; see also
    prepositional pronouns
en
    + noun, 569
    + que, 560
encender, 213
encontrar, 213
en cuanto, 303
enseñar + infinitive, 456
entender, 241
entretener, 227
enviar, 206, 216, 409
envolver, 272
escoger, 207, 217, 287
escribir, 272
estamos a, 416
estar, 198, 204, 224, 258, 259, 261,
    264, 286, 317
    + adjective, 364, 366
    expressions with, 367
    in progressive tenses, 363, 608
    uses of, 362–364
    vs. ser, 208–209, 361–370
    with past participle, 362, 365
excepto, 473
exclamative adjectives, 515, 584
exclamatives, 565, 566–567
exigir, 217
expressions, impersonal, 311–312
extinguir, 207, 215, 216, 217, 260, 287

family names, 405
feminine nouns, 394, 396–399; see
    also gender of nouns
fingir, 215, 217
former, 554, 555–556

for + time expression, 197
freír, 212, 213, 222, 226, 272, 409
fruncir, 215, 216
future actions, expressing, 197,
    246–247
future indicative, 245–251, 325, 410,
    590, 593, 607
    expressing probability, 247–249,
    607
    irregular verbs, 245–246
    regular verbs, 245
    uses of, 246–249
future perfect indicative, 246, 270,
    275–276, 590, 593, 603
future perfect subjunctive, 279, 328,
    593, 604
future subjunctive, 279, 327,
    593–594

-gar verbs, 287
gemir, 213
gender of nouns, 394–401, 586, 594
gerund, 594
-ger verbs, 207, 215, 217, 287
get, to, 373–374
-gir verbs, 207, 215, 217, 287
gracias, 564
gran(de), 490–491, 501, 507, 572
graphic present, 196
-guar verbs, 287, 409
-guir verbs, 205, 207, 215, 216, 217,
    260, 287
gustar, 463–465
    + infinitive, 355

haber, 204, 224, 245, 246, 252, 254,
    261, 270, 271, 272–279, 286,
    322–326, 328, 455, 589, 593,
    603–605
    vs. tener, 208
hacer, 205, 206, 215, 225, 245, 252,
    261, 272, 286, 340
hacer el favor de + infinitive, 356
hace + time expression, 197, 198,
    264, 563
hasta (que), 303, 304
hay, 208
helping verbs, 270, 456, 457, 589, 603,
    612; see also auxiliary verbs
hervir, 222
hubo, 226
huir, 216, 223, 271, 286

Acknowledgments

"Resultados diagnóstico rural participativo en la aldea Chicapir" is from the document "Diagnóstico rural participativo de las comunidades por ADECOGUA" by the Ministerio de Agricultura, Ganadería y Alimentación de Guatelamala, which appears on the website of the Food and Agriculture Organization of the United Nations. http://www.fao.org

"En casa: Cómo ahorrar energía" is from "Consejos para el consumo eficiente y responsable de la energía" which appears on the website of the Instituto para la Diversificación y Ahorro de la Energía de España. Copyright © IDAE 2004, Instituto para la Diversificación y Ahorro de la Energía. http://www.idae.es

"Cocina de Venezuela" appears on the website of Venezuelatuya. http://www.venezuelatuya.com

"Descripción del Maremoto" adapted from "Maremoto: guía animada del desastre" appears on the BBCMundo.com website "Desastre en Asia. Published January 11, 2005. Copyright © BBCMMVI http://news.bbc.co.uk

"¿Cómo pueden 100 dólares modificar una economía?" from the website, "International Year of Microcredit 2005." Published by the Department of Public Information of the United Nations. http://www.yearofmicrocredit.org

"EFE lanza servicio de noticias a teléfonos móviles para inmigrantes" is from the website of Noticiasdot.com. http://www2.noticiasdot.com

"En el transporte: Cómo ahorrar energía" is from "Consejos para el consumo eficiente y responsable de la energía" which appears on the website of the Instituto para la Diversificación y Ahorro de la Energía de España. Copyright © IDAE 2004, Instituto para la Diversificación y Ahorro de la Energía. http://www.idae.es

"Equinoccios 20 de marzo y 22 de septiembre del 2005" by M. Sc. José Alberto Villalobos is from "Equinoccios y Solsticios", and appears on the website of Fundación CIENTEC (Fundación para el Centro Nacional de la Ciencia y la Tecnología), San José, Costa Rica. http://www.cientec.or.cr

"Los países en desarrollo salen perdiendo en el comercio de bienes culturales" is from the report "International Flows of Selected Cultural Goods and Services, 1994-2003" that appeared on the website of UNESCO (United Nations Educational Scientific and Cultural Organization), December 2005. http://text.unesco.org/tt/http://portal.unesco.org

"Turismo latinoamericano tiene gran potencial" is from the website of the Universidad Arturo Prat, January 11, 2005. Copyright © Universidad Arturo Prat – Chile. http://www.unap.cl

"Viviendo a merced del Sol" by David Shukman, is from the website of BBC Mundo.com. September, 2004.
http://news.bbc.co.uk

"Día Mundial del Medio Ambiente" is from the website of the Ministerio de Salud of Peru, February 2006.
http://www.minsa.gob.pe

"Desde la General Norte," by Freddy Peñafiel, is from Revista La Casa Número 41, from the website of the Casa de la Cultura Ecuatoriana Benjamín Carrión.
http://cce.org.ec

"Reggaetón" is from "Reggaetón: ¿hora de cambiar el cartucho?" by Jorge Meléndez. This article appeared on the website of El Vocero de Puerto Rico, January 26, 2006.
http://www.vocero.com

"Piscis" is from the website of ABC Periódico Electrónico, February 15, 2006. Copyright © ABC Periódico Electrónico S.L.U, Madrid, 2005.
http://horoscopo.abc.es/signos-zodiaco-piscis.html

"Los niños y la televisión" is from the website Educar.org.
http://www.educar.org

"Internet es para todos" is from the website of the Capítulo Argentino of the ISOC (Internet Society).
http://www.isoc.org.ar

"BID: el sector privado es clave" is from "La Brecha Digital" and appeared on the website of BBC Mundo, December, 2003.
http://news.bbc.co.uk

"Necesitamos maquillar, disfrazar la realidad" interview with Margarita Jusid by Víctor Fowler Calzada from the website of Miradas, Revista de Audiovisual, March 2005.
http://www.miradas.eictv.co.cu

"El Madrid de Almodóvar" by Juan Zavala. From the website Esmadrid.com from the Empresa Municipal Promoción de Madrid, S.A.
http://www.esmadrid.com

"Patrimonio de la Humanidad" is from the website Cultura of the Ministerio de Cultura de España.
http://www.mcu.es

"Quito, 25 años Patrimonio de la Humanidad" is from the website "Quito, Capital de la Cultura" sponsored by the Municipio del Distrito Metropolitano de Quito and La Hora.com.
http://www.dlh.lahora.com.ec/paginas/quito/noticias.htm

"En profundidad: Agricultura y soberanía alimentaría" is from the website Choike.org, a project of the Third World Institute.
http://www.choike.org

"Los hombres de maíz: Territorio, autonomía y resistencia en los pueblos indígenas de México," by Carlos Santos, is from Biodiversidad, Sustento y culturas, October, 2004, and appeared on the website of grain.org.
http://www.grain.org/biodiversidad/

"Historia de la Radio" is from the website of OMC Radio, Onda Merlín Comunitaria in Madrid, Spain.
http://www.omcradio.org

"Con los pies en la tierra," appeared on the website of Periodismo Social in June, 2005.
http://www.periodismosocial.org.ar